375

«LA BARRACA»

Teatro Universitario

BIBLIOTECA DE LA REVISTA DE OCCIDENTE

La *Biblioteca de la Revista de Occidente* nace de la limpia ambición intelectual de contribuir a desentrañar los problemas, a veces graves, que el mundo y la cultura actuales tienen planteados. Problemas cuya paulatina solución ha de llevar a la plena maduración de una conciencia universal que se está fraguardo por encima de los límites tradicionales —geográficos, históricos, raciales y de partido— que pertenecen ya al pasado, aunque persistan en la superficie su agitación y su violencia. Esta *Biblioteca,* de temática amplia y varia, absorberá en particular las tres Series de *Ciencias Históricas, Política y Sociología* y *Filosofía,* que se venían publicando en colecciones independientes. La *Biblioteca de la Revista de Occidente* ofrecerá así al lector aquellas publicaciones que, por el acierto de su tratamiento, puedan ayudarle a un recto planteamiento de las cuestiones del saber y el acontecer actuales.

SECCION: VARIA

LUIS SAENZ DE LA CALZADA

«La Barraca»
Teatro Universitario

Prólogo de
Rafael Martínez Nadal

Biblioteca de la
Revista de Occidente
General Mola, 11
MADRID

INDICE

ÍNDICE

A Maruja: mi mujer.

Presentación

En un estudio sobre los teatros universitarios de Europa y América, la Barraca, de vida tan breve, ocuparía lugar destacado. Destacado y aparte. Por su origen, funcionamiento y fines, se diferencia considerablemente de las sociedades de arte dramático que encontramos en las universidades anglosajonas, en especial Oxford y Cambridge, modelo y cuna del género. Característico de éstas, es ser continuadoras de una rica tradición teatral —viva también en las viejas «public schools» donde la afición se nutre—, disfrutar de una total libertad de acción y poseer amplia autonomía. Las autoridades universitarias, sin intervenir directamente, ven con buenos ojos estas y otras actividades extra-académicas. Les reconocen valor psico-terapéutico y formativo: desarrollo de la personalidad y espíritu de grupo, cauce y espita. De sus resultados artísticos más visibles nos hablan, entre los contemporáneos, Sir John Gielgud y Sir Laurence Olivier, actores; Peter Brook y Peter Hall, directores.

A primera vista, la Barraca aparece en el paisaje español como algo insólito. Sin tradición, sin apoyo académico de ninguna clase, este grupo universitario se lanza por los caminos de España para llevar unas obras del teatro clásico español a pueblos y villas, muchos jamás visitados por las compañías profesionales. Y sin embargo, tan a tono estaba ese teatro ambulante con el paisaje y el momento, tan bien entendían aquellos analfabetos campesinos el lenguaje de Cervantes y Lope, tan lógico que un poeta y unos estudiantes acudieran a remediar abandonos culturales, que lo asombroso era que la empresa no hubiera surgido antes.

La historia externa de la Barraca, su influencia e irradiación, está hoy siendo estudiada en volúmenes nada parcos en datos e información. Pero faltaba la historia viva, interna; la que nos dijera cómo se formaban los actores, quiénes seleccionaban, dirigían y montaban las obras, cómo era el diario convivir de sus componentes durante las prolongadas excursiones, cuáles las incidencias y afanes, la reacción en los pueblos, los éxitos y los fracasos. Y esta historia es la que aquí nos cuenta Luis Sáenz de la Calzada.

«Libro de pequeñas vivencias, de diminutos recuerdos», nos dice en

11

su Introducción y, unas líneas después, «es tanto lo que debo a la Barraca (Federico, Ugarte, mis compañeros todos, las excursiones sobre la vieja tierra de España), que todo debería hallarse nítido, claro, en los metacircuitos de mi memoria, ya que todo ha coadyuvado —¡y de qué forma!— a que mi *Yo* adquiera más prestancia, esto es, a que pueda ser más humildemente humilde pero, a la vez, más tensa y hondamente vital».

El que así escribe de aquella experiencia juvenil es hoy estomatólogo, licenciado en ciencias biológicas, doctor en medicina, académico de número de la Real Universidad de Oviedo; ha publicado más de cuarenta trabajos originales, explicado a nivel universitario fisiología y antropología, traducido libros científicos; es pintor, conferenciante, cazador y pescador, padre de familia, vive y trabaja en León, y confiesa, no sin cierto orgullo, «soy de los que perdimos la guerra».

Leer estas páginas es viajar en «la casa ambulante de la camaradería», montar en plazas públicas «el tinglado de la antigua farsa», entremezclarse con un público absorto y agradecido, experimentar las inevitables tensiones que produce el cansancio y que, a la mañana siguiente, se disuelven en risas. Es confirmar que la juventud, como los pueblos, se une «para hacer algo en común», en este caso, algo hermoso y noble. Lorca, Ugarte y un puñado de jóvenes: «Nosotros, pocos, afortunados pocos...»

Pintor también con la pluma, Sáenz de la Calzada nos brinda rápidos esbozos de los que fueron sus compañeros; desde Eduardo Ugarte —«Ugartequé»—, el leal amigo de Lorca que aceptó con agrado hacer de segundo violín, hasta el Secretario, Rafael Rodríguez Rapún, «tres erres», que decía Lorca cuando a él se refería*.

Es éste un libro testimonio indispensable para todo interesado en La Barraca, en el teatro en general, o en el clima que respiró aquella juventud española del primer lustro de los treinta, antes de que el extremismo fuera haciendo imposible la fructífera convivencia. Libro indispensable, además, para ir completando el conocimiento de cómo se manifestaba la personalidad humana y artística de Lorca.

Siempre me ha enmudecido la pregunta de cómo era Lorca. A la memoria acude un recuerdo y al instante uno se percata de que palabras y detalles están desfigurando el retrato del hombre que uno conoció; que hablar de una faceta del poeta es silenciar otras igualmente ciertas y a veces contradictorias. Esto, aplicable a toda persona, en Lorca, por lo

---

* En el último año de la Barraca, sé que Rapún actuó también de secretario personal de Lorca. Como advierte el autor de este libro, es de temer que entre las ruinas de la casa donde Rapún vivía con sus padres en Madrid, destruida en la guerra civil, se perdieran algunos valiosos manuscritos del poeta. Entre ellos, sospecho, la versión definitiva de *El público* y ese acto de *La destrucción de Sodoma*, de cuya existencia nos habla aquí Luis Sáenz de la Calzada. Lo que de aquella lectura recuerda, coincide en lo esencial con lo que García Lorca me contó a mí el último día que pasó en Madrid. La diferencia es que a mí me dijo *que iba* a escribir lo que al parecer ya tenía escrito.

variado y rico de su personalidad, adquiere mayores proporciones. Ningún amigo, ningún familiar, posee la clave de una personalidad tan compleja como fue la suya. Sólo la suma de múltiples ángulos visuales podría darnos una visión que se aproximara a la integridad. Sería por eso tarea urgente, urgente y difícil, que todos los que con él convivieron en distintos círculos o ambientes, nos fueran dejando veraz testimonio de sus experiencias y recuerdos. Urgente, porque disminuye rápidamente el número de los que bien le conocieron; difícil, porque a muchos, comprensible pero equivocadamente, les repugna la idea de aparecer a la luz de un reflejo de gloria; esa gloria reflejada que arroja un hombre célebre y que no se limita a los familiares más cercanos sino que alcanza también, en mayor o menor grado, a todos los que recorrieron a su lado parte del breve camino. Afortunadamente, Luis Sáenz de la Calzada ha sabido vencer estos y otros prejuicios.

Ejemplo de agudo captar y limpio contar, en este libro vemos y oímos a Lorca dirigir y actuar; explicar el porqué de los cuidadosos cortes que hacía en las obras clásicas; inventar escenificaciones como la «Fiesta del Romance», o la del machadiano «La Tierra de Alvar González». Atento a todo, seleccionará entre los jóvenes pintores amigos suyos los que mejor dibujarán decorados y trajes, escogerá la música que introduce en las representaciones, decidirá las luces, saldrá al escenario a presentar La Barraca y, en algunos casos, le veremos solo, en el proscenio, frente a un público hostil e insultante. Y luego, terminado el quehacer teatral, aparece el amigo mayor de los jóvenes camaradas, igual al Lorca que todos conocimos. Y ahí está cantando, recitando, tocando el piano, contando historias, haciendo confidencias, improvisando escapadas a viejas ciudades, gastándose alegremente el «capitalito» que sus obras le proporcionaban. Su proverbial generosidad no se detenía en aquel elogiar, las más de las veces, las obras de sus colegas.

«Arte joven, tiempo joven», dice el autor de este libro refiriéndose a la escenificación de la «Egloga de Plácida y Victoriano». Buen resumen: Juventud y Arte al servicio de una idea generosa. Con palabras cristalinas lo explicó Federico García Lorca al presentar la primera actuación de La Barraca en su primera salida:

«Pueblo de Almazán: los estudiantes de la Universidad de Madrid, ayudados por el Gobierno de la República, y especialmente por su ministro Don Fernando de los Ríos, hacen por vez primera en España un teatro con el calor creativo de un núcleo de jóvenes...» y terminaba: «... toda esta modesta obra la hacemos con absoluto desinterés, por la alegría de poder colaborar en la medida de nuestras fuerzas en esta hermosa hora de la nueva España.» La injuriada hora.

Julio, Ginebra, 1975   R.M.N.

*Federico y Ugarte, artífices. Hoy son dos esqueletos sin salida.
(Cortesía de la Galería Multitud).*

A modo de prólogo

Se canta una viva historia contando su melodía.

(Antonio Machado).

Este es un libro de pequeñas vivencias, de diminutos recuerdos; responde, por supuesto, a un modo de ser y a un determinado sistema preferencial del que no puedo escapar; por lo mismo, carece del rigor que el erudito desearía encontrar en un libro que se titula como éste; de cualquier forma, he procurado, en la medida de lo posible, atenerme a un orden cronológico válido y, donde he podido, he consignado las referencias oportunas.

Rafael Martínez Nadal, y de modo prácticamente conminatorio, me exigió que fuera viendo, «encuestando», valga la palabra, uno por uno, a todos los que formaron el elenco de la Barraca; tal sería estupendo y, a no dudar, el libro resultaría más completo, más lleno de eventos importantes, de ramas y de raíces; se alcanzaría así, tal vez, una objetividad fruto de la suma de muchas subjetividades; desgraciadamente no puedo hacerlo —solamente en parte he podido—, porque tengo ocupaciones ineludibles y perentorias que me impiden llevar a cabo la hermosa aventura de ver a los viejos amigos y charlar con ellos; los nuevos tiempos han hecho que la faena de encontrarse dos personas que viven en distintos lugares no sea mollar en modo alguno. Es cierto que podría escribir a todos un cuestionario dado, fácil de contestar, sobre el cual yo pudiera, posteriormente, elaborar la fábrica de la memoria, pero eso tampoco resulta fácil dada mi idiosincrasia y, seguramente, la de los posibles interrogados. Así pues, este libro que titulo «LA BARRACA, TEATRO UNIVERSITARIO» es, en realidad, con algunos importantes añadidos, mi propia Barraca, la Barraca que mi recuerdo me permite ver al descorrer, penosamente, el telón de los años.

Freud hablaba de la existencia de recuerdos «encubridores», mediante los cuales el sujeto que los vive, tapa o cubre los auténticos, los válidos que, en el fondo, son dañosos al «Yo»; esta interpretación «more psicoanalítico», no va conmigo ni con lo que este libro pretende relatar:

15

no hubo nada en la Barraca que fuera nocivo, injurioso, dañino o como quiera llamarse; para mi «Yo», para mi pequeño, modestísimo «Yo»; por el contrario, es tanto lo que debo a la Barraca (Federico, Ugarte, mis compañeros todos, las excursiones sobre la vieja tierra de España), que todo debería hallarse nítido, claro, en los metacircuitos de mi memoria, ya que todo ha coadyuvado —¡y de qué manera!—, a que mi «Yo» adquiera más prestancia, esto es, a que pueda ser más humildemente humilde, pero, a la vez, más tensa y hondamente vital.

De cualquier forma, hay recuerdos que destacan claros, abrumadoramente luminosos, en tanto que otros se agazapan en las sombras; para llegar a éstos me ha sido necesaria una auténtica labor de zapa, pero creo haberlos resucitado, haberles conferido la sangre que tuvieron cuando, en vez de recuerdos, fueron hechos, puros aconteceres.

Es seguro que este relato, esta pequeña historia sobre la Barraca, no es —tampoco lo pretende— exhaustivo; cada uno de los componentes que fuimos del elenco —actores, conductores, atrezzistas, decoradores, administrativos, etc.—, podría escribir también su propia historia sobre la Barraca —distinta, por supuesto, a ésta que yo escribo—, y si es verdad que cada cual habla de la feria según le va en ella, mi tono ha de ser forzosamente laudatorio en todo momento; no se me tome a mal: ya sé cómo se tiende a magnificar el recuerdo, sobre todo cuando éste se instala en la juventud —y más si ésta no conlleva apenas responsabilidades— y en la aventura que uno estima que vale la pena —que valió la pena— y eso hasta tal punto, que pienso que, de no haber existido nuestro teatro universitario, de no haber formado yo en sus filas, sería una persona distinta de la que soy —quizás ni mejor ni peor—, pero sí diferente, posiblemente en grado sumo diferente.

Vivir no es llevar a cabo una sucesión linear de acciones sino —y Ortega tenía una vez más razón— responder a lo que a uno le acontece (la elaboración personal del acontecimiento que sobre uno incide). En este caso, la vida es más encrucijada que línea —aun parabólica—; hay hitos blancos que marcan los distintos posibles caminos y ellos son los que sirven de orientación en nuestra singladura biológica —somática y emocional.

La Barraca, lo que la Barraca representó en la España de la República, fue, constituyó el más alto hito de mis escrucijadas; desde cualquier lugar de mi camino hecho es visible, se alza alegre, puramente blanco e imposible de ocultación; los detalles, los pequeños detalles, tal vez se me escapen, se escurran con el polvo que uno deja tras sí, pero mi camino, mi vida en suma, es lo que es —sin poder ser de otra manera—, en virtud de mi paso, afortunado paso, por la Barraca. Y esto, en definitiva, es lo que quiero consignar.

Admiro a los que saben narrar las cosas con donaire, con rigor, con precisión y gracia; yo cuento mi pequeña melodía del pasado para ver si, a lo Machado, me sale cantando un trozo vivo de mi historia.

Reconocimientos

Es obligación mía indicar lo mucho que me han ayudado en la redacción de esta historia sobre la Barraca, el libro de Marcelle Auclair, *Enfances et mort de García Lorca,* así como la tesis doctoral de la señora Suzanne Wade Bird, de la Universidad de Georgia, *The nationalitation of the Spanish Theater: A study in the revitalizing influences of Federico García Lorca and Alejandro Casona.* Muchos de los datos que ambas escritoras utilizan para jalonar sus obras, han sido fundamentales para que el hilo de Ariadna de mi memoria se haya adentrado en el corazón —en el laberinto— de los hechos acaecidos. Una buena parte de las citas —periódicos, revistas, etc—, que incluyo en esta narración, ha sido tomada de sus respectivos libros.

Julita Rodríguez Mata me ha enviado desde México información importante, y aún importantísima, para el desarrollo de este relato. Asimismo, y por su intermedio, lo ha hecho Aurelio Romeo.

José Obradors me mandó la poesía que incluyo en la que —Federico, Ugarte, Teatro Universitario—, resume hechos, modos, eventos, de manera magistral.

María del Carmen García Lasgoity es, seguramente, la que, con gran diferencia, me ha aportado más datos sobre la Barraca y su trayectoria, así como sobre los componentes del elenco, del equipo que formó nuestro teatro; gracias a ella, justo es que lo diga, empiezo a saber yo mismo algo sobre la Barraca.

José Caballero ha mantenido conversaciones importantísimas conmigo sobre la Barraca; su hipersensibilidad de artista ha captado muchos aconteceres que yo no hubiera podido ni sospechar siquiera Parte de la iconografía que avalora este libro me ha sido proporcionada por él.

Son muchos los que, de un modo u otro, se han ocupado con amor de Federico y sus obras; la lista de todos y cada uno sería abrumadoramente numerosa y queda omitida sólo en gracia a la brevedad. De todos ellos me he servido en mayor o menor medida.

La Galería Multitud, de Madrid, me ha permitido utilizar cuanto me ha parecido bien del material presentado en su espléndida —bien que nostálgica— exposición sobre «La Barraca y su entorno».

Soledad Ortega Spottorno ha consumido muchas de sus valiosas horas corrigiendo tanto el original como las pruebas. Son, asimismo muy importantes las sugerencias que me ha hecho.

Efrén Arias, desde Lugo, me ha escrito una carta no sólo afectuosa, sino llena de información sobre la labor de la Barraca durante nuestra guerra.

Rafael Martínez Nadal, *last but not least,* es, finalmente, quien, sacándome de mis casillas, me ha hecho emprender la incierta aventura de dar testimonio de lo que fue. Lanzarse a lo desconocido —y toda aventura lo es— constituye, creo, una hermosa, tal vez hermosísima cosa, que la vida puede brindarnos todavía. A él se lo debo plenamente, así como sus consejos, la paciencia de que ha dado muestras al corregir mi trabajo, los alientos que me ha prestado y el estupendo prólogo con el que honra este libro.

Para todos hondamente, desde lo más profundo, desde «la raíz del grito», desde lo más afectivo, visceral, desde las capas más nobles de mi ser, muchísimas gracias.

Federico. Copia que de su propio original hizo José Caballero, ya que éste fue quemado por las turbas —turbadas turbas, excitadas turbas— en la plaza pública.

Impresionante dibujo de Federico, hecho de memoria por José Caballero.

CAPITULO 1

Introducción

—¡Plaff!

El golpe contra la chapa de la camioneta que transportaba decorados y atrezzos sonó fuerte y seco, pero no discordante. Rafael Rodríguez Rapún se miró los nudillos; uno de ellos, el del dedo corazón de la mano derecha, estaba despellejado y sangraba ligeramente a causa del golpe. Yo estaba a su lado; nadie más, porque la calle, solitaria a pesar del día, no contenía más hálitos de vida que mi asombro y la cólera de Rapún; un día de sol, tal vez algo caliente, pero dulce. Una casa próxima, con el portal ribeteado de color verde seco, como la hoja de la encina. Y el sol casi alto; apenas había ruidos en el aire.

—¿Por qué has hecho eso?

Rafael se miró el nudillo traumatizado, contundido, y pasó la lengua por la herida.

—¡Todo es una leche! —dijo con rabia.

Había abollado la chapa de la camioneta por detrás, cerca de la cerradura de la puerta posterior que, cuando se abría, dejaba ver todas las entrañas del vehículo: un pequeño bollo hacia dentro, de ésos sin importancia.

—¿Qué te pasa, muchacho?

Rafael llevaba una carpeta donde apuntaba religiosamente todos los gastos, todas las cuentas que abonaba. Una carpeta, creo que azul, de ésas de cartulina dura con gomas en las esquinas, pero no estoy absolutamente seguro de ello. Lo que sí sé, es que la carpeta desaparecería para siempre con el correr de los años y, tal vez, con el caer de las bombas.

Sé, todos lo sabíamos, que cuando el grupo —chicas y chicos— convive y trabaja duro, duro durante una temporada —aunque también hay ritmos de convivencia alegre, por otra parte—, el aire se vuelve como de cristal y salta de repente en grietas, igual que si estuviera enfermo. Parece como si la agresividad, que nace soterrada en cada persona, fuera haciéndose más y más manifiesta. No es nada en particular y carece de importancia, sólo que la agresividad crece sin que uno se dé cuenta y —¡plaff!—, de repente un golpe contra la chapa de la furgoneta a puño descubierto, desnudo.

—¿Te has hecho daño? —Se le había amoratado un poco la señal del golpe en el puño.

—¡Todo son leches! —repitió, pero más calmado.

No sé con quién había discutido; no sé si Ugarte le había llamado la atención o si tal vez Rapún llamó la atención a Ugarte. Tal vez fue Navaz el que sacó de sus casillas a Rafael, o quizás yo mismo. ¿Quién puede saberlo ahora? ¿Es preciso saberlo? La furgoneta quedó con un pequeño bollo, la furgoneta pintada de un color gris crema claro, con la carátula y la rueda que, según el boceto de Benjamín Palencia, estaba haciendo su muda mueca en los costados; la furgoneta que no sé qué ha podido ser de ella; cementerio de coches y para coches, ¿bajo qué montón de tierra se cobija?

Lo sabíamos; nadie ignoraba que al final de la excursión los nervios se nos ponían tensos y entonces no nos aguantábamos; a las chicas sí, claro, pero tampoco demasiado. Montar el tablado de seis por ocho metros en la plaza del pueblo, establecer las conexiones eléctricas para la iluminación conveniente de la escena, poner las cortinas y los decorados, comer en la fonda o donde se pudiera, vestirse en un cuartucho con débil luz, maquillarse —a veces nos vestíamos en la cuadra—, salir a representar durante hora y media hablando a voz en cuello para que todo el pueblo, congregado en la plaza, se enterase bien de lo que se trataba en el escenario —hablar o cantar, o las dos cosas—, terminar las representaciones, oír los aplausos, muchos aplausos, y luego quitarse los trajes, desmaquillarse, colocarse el mono, desmontar todo —las mujeres guardaban el vestuario en los baúles de paja y cuidaban de los atrezzos—, colocar el tablado en la camioneta número uno —la bella Aurelia—, y los decorados y las cestas del vestuario en la número dos —que conducía Eduardo, el policía—, para irse a dormir cansados, espatarrados y eso a diario, sin más descanso que el que nos brindaban los días que pasábamos en la Universidad Internacional de Santander, era para que la agresividad, como la pequeña hierba de la primavera, fuera brotando en cada uno de nosotros y nos apareciera hasta en los diminutos repliegues de los dedos y en las arruguitas de la sonrisa. Y de repente, todo se pasaba, la agresividad y el cansancio, y volvíamos a representar frescos, descansados, como si no lleváramos diez o doce pueblos encima de las espaldas. Tal estado de ánimo inquieto, tirante, nos acontecía dos o tres veces en cada excursión larga, pero sin dejar que nada rompiera el profundo afecto que nos teníamos.

Para los actores el mero hecho de representar, dar voces en las plazas nocturnas, constituía un desahogo en virtud del cual adquiríamos fuerzas para vencer cualquier estado tenso, agresivo, pues nos deshacíamos de la cólera, de la inquietud, a fuerza de dar hasta gritos en el escenario; pero Rapún era negado para el teatro; una cosa son las cuentas, llevar la contabilidad y las «public relations» y otra recitar. Citar y recitar. Rapún citaba: al alcalde o al secretario del Ayuntamiento, para que nos dejaran representar en la plaza. Y se iba a la cita con Federico y con Ugarte.

Previamente se había escogido el lugar sobre el que montar el escenario; solía ser el rincón, uno de los rincones de la plaza, procurando que no sólo reuniera condiciones para la toma de corriente —baterías y focos, para iluminar el escenario—, sino también que se encontrara, a ser posible, con soportales detrás, ubicación que nos permitiera un juego escénico más fácil; también era conveniente colocarnos dentro del ámbito de un vecino lo suficientemente amable —siempre los hubo—, para que nos cediera dos habitaciones —hombres y mujeres—, en las que vestirnos y maquillarnos.

Para mí el hecho de gestionar todas esas cosas constituía una lata; se trataba de formalismos que, aunque no ocasionaron nunca problema, fuera, tal vez, de Estella y Jaca, y aun la misma Huesca, siempre daban lugar a gestiones a realizar. En Jaca, por ejemplo, no nos dejaron representar. A última hora, el alcalde decidió que no diéramos la representación anunciada —Fuenteovejuna— y nos dejó con todo ultimado, pero sin actuación.

En Jaca había Universidad Internacional —cursos para extranjeros, más bien—. El profesorado, con toda seguridad, le pidió a Federico que diera un recital de sus poesías; Federico no se negaba nunca, ya que su generosidad para con el prójimo se desbordaba en cataratas; recuerdo la habitación, no muy grande, donde tuvo lugar el acto; el público la llenaba totalmente. Un pequeño estrado en medio del cual, y sentado, recitó Federico sus poemas; a su diestra estaba yo y Rapún a la siniestra. Lo del golpe contra la camioneta fue al día siguiente en Huesca, donde tampoco nos dejarían representar. Tal vez todo ello ocasionara, en parte, la tensión entre los componentes del elenco.

—Huesca tiene más color que León —sentenció Ugarte, mirándome severamente, como si yo fuera el culpable de la intensidad cromática de ambas capitales. Yo soy de León; hice un gesto de duda.

—León es un tópico turístico —continuó— y si le quitas la catedral y las vidrieras...

También Ugarte estaba irritado. Yo me encogí de hombros: —Todo es tópico - contesté—. Depende de lo que se entienda por tópico.

Ugarte me miró con su único ojo; en el otro tenía una catarata, hermosísima, por cierto —tenía un brillo como de aljófar cuando el sol incidía bajo cierto ángulo en ella. Ugarte llevaba gruesas gafas de miope; la catarata era la secuela de un desprendimiento de retina que tuvo en el ojo en cuestión, padecido años antes; estuvo ciego y sé que Federico iba a su casa a leerle cosas y a hacerle compañía. Ugarte estaba casado con la hija de Arniches, el estupendo sainetero español que marcó una época en nuestro teatro; consecuentemente era cuñado de Arniches, el arquitecto que proyectó, juntamente con Domínguez, el Auditorium de la Residencia de Estudiantes. Ugarte era muy peludo, mucho pelo en la barba, en el bigote, en los brazos, en el pecho; no tanto en la cabeza. Siempre que se le llamaba contestaba ¿qué?, por lo que le llamábamos Ugartequé.

Pues fue en Huesca donde Rapún se enfadó y abolló la camioneta, tal vez porque ya habíamos pasado por Jaca; creo recordar que Rapún tenía familia en Jaca, familia que se quedó sin presenciar Fuenteovejuna. Entonces fuimos a Canfranc, bajo una tormenta impresionante. Caían rayos y truenos; llovía a cántaros; tuvimos que trabajar en un local chiquito, con un pequeño escenario (tal vez una escuela o algo así. Mi recuerdo de ese día es azul pálido, como una pared mal pintada).

Federico recitó magistralmente en Jaca, como lo hacía en cualquier sitio donde recitaba —donde le rogaban que lo hiciera—; por otra parte, tenía una memoria prodigiosa para recordar sus propias poesías, así como todas aquellas que, por una u otra razón, le impresionaban. En Jaca Federico recitó el Romancero Gitano —parte del Romancero— y algo del Poema del Cante Jondo.

La gente le oyó con la boca abierta, incluidos Rapún y yo; Federico recitaba con voz clara, sin latiguillos ni los amaneramientos de un González Marín, por ejemplo; decía las cosas como deben decirse, pesando el ritmo, midiendo la cadencia, enumerando la emoción; y yo puedo asegurar que eso no es fácil, ni mucho menos, porque hay que seguir la finísima línea axil de la forma y no separarse de ella ni un solo ápice; el profesional carga su acento en el latiguillo, en lo que puede hacer vibrar fibras demasiado fáciles; el aficionado no sabe dónde está el escondido acento; decir, pues, las cosas como las cosas son, no es nada fácil, porque las cosas tienen un «que ser así», donde sobran las alharacas y los engolamientos; hay, sin embargo, que dotarlas de una tremenda carga emocional que ¡plaff!, como el puñetazo de Rapún sobre la furgoneta, te golpee las fibras sensibles, si es que por acaso las tienes.

La gente, la gente de los pueblos, el campesinado que está desapareciendo en la hora actual, a pesar del tractor, de la Televisión, de los cines y de las salas de fiestas que, como pequeñas excrecencias van brotando por los campos, el campesinado que vivía a la sazón en España como en el neolítico más o menos —siglos y siglos caídos sobre los campesinos que tal vez comían carne una vez al año —el día de la fiesta del pueblo— y que heredaban deudas y piel oscuramente sucia en lugar de venitas azules en los brazos; el campesino que tenía, a lo largo de siglos que manejar trabajosamente el arado romano, para ver, finalmente, cómo el mal tiempo de la primavera —Proserpina no llegó nunca sonriente para ellos—, se llevaba su duro esfuerzo y su sudor —se lo llevaba al diablo y con el diablo—, miraba nuestra obra con amor.

El campesinado tenía un profundo respeto por nuestro teatro; oscuramente, en las raíces de sus conexiones nerviosas primarias, tal vez se aglutinaran los enlaces existentes entre religión y arte; asistía a las representaciones de la Barraca como si estuviera en misa y se daba

Los cuatro pabellones de la Residencia de Estudiantes («Colina de los Chopos»), dibujados por Merco.

Camino de acceso a la Residencia de Estudiantes. En primer término, puente sobre «El Canalillo». Al fondo, el primer pabellón. (Dibujo de Moreno Villa).

cuenta de que lo que nosotros decíamos en el escenario, se dirigía a él, a él y a sus manos llenas de callos y a sus músculos cansados.

Pues bien, los campesinos que ahora abandonan los pueblos y aquellos otros que en ellos se quedaban, sí tenían fibras sensibles y ¡plaff!, cuando recitaba Federico o cuando contemplaban los Entremeses de Cervantes, por ejemplo, sentían cómo el corazón les subía hasta la garganta

> *En la lucha daba saltos*
> *jabonados de delfín,*
> *bañó con sangre enemiga*
> *su corbata carmesí,*
> *pero eran cuatro puñales*
> *y tuvo que sucumbir.*

Uno se imagina los millones y millones de campesinos que sucumbieron sin conocer ni una sola alegría en su vida, y los niños de campesinos que ni siquiera alcanzaron a conocer la vida; tres o cuatro respiraciones y ¡plaff!, sin siquiera poder defenderse, sin bañarse en sangre enemiga.

En Canfranc representamos *Los Habladores* y *La Tierra de Jauja*, un gracioso paso de Lope de Rueda. Los personajes corrían a cargo de Navaz y de los hermanos Higueras.

> *Mala noche me diste*
> *María del Ríoooó*
> *Mala noche me diste*
> *Dios te la de peoooooor.*

El paso era tan sencillo que apenas estaba ensayado. José Caballero nos había enseñado, al dibujarnos los figurines de las Almenas de Toro, que el mono —el traje de mono o buzo que hacía las veces de uniforme—, podía emplearse también para vestir a ciertos personajes de alguna obra; así pues, tanto los hermanos Higueras como Navaz, salían con el mono puesto, pero deformado con cuerdas, a la vez que maquillándose extrañamente —caras verdes o rojas, grandes pelucas y sombreros—. A Navaz se le olvidó el papel, pero Jacinto Higueras no se inmutó, aunque era la primera vez que en la Barraca alguien se metía en un «jardín». Salieron del paso en el paso porque tenían tablas y la gente no se dio cuenta; sólo nos reímos nosotros, porque nos sabíamos la obra.

Jacinto Higueras tenía gracia, quizás aún la tenga a pesar del paso del tiempo, de las terribles horas que nos van quitando, uno a uno, los pequeños dientes del sonreir; en la actualidad, Jacinto Higueras es escultor, pero antes tuvo una fábrica de juguetes en la Calle de Claudio Coello o Lagasca, que no recuerdo bien; hacía bombas que estallaban que se reconstruían y volvían a estallar, etc.; también hacía cañones y ejércitos, y cosas de esas.

Yo conocí a los hermanos Higueras en una conferencia que pronunció Alberti en el Teatro Español; la conferencia fue ilustrada maravillosamente por Federico al piano y por la Argentinita cantando y bailando, así que cualquiera, en tales condiciones, puede dar una conferencia que resulte extraordinaria, como aquella. Alberti pronunció durante la misma las palabras chorpatélico y ronronquélico que yo oía por primera vez, no sabiendo lo que querían decir. La chorpatelia y la ronronquelia, hoy dolorosamente olvidadas, tristemente olvidadas —como lo fueron las leyes de Mendel en su día—, llenaron una fase importante de nuestras vidas y de nuestro desarrollo mental; fueron palabras que nos acostumbraron a la gran invención, tal vez a profundizar sin esfuerzo en el secreto de la poesía de alta graduación.

Ya es más difícil definir lo que en realidad fueran chorpatelia y ronronquelia, aunque no acabo de comprender cómo la Real Academia de la Lengua no las ha recogido en su «Limpia, fija y da esplendor»; tales palabras brotaban límpidas de la boca de Federico, como el agua surge del manantial en la montaña: Julita Chorpatélica, por ejemplo. Julita Chorpatélica hacía de Cristinica en los Entremeses de Cervantes. Estuvo, acabada la contienda española, en Rusia y afincó después en México pero todavía, en la hora actual, puede representar el papel de Cristinica limpia de polvo y de paja, de todas las Cristinicas de la literatura universal. Y en el auto sacramental de «La Vida es Sueño», Julita Chorpatélica hacía de Agua, con la cara pintada de azul, húmeda de celestes versos.

Un pirulino era para Federico un cigarrillo, pero un chartelí de eumenia —eumenia suena a buena sangre—, era un vaso de vino que no había inconveniente en beber y en repetir. Cuando Pablo Neruda llegó a España, fuimos a esperarle a la Estación del Norte Federico, Rapún y yo. Hacía calor lo cual nos animó a tomar algo fresco; fuimos, pues, a una tasca a charlar y a beber un poco; nos llevó Rapún, que entendía bastante de tascas y bebimos dos o tres de esas frascas cuadradas de vino que sólo se ven en las tabernas; supongo, aunque no estoy muy seguro de ello, que salimos cantando. A la sazón ensayábamos «El Burlador de Sevilla» de Tirso de Molina, y a mí me cupo en suerte el papel de Don Juan Tenorio. Federico me rogó que recitara algunos versos de la obra a Pablo (quien desde entonces, me llamó Tirso, pero pronunciando el nombre con la s arrastrando, ceceante):

Parecéis caballo griego
que el mar a mis pies desagua
pues venís formado de agua
y estáis preñado de fuego;
y si mojado abrasáis

estando enjuto, ¿qué haréis?
Mucho fuego prometéis
plegue a Dios que no mintáis.

Versos estos que corresponden al papel de Tisbea, la desdeñosa pescadora que también se deja prender en otras redes.

Entonces Pablo Neruda, que padecía una blefaritis crónica por entonces, nos recitó su «Walking around» —Sucede que me canso de ser hombre...— con esa voz suya, suave como el cimbreo de la caña de azúcar.

A todos nos llega un momento en la vida en el que podemos cansarnos de ser hombre, de ser mujer, de tener pelo y uñas y lunes en los días de la semana, porque hay lentas lágrimas sucias de calzoncillos, porque hay peluquerías y grietas en las calles. A Rapún y a mí el poema nos dejó maravillados, aunque en aquellos momentos a mí me parecía imposible cansarse de ser hombre, cansarse de ser nada. Los lunes, lo confieso, han sido días como para hacer arder a los que no son demasiado amantes del trabajo y dejan para el lunes lo que pueden hacer hoy, y el lunes, ineluctable, llega y no se hace nada, y luego vienen los remordimientos y todas esas cosas. Ni Rapún, que se preparaba para el ingreso de Ingeniero de Minas, ni yo, que estudiaba Medicina, éramos estudiosos, quiero decir, no formábamos en el pelotón de los llamados empollones. Así que, aunque llegasen los lunes, pues nos levantábamos tarde y después de comer nos íbamos a Chiki Kutz, en Recoletos y bueno, nos ocupábamos de otras cosas, que no de estudiar.

A las siete de la tarde era el ensayo en la Residencia de Estudiantes. «Cuando yo era residente de estudiante», parece ser que decía Dalí, antes de pensar en las moscas y en San Narciso. Federico llamaba Brutescencia de Estudiantes a la colina de los chopos, con sus cuatro pabellones y su patio de adelfas entre los dos primeros. El primer pabellón tenía hiedra en sus paredes y, consecuentemente, arañas por docenas que allí, en la planta, hallaban refugio y puestos de ataque. El segundo pabellón tenía enredadera, acedera, cuyas hojas, al masticarse, dejaban el agrio gusto del ácido fórmico.

En el verano —golondrina de verano— Federico, que vivía en la calle de Alcalá, lejos de las floristas y de las violeteras, se alojaba en el segundo pabellón de la Residencia; allí escribía, retocaba sus escritos y preparaba los ensayos.

Después del segundo, venía el tercer pabellón, donde estaba el salón, el comedor, las oficinas y el despacho de D. Alberto Jiménez Fraud, el Presidente de la Residencia, hombre extraordinario si los ha habido en España, que sí los hubo. En el salón, con un gran piano de cola Bechstein en el que el musicólogo Jesús Bal y Gay —el de los risueños apellidos— ensayaba su ciencia, hacíamos a veces las lecturas de las obras a representar y estudiábamos la música que había de acompañarlas. Para ello, Federico gozaba de una sensibilidad auténticamente a flor de piel; conocía, creo yo, toda la música que se cantó en España desde el neolítico, por lo menos; no sé cuándo llegaron los gitanos de la India, ni si pasaron por Creta para traer una manada de toros bravos, de viejos minotauros, pero pienso que, antes de eso, Federico sabía ya lo que se cantaba en España.

Sanchez Mejías nos contaba, en un café de la calle de la Victoria, que los tartesos habían subido desde las marismas del Guadalquivir, y a través de Portugal, hasta Galicia y Asturias. No estoy seguro en estos momentos de que afirmara que los conducía la Blanca Paloma en su peregrinación, pero sí que hablaba de las afinidades existentes entre Huelva, Sevilla, las rías bajas y las azotadas playas asturianas. Entonces Federico cantaba asturianadas por soleares y fandangos por muñeiras, de modo que uno se quedaba pensando en que, tal vez, Sánchez Mejías tuviera razón.

En el cuarto pabellón de la Residencia —el trasatlántico, como se le llamaba— y encima de los laboratorios de Negrín, de Calandre, de D. Paulino Suárez, de D. Abelardo Gallego y de D. Pío del Río Hortega, había un corredor al que daban las ventanas de los cuartos de los residentes; bueno, las de los que vivían al poniente, ya que los de oriente veíamos el campo de fútbol y la prolongación —entonces—, de la calle de Serrano. Al otro lado, discurría el canalillo con sus altos álamos del amor —colina, sempiterna colina de los chopos— y más allá de las canchas de tenis se alzaba el edificio finisecular de no recuerdo qué Exposición Internacional; en él se albergaban, en extrañísima amalgama, el Museo de Ciencias Naturales, la Escuela de Ingenieros Industriales y el Cuartel de la Guardia Civil. Desde mi cuarto no se veía nada de eso; en cambio, sí rubios campos de trigo y algún convento, viejo convento de monjas. Al lado del campo de fútbol estaba la Fundación Rockefeller, para investigaciones físico-químicas —tierras raras y electromagnetismo, por ejemplo— y, un poco más allá, con fachada a la calle de Serrano, estaba el Auditorium, el Pedanterium, como decían los graciosos con mentalidad mesencefálica. El Auditorium contaba con una biblioteca, con un claustro en el que Marcelino, el jardinero, plantó una higuera, y cuartos de trabajo; pero sobre todo, con un teatro, un auténtico teatro con un magnífico escenario, un patio amplio y cómodo de butacas y un anfiteatro en voladizo. Los arquitectos autores del proyecto, ya lo he dicho, habían sido Carlos Arniches, cuñado de Ugarte y Martín Domínguez; el edificio de ladrillo, funcional, hermoso, cumplía sus funciones a las mil maravillas. En él, en el Auditorium, se celebraron Consejos Internacionales de Cultura, en él actuó la Compañía de Los Quince y tocó al piano Strawinski; allí, finalmente, se dieron las conferencias que patrocinaba la Sociedad de Cursos y Conferencias que tanto hizo en pro de la cultura, no demasiado floreciente, de España. Allí, además, representaron los residentes su *Don Juan Tenorio de Zorrilla*. Además se puso en escena una obra de Navaz y... hasta una poesía de Compoamor, recitada a medias por un mallorquín y un donostiarra. A tales representaciones solíamos asistir los de la Barraca, incluidos Federico y Ugarte; solían ser espectáculos de una comicidad extraordinaria, debido todo ello a la falta de tablas de los improvisados actores.

Pero, y esto era lo más importante para nosotros, en aquel escenario del Auditorium, ensayábamos nuestras obras; probábamos los trajes y los decorados, así como los efectos luminotécnicos. Pablo Neruda acudía a veces a nuestros ensayos; de repente se levantaba y se iba: —Voy a escribir un poema— decía, y se marchaba a la biblioteca.

En aquel escenario empecé yo a trabajar; me pidió Federico que leyera el papel de Barrildo en *Fuenteovejuna*. En realidad, yo había entrado en la Barraca como chófer de uno de los camiones, como ayudante de Aurelio Romeo, puesto este que más tarde ocuparía Luis Simarro. Aurelio Romeo, estupenda persona, se ocupaba, no sólo de conducir una camioneta, sino de enfrentarse con las tomas de corriente, las luces, baterías y focos; lo que no era, ni aunque lo majasen vivo, era actor.

Pues bien, yo tenía que ser su ayudante en el camión y como tal ayudante había entrado en la Barraca; no conocía a Federico todavía; el cargo o puesto de ayudante me lo había asignado José García García. José García García era hijo de primos hermanos los que, a su vez, eran hijos de otros primos hermanos y así sucesivamente. Los apellidos de José García se repetían alucinantemente: García García, Castellanos Castellanos, García García, Boto Boto, etc, representando la más hermosa homocigosis genealógica que yo he conocido nunca. García era delegado de la U.F.E.H. (la U.F.E.H. era el órgano nacional de todas las F.U.E. de España) y como tal estaba en la Barraca, si bien alguna vez salió al escenario vestido y maquillado haciendo el Entendimiento. José García, que murió en el frente de batalla cuando nuestra terrible guerra, andaba por entonces enamoriscado de Laura de los Ríos, la hija de D. Fernando, actual esposa de Francisco García Lorca, hermano de Federico. El, García, fue quien me conminó, por así decirlo, a que entrara en la Barraca como ayudante de Aurelio y yo dije que bueno, pero sin mucho entusiasmo, porque, a la sazón, no tenía yo carné de conducir. Por entonces yo no conocía a Federico más que por las lecturas de sus obras. Sabía que había estado en la Residencia coincidiendo con Buñuel y con Dalí, entre otros, pero no le había visto en mi vida.

Entonces hubo un residente que, tras largos años de estudio —más numerosos que largos—, terminó su carrera; sus buenos amigos, y éstos eran muchos, le organizaron un homenaje en La Casa Vasca, un restaurante que andaba por la carrera de San Jerónimo o por alguna de las bocacalles adyacentes. En aquel día, y por la tarde, iba yo con Navaz por la calle de Alcalá y, a la altura del café La Granja el Henar, nos encontramos con Federico quien, al parecer, tenía el corazón deshecho en aquellos momentos. Así le conocí; a continuación entramos en La

Granja a tomar algo; debían de ser las ocho de la tarde, más o menos, de una de esas dulcísimas primaveras de Madrid. Y entonces Federico nos dijo que tenía una sensibilidad a flor de piel y que sufría mucho por tal disposición anatómica, cosa que a mí me admiró, porque no tenía cara de padecer ni nada de eso; en cambio me asombró, me sobrecogió la personalidad que irradiaba toda su persona; conque él se lo decía todo y Navaz y yo estábamos callados escuchándole como dos tontos; a mí me llamaba constantemente «este niño» y pareció encantado cuando supo que iba a ayudar a Aurelio en sus funciones. Y habló, entre otras cosas, de que no encontraba personaje para el Comendador de *Fuenteovejuna* y me propuso que asistiera a los ensayos. Navaz y yo escuchábamos y asentíamos; yo, la verdad, no había estado nunca así, con un hombre tan importante y popular, porque si bien era verdad que todos los días me sentaba a comer y a cenar al lado de Moreno Villa en la Residencia, resulta que Moreno Villa sí era importante —persona, pintor y poeta—, pero no era popular.

Yo era muy tímido entonces; Federico no hacía más que llamarme «este niño», así que haciendo un terrible esfuerzo me atreví a decirle que este niño tiene ya veinte años, a lo que él me dijo que no me enfadase, que en Andalucía llaman niño a todo dios, aunque pase de los cincuenta, porque ello constituye una costumbre y que ya se imagina que no soy un niño, etc.

—Conque, ¿dónde vais? —nos preguntó cuando nos marchábamos.

—Vamos a la Casa Vasca —informó Navaz— a darle una cena homenaje a tal cual muchacho por haber terminado felizmente la carrera.

—Pues voy con vosotros —fue lo que dijo Federico, y nos fuimos los tres calle de Alcalá arriba hasta llegar a la Casa Vasca, donde ya había un buen número de residentes.

No tengo un recuerdo claro de lo que pasó aquella noche. Navaz y yo, no recuerdo por qué circunstancias, nos sentamos en una mesita aparte con una botella de coñac delante y dos copas; mientras los demás comían, nosotros bebíamos; yo no había bebido en mi vida de manera que me emborraché como un cosaco, pero aún tuve tiempo de oír recitar a Federico uno de los poemas que escribió en Cuba:

> *Cuando llegue la luna llena*
> *iré a Santiago de Cuba*
> *iré a Santiago*
> *en un coche de aguas negras*

y, la verdad, me entusiasmó; recuerdo que le aplaudimos muchísimo. Después nos fuimos a Pelikan, un cabaret de los de antes, de los viejos tiempos; había un espectáculo montado sobre un pequeño escenario, espectáculo del que no puedo en estos momentos —creo que en ningún momento de mi vida—, hacer ni la más aproximada descripción, dado que los vapores del alcohol no me permitían sino ver cosas que se obstinaban en dar vueltas, cosas coloreadas. Por eso creo que, por lo menos para el hombre, el color es lo primario y la forma, la línea, lo secundario; el color es un «sensum» que puede desligarse de la percepción, pero la línea es una endiablada cosa, no siempre fácil de seguir; bueno, me fui a los servicios y vomité todo lo que tenía en el estómago pero el remedio no fue bueno más que para calmar mi gastritis; como seguía sin ver, Navaz me metió en un taxi y me mandó a la Residencia, con lo que me acosté aunque todo seguía dándome vueltas. Al día siguiente tenía tal dolor de cabeza que no pude levantarme a pesar de las aspirinas que tomé.

Yo dibujaba —entonces y ahora— y tenía mi cuarto lleno de modestísimos dibujos clavados con chinchetas por las paredes. Y resulta que pasó lo que ni remotamente pensé que podía ocurrir, tanto que del susto se me quitó el dolor de cabeza y fue que a eso de las seis de la tarde llaman a la puerta, ¡adelante!, digo yo y entra García y García, acompañado de Federico, que venía a interesarse por mi salud. Me quedé avergonzadísimo —ya he dicho que era tímido hasta más allá de la punta de los dedos— y más cuando Federico, ante mis dibujos, se puso a hacer una crítica en exceso favorable de los mismos. Fue para mí un rato de prueba, pero hasta los ratos de prueba se pasan, me dejaron al fin, pero podiéndome que al día siguiente fuera al Auditorium a presenciar un ensayo.

La obra que se estaba montando entonces era *Fuenteovejuna*; la primera escena la llenaban Laurencia y Pascuala, las que, charla que te charla, dan vueltas por todo el escenario. Federico las hacía moverse con ritmo y naturalidad. La obra no estaba refundida; Federico no acostumbraba a introducir arbitrariamente escenas que aglutinaran las de la obra para, de este modo, darlas o dotarlas de cierta intencionalidad; lo que sí hacía Federico, era quitar de la obra aquellas escenas que, por una u otra razón, carecieran de suficiente vigencia o sentido dentro de nuestro contexto teatral de entonces; Federico trataba —trató siempre— de inquietar a la gente espectadora, al personaje pasivo del teatro; el problema que *Fuenteovejuna* planteaba tenía, y aún hoy es posible que tenga, vigencia; caciques y mandamases no faltan en nuestro territorio; señor de horca y cuchillo, con derecho de pernada, en la obra; en la actualidad, es claro que a muchos les gustaría gozar todavía de tales privilegios. La acción de *Fuenteovejuna* se desarrolla durante el reinado de los Reyes Católicos, pero Federico la montó para el entorno histórico de los años treinta. Alberto, el extraordinario escultor, que hizo los decorados de la obra, pudo meter a Castilla entera —más que a Córdoba—, tierra a tierra, grano a grano, en los mismos, y trajes actuales fueron los que llevaron los personajes, quiero decir, trajes correspondiendo a los que en el año 1932 llevaran campesinos y campesinas; hoy día, las cosas han cambiado: campo y urbe, en lo que al atuendo se refiere, carecen de diferencias fundamentales; lo que distingue al labrantín del ciudadano es, tal vez, el color más atezado de su piel; a las mujeres no las distingue ya nada.

En los años de la República las cosas, naturalmente, eran diferentes a las de ahora, como también lo eran antes de la República. Todos esos cambios pertenecen al devenir que tienen las cosas, porque las cosas también tienen derecho a cambiar; en puridad, sólo cambian las cosas; es seguro, pues, que si Federico hubiera montado ahora *Fuenteovejuna*, puede que lo hubiera hecho con los mismos decorados, que eran verdaderos cuadros, pero con otros vestidos.

La obra empezaba con Laurencia, agarrada al brazo de su amiga Pascuala, a la que dice: —Más que nunca acá volviera—. Palabras, en verdad, un tanto enigmáticas y de confuso sentido, por lo menos para mí, pero no para Laurencia, quien parecía darles un sentido perfectamente inteligible. Ambas, Laurencia y Pascuala, iban vestidas de labradoras, esto es, de labradoras tal como Alberto imaginaba a las labradoras; después entraban en escena otros personajes —Frondoso, Mengo y Barrildo—, discutiendo sobre el amor. Mengo y Frondoso eran papeles que ya tenían actor, pero no así Barrildo; fue entonces cuando Federico me pidió a mí, que estaba sentado en el patio de butacas, ignorante de lo que se me venía encima, que leyera dicho papel; yo lo hice, supongo que con voz temblorosa, porque a los veinte años le tiembla a cualquiera la voz; el caso es que, temblorosa o no, Federico dijo que yo tenía una voz muy empastada —nadie me había dicho semejante cosa hasta aquel momento—, que recitaba bien —lo que tampoco me había dicho nadie— y que me pusiera a estudiar el papel de Comendador, con lo que mi emoción alcanzó altísimas cotas. Creo que aquella noche no dormí por la excitación; al día siguiente me compré un ejemplar de *Fuenteovejuna* y me lo leí de una tirada; creo que el papel de Comendador lo aprendí en dos o tres días y la obra completa en diez; después y bajo la dirección de Federico, me fui asegurando en el juego teatral que tanto, y por diversas razones, habría de servirme más tarde, bastante más tarde.

En realidad, llegar a ser un actor pasable, tirando a bueno, no era difícil si uno se dejaba dirigir por Federico y por Ugarte. Hoy, ambos han muerto y, como Juan Ramón diría, quisiera dormir —aunque fuera un cachito de noche—, paralelamente a sus sueños completos, para ver de encontrarlos y charlar con ellos; sólo una vez soñé con Federico y en el sueño estaba vivo —aunque su cuerpo no proyectara por entonces sombra alguna, ni tuviera estatura su noble cabeza—; de este sueño hace ya mucho tiempo porque hasta los sueños, como el agua bajo los puentes, se nos escurren entre las arañas del pensamiento, y alguna vez, sólo alguna vez, dan la sensación del deber cumplido. Y soñar con Federico y con los muertos de la Barraca es, constituye un deber, sobre todo después que el tiempo se ha filtrado, como la brisa por las hojas de los chopos de la Residencia, de la vieja colina sobre el canalillo.

Bien, donde antes se alzaba el Auditorium, han levantado la iglesia del Espíritu Santo. No hay escenario, ni patio de butacas, ni anfiteatro; queda el claustro con la higuera de Marcelino, terriblemente frondosa, como un pulpo gigante que se comiera al aire recoleto. Yo no sé si Marcelino, el jardinero, tenía hijos, no sé si estaba o no casado, pero la higuera sí le floreció y dejó constancia de su paso por la tierra, por la seca y amarilla tierra de Madrid. No se celebran funciones de teatro, sino religiosas, y los ensayos de obras de Lope, Cervantes, Calderón y otros autores, están al otro lado de la muralla gris del tiempo.

Al otro lado de la muralla, inmóvil muralla, Uno de Parménides, al otro lado digo, está la Barraca.

Querría contar alguna cosa sobre nuestro viejo teatro universitario; tengo ante mí, hecho en franela y pegado a una cartulina azul, el escudo de la Barraca que ideara Benjamín Palencia, la rueda y la carátula. La idea no es demasiado original, aunque está llena de gracia y, sobre todo, de tremendas cargas afectivas; sobre él, sobre el escudo-insignia, y también enmarcado, hay un dibujo, boceto, que Pepe Caballero hizo —muchachito de Huelva de dieciocho años— a Federico; el cuadro terminado no llegué a verlo (nadie volverá a verlo, ya que determinado tipo de turba lo quemó), si no es en fotografía, pero ambas cosas, emblema y dibujo, me han traído a la memoria una serie de cosas deshilvanadas, oscuras y lejanas. Desearía darles vida, decir un poco sobre ellas; en un momento dado de mi vida no sólo formaron parte de ella, sino que la llenaron como ninguna otra cosa lo hiciera a partir de entonces.

Y desde el otoño, aunque solamente sea por una vez, entiendo que es bueno decir algo sobre la primavera.

CAPITULO 2

El porqué de la Barraca

Tal vez sí, tal vez desde hacía muchos años, desde más años que los que un hombre puede sumar dignamente, el teatro español era menos que un poco de sopa para calentarse la garganta. Un traguito, a veces de vino, pero nada que llegara al estómago ni, por supuesto, a las capas nobles del cerebro.

Yo no soy crítico literario; yo no soy crítico teatral; yo no soy crítico de nada; tómense, pues, mis palabras como algo tan espontáneo que puede no valer la pena tener en cuenta; algo así como el canto del gorrión en el tejado de enfrente.

Había autores; estaba la venerada, y aún venerable, figura de D. Jacinto; era premio Nobel y eso le permitía escribir toda clase de cosas y que de él se contaran toda clase de anécdotas. Era, realmente, un hombre fino, lo que cualquiera podría llamar, sin apasionamiento, un ser espiritual. Tenía ideas; es posible que sus ideas resultaran un tanto obsoletas, pero conmovían a la gente; por otra parte, tenía auténtico oficio teatral y sabía, dentro del ambiente de la época, imaginar personajes vivos, reales.

Había compañías que figuraban a base de dos figuras, por ejemplo, Irene López Heredia y Mariano Asquerino, alrededor de los cuales se polarizaban desde el meritorio que sacaba un vaso de agua —alumno o no del Conservatorio, de la Escuela de Arte y Declamación—, hasta el galán joven y la damita; después había el característico, la característica, el actor cómico, la actriz cómica y los de poco pelo. En los carteles había que colocarles por riguroso orden jerárquico de méritos —en definitiva por lo que cobraban en nómina—, y ese protocolo había que seguirlo sin un solo fallo, para evitar que la damita pusiera cara mustia o armara un escándalo o que el característico se avinagrara.

El reparto de papeles también era cosa delicada, por otra parte; el galán joven quería lucirse a toda costa, aunque supiera que no podía competir, por ejemplo, con el primer actor que era, a la vez, director, *metteur en scène*. Los decorados eran absolutamente convencionales, esto es, no convencían a nadie, pero representaban lo que había que representar. Había un juego convenido entre autores, críticos, público y actores.

Escribía para el teatro, y con mucho éxito, un señor llamado D. Leandro Navarro, cuya protagonista era siempre, o casi siempre, Isabelita Garcés, cuyo empresario se llamaba D. Arturo Serrano y que acaba hace poco de cumplir sus bodas de oro con el arte de Talía. También había otro señor, llamado Torrado —el nombre no lo recuerdo— y también, por supuesto, Carlos Arniches en sus postrimerías, los llamados hermanos Alvarez Quintero, un tal señor Paso y, asimismo, dominando en cierto modo el horizonte teatral, D. Pedro Muñoz Seca, que escribía siempre en broma, astracanadas y cosas de ésas. Independientemente de todo ello, la zarzuela tenía todavía predicamento y algunos maestros —Guerrero, Serrano, etc—, escribían músicas pegadizas para unos libretos absolutamente insípidos.

Esto por un lado, porque también había otro lado. Por ejemplo, Jardiel Poncela, con neto espíritu renovador y que se murió por no dejarse tratar por los médicos —según él decía, los médicos no saben Medicina (puede que tuviera razón, pero son los que más Medicina saben). Enrique Jardiel tuvo, me contaron, una pulmonía que se hubiera curado con antibióticos; él prefirió morirse, consecuente con sus principios. Todavía Mihura no nos había planteado en la escena sus pequeños problemas de contrastes. Estaban, desde luego, Eduardo Ugarte y López Rubio que escribían en colaboración, Claudio de la Torre y puede que algún otro más que tratara de revitalizar el teatro dándole o prestándole savia nueva. No estoy seguro de que Tono se hubiera lanzado al mundo de las tablas por entonces. Pero sí Horacio Ruiz de la Fuente, Julio Alejandro, Serrano Anguita, seguramente Felipe Sassone y también los hermanos Jorge y José de la Cueva.

Estaba, no hace falta decirlo, D. Eduardo Marquina y también Pemán. Pero también existía un hombre con amplias barbas y un brazo de menos que se llamaba D. Ramón del Valle Inclán. Y allí, instalado en su época, como también lo estaba en el café Negresco de la calle de Alcalá, estaba D. Ramón del Valle Inclán. Contaban que se pegó —que se dio de golpes—, con un periodista y que a consecuencia de los que recibió, se le gangrenó un brazo y tuvieron que amputárselo; también contaban que se casó y que tuvo hijos. Escribía dramas, comedias y esperpentos. Escribía novelas. Escribía.

También estaba Azorín; existe una generación, que se llama del 98, y que dio espléndida floración al cielo sin ubres, seco, lacrimoso de España. Azorín no escribía o sólo muy poquitín para el teatro. Lo demás era literatura, que ya es bastante ser. Cuando estuvimos en León los de la Barraca, un periodista, puede que también poeta, le preguntó a Federico:

—A propósito, ¿qué me dices de Azorín?

—No me hables... Que merecía la horca por voluble. Y como cantor de Castilla es pobre, muy pobre. Viniendo ayer por tierra de Campos me convencí de que toda la prosa de Azorín no encierra un puñado de esa tierra única. ¡Qué gran diferencia entre la Castilla de Azorín y la de Machado o Unamuno!

Esto dice el cronista que le entrevistó. Pero alguna otra pregunta más le hizo:

—¿Qué opinas del teatro español en general?

—Así, en general, que es un teatro de y para puercos. Así, un teatro hecho por puercos y para puercos.

De Valle Inclán, como poeta, Federico opinaba que era detestable. Como poeta y como prosista. Mal discípulo de Rubén. Como cantor de Galicia, algo tan falso y tan malo como los Quintero en Andalucía. La Galicia de D. Ramón es una Galicia de primeros términos: la niebla, el aullido del lobo...

La llamada generación del 27 fue un hecho insólito, como suele ocurrir cuando las personas egregias de una generación, en lugar de hablar mal las unas de las otras, se agrupan y forman frente. No es que antes o después del año 1927 no haya habido planteles fenomenales de poetas en España —basta recordar a Becquer, a Machado, a Juan Ramón—, pero hasta el 27 no se descorrió «d'emblée» el telón de la poesía, no se encendieron las candilejas ni se abrieron caminos nuevos. Había habido otra generación dolorida (Benavente, Rubén, los hermanos Machado, Ganivet, Baroja, Gómez Moreno, Azorín, Villaespesa, Unamuno, Maragall, etc), generación que aró la dura, seca, pura costra de España; la arañó con rabia y con gritos; merced a ese arar y tal vez con el retraso que Ortega piensa para su recolección de generaciones, nació la del 27. En ella, al lado de Alberti, Aleixandre, Cernuda, Guillén, Altolaguirre, Moreno Villa, Salinas y otros muchos más, estaba Federico. Y en el año 27 Federico tenía 29 años; y en 1933, en León, cuando fue interviuwado, 35.

Bueno, cuando se tienen 35 años y se ha escalado una dura cúspide, se dicen, y tal vez con razón, muchas cosas; muchas cosas que luego, a lo mejor, un día cualquiera, un amanecer que se anuncia soleado, le llevan a uno a la última esquina de hielo de la vida y le dejan allí tendido para siempre. ·

Pero Federico tenía razón; el teatro que se hacía en España era de muy baja graduación; insisto en que se jugaba sobre unos supuestos previos que aceptaban tanto autores como actores y público; en estas condiciones era difícil mentalizar a unos o a otros para que intentaran salir del «impasse» en el que se encontraban.

Por lo demás, no soy yo quien lo dice; se reconocía en España, y por lo menos desde 1908, la necesidad de la mejora de un teatro nacional; pueden consultarse en las hemerotecas trabajos de dicha época firmados por Azorín relativos a la pobreza de nuestro teatro. En el diario monárquico «La Epoca» se abundaba en parecidas opiniones. En el periódico «Luz», decía Chabás: «El teatro es una forma esencial de la cultura de un pueblo y el Estado tiene el deber de atenderla». Por lo demás, el trabajo, prácticamente exhaustivo de Suzanne Wade Bird, sobre el tema «La nacionalización del teatro español: un estudio sobre las influencias revitalizadoras de Federico García Lorca y Alejandro Casona», publicado por la Universidad de Georgia, da una idea bastante clara de lo que, finalmente, el crítico había llegado a pensar sobre el pobre teatro que en España se hacía.

La institución oficialmente designada como Teatro Español, fue establecida en marzo de 1909 con una Junta idónea para ayudarla en sus menesteres, los cuales menesteres consistían, poco más o menos, en representar anualmente una obra clásica española, otra, también clásica, pero extranjera, tres dramas de teatro antiguo, una comedia escrita en los últimos treinta años y, finalmente, una obra escrita por noveles. Como puede verse, la labor era árdua, entre otras cosas porque el sentido de lo que el «arte de Talía» significaba en 1909, no se acercaba, ni por asomo, a lo que más tarde se entendió por dicho arte. Pero, además, no había autores noveles relevantes ni se hacían traducciones de escritores teatrales que sí eran, o por lo menos podían ser relevantes; todo esto, naturalmente, considerado dentro del contexto de la época en la que Federico, con diez años —«dies añito», diría su madre— organizaba, seguramente ya, sus primeros intentos teatrales con la ayuda de sus hermanos y de las criadas de servicio, una institución esta que a la sazón no constituía problema; formaba incluso parte de la familia. Funciones teatrales que, en principio, eran funciones religiosas, como seguramente ha ocurrido con el teatro de todo el mundo.

¿Actores? No puedo, naturalmente, nombrar a todos. Digamos María Guerrero y su marido, Fernando Díaz de Mendoza, digamos Margarita Xirgu y Enrique Borrás, digamos Carmen Cobeña, Lola Bremón, digamos Irene López Heredia y Mariano Asquerino, Loreto Prado y Enrique Chicote, Fernando de Granada y su mujer, digamos la estirpe de los Vico, pero todo ello no tiene tampoco mucho interés; todos han muerto y ni siquiera han pasado por la suerte o la desgracia de asistir al giro de más de 90 grados que el arte escénico sufrió a partir de la creación de la Barraca.

Había un oficio que no sé si sigue existiendo, aunque me parece que no: el de apuntador. En el centro de las baterías de la corbata del escenario, se alzaba su pequeña concha que le hacía invisible al público; desde allí, con el libreto, ayudaba al personaje desmemoriado a recordar el papel, en general mal hilvanado.

—Pues es, precisamente gracias a la concha y al apuntador —discutía acaloradamente Delfín Jerez, que había sido cómico toda su vida— que se producen las «genialidades».

Genialidades, para los actores de la época, era esa cierta improvisación —que a veces quedaba ya en la obra—, con la que subsanaban su falta de estudio los divos de la época.

—Había que ver a Thuiller —decía rojo como un tomate, acalorado por la discusión, Delfín Jerez. Delfín Jerez, que fue primer actor cómico, ha muerto ya y no perteneció nunca al mundo de la Barraca, entre otras cosas porque, cuando la Barraca se fundó, Delfín Jerez tendría alrededor de los sesenta años y, además, no había sido universitario en toda su vida. Delfín Jerez había empezado como meritorio a fines del pasado siglo y, como es natural, no entendía nada de teatro, quiero decir, de la ciencia del teatro. En cuanto a Thuiller, pues bueno, parece ser que cuando mejor le salía la obra era cuando menos se la sabía, en vista de lo cual no debió aprenderse jamás una comedia ni estudiarla a fondo. Lo malo es que a los españoles nos ha pasado siempre un poco como a D. Emilio —tal era el nombre de Thuiller— y que, con improvisar un poquito, ya nos sale algo genial. Recuerdo, por haberla leído, una polémica habida entre D. Miguel de Unamuno —ya catedrático— y Ortega y Gasset, ambos jóvenes; como es sabido, Ortega pertenece a otra generación que puede fecharse en el año 17, según su propio cómputo. D. Miguel decía que los libros no servían para nada (y eso que no se refería a los que salían de la Editorial Alcan, de París, editorial con lo que D. Miguel la tenía ¡y de qué modo! tomada). Ortega, seguramente a la sazón estudiante, opinaba que sí servían y mucho, al que los utilizara como instrumentos de razón, esto es, como medio de hacer más rico el contenido vital e intelectual de la persona que los leyera; se podía no estar de acuerdo con las ideas en ellos vertidas, pero incluso ese mismo desacuerdo ya representaba un paso. Como es natural, y hablo de memoria, no recuerdo con exactitud los argumentos aducidos por ambos; mi impresión es la de que Ortega tenía razón y que las cosas hay que estudiarlas —y aun mucho— (Léase el borrador de una poesía de Federico, por ejemplo, que parece el tranquilo manar de una fuente inagotable, y se la verá llena de tachaduras, correciones, incluso cambio de la idea inicial).

Pues bien, el teatro que se hacía en España en los años que precedieron a la República, era pura pobretería y locura —por valerme de una expresión de Moreno Villa—. Como es natural, había apuntador; en realidad, aunque los actores se olvidaran de pasajes de las obras que representaban, no se perdía gran cosa, incluso aunque se olvidasen de la obra entera. Pero el apuntador representaba la obra angular del teatro, algo así como el reparto de los papeles y el orden que los actores deberían llevar en los programas; lo demás importaba bastante menos; el público pasaba por todo y era capaz de reírse con un buen chiste de Arniches o de Muñoz Seca.

Pero, dentro del teatro, las cosas ocurrían de manera diferente; a las dos y media de la tarde, o a las tres, según, se empezaban los ensayos en el escenario; por supuesto, se ensayaba la obra que con el tiempo —generalmente breve—, se representaría; se ensayaba hasta la hora de merendar; tomar un chocolate o un café, por ejemplo, según las disponibilidades económicas de cada cual, y después, a las seis y cuarto, a representar (ello implicaba estar en el teatro antes, ya que había que vestirse y maquillarse); tras la representación de la tarde, se cenaba en el camerino (había que llevar la cena en una cesta, como si se fuera al campo de excursión) y después, otra vez a representar. A la una de la noche terminaba el trabajo que se remataba tomando un tentempié en el café vecino, porque no todo va a ser trabajar, y luego, claro, a la cama. Como es natural, uno se levantaba tarde, puede que a las doce o a la una; se arreglaba, tal vez estudiaba un poco su papel, tomaba, por acaso, un aperitivo y ¡hala! otra vez al escenario a repetir, jornada tras jornada, la misma vida estólida.

Había, claro está, las lecturas de los autores; en esos días no se ensayaba, sino que se escuchaba la obra que el autor, con mucha prosopopeya, a veces con gracia, a veces, las más, con un desangelamiento aterrador, leía a los actores; éstos venteaban ya en el aire el papel que les caería en suerte y fruncían el ceño o soñaban pensando en clamorosos triunfos.

También había los ensayos generales a los que asistían, generalmente, los críticos, para formarse una idea de los comentarios que habrían de hacer al día siguiente; solían, tales ensayos, ser de un aburrimiento entenebrecedor, del que salía uno enfadándose con todo dios, incluso con los tramoyistas y con el apuntador. Voces, gritos descompuestos, repeticiones de escenas que antes salían bien y en el ensayo general salían mal, solían ser el resultado final de una de esas jornadas en las que actores, director, autor, decorador, figurinista, etc, dejaban disparar sus nervios hacia los cuatro puntos cardinales.

Y luego había las llamadas *tournées* por provincias; se viajaba en tren y se llevaba un repertorio escogido, quiero decir, contrastado por las audiencias madrileñas; a veces, por el contrario, era en provincias donde se estrenaba la obra nueva, para tener una idea de cómo resultaría posteriormente en Madrid. Las *tournées* eran agotadoras; acababa uno cansado hasta más allá del propio cansancio físico; los viajes, ya lo he dicho, se hacían en tren que, por entonces, tenía humo; cada cual debía llevar su frack, su smoking o tal vez, también, su chaqué (naturalmente se alquilaban), pero el edificio de los equipajes era complicado. Menos mal que existía lo que se llamaba el representante de la compañía que era el que hacía los contratos con los teatros de provincias y además —importante además—, pagaba las nóminas a los actores.

Los empresarios de los teatros de provincias solían arreglarse con el representante por dos usualmente conocidos modos: un tanto por ciento para la compañía (oscilable entre el cincuenta y el setenta, según la calidad o el éxito posible) de la entrada, o bien una cantidad determinada y de la que también era condicionante el nombre de los divos o de las obras que llevaran en el repertorio. Por ejemplo, es un decir, tal vez cobrasen más Irene López Heredia y Mariano Asquerino que Loreto y Chicote; de todos modos, no puedo asegurar nada de esto. Por su parte, el actor cobraba lo estipulado, independientemente del éxito conseguido;

no había incentivos que le obligasen a mejorar, de algún modo, su actuación, salvo el caso, más bien problemático de que, creyéndose un fuera de serie, pensara formar su propia compañía. En general, todo era bastante sórdido.

Luego había, claro, el día del cobro; entonces las caras estaban más alegres de lo acostumbrado; dichos días solían ser el sábado o el lunes, días o día en el que el representante de la compañía parecía tener algo así como arcangélico en su mirada o en su sonrisa. A la salida del cobro, unos lo hacían con cara más sonriente que otros; eran los más «billetables», digamos el primer actor, el galán joven o la damita; los menos billetables también salían sonrientes, después de haber estampado su firma en la ficha de nóminas. Si he de hacer caso a lo que me dijeron en su día, Rafael Rivelles, un primer actor, cobraba 500 pesetas diarias, lo que, en el año 40 de nuestra era (quiero decir en el año 1940), suponía una fortuna. Rivelles era, seguramente, de los más billetables de la época. Guillermo Marín también debía serlo en buena medida, pero quizás no llegara a lo de Rivelles.

Todavía en el día de hoy, se forman compañías con esa pauta, *pattern* que dirían los ingleses, pero, en general, las cosas han cambiado; no voy a hablar del cambio ni en qué consiste el cambio, ni por qué se ha producido el cambio; todo ello está fuera totalmente de lo que la Barraca representó cuando las condiciones en las que se movía la gente de teatro eran, más o menos, las que he referido. Simplemente, todo era de escaso peso específico aunque diese la impresión de lo contrario. Los que se salvaban de la sordidez era, simplemente, porque tenían verdadero amor al teatro; mucha gente de teatro era gente fracasada en otros aspectos de la vida. Había quien o quienes decían que tenía o tenían dos años aprobados en la Facultad de Ciencias Exactas, otros aseguraban haber aprobado el cuarto de Medicina, aquel otro resultaba que era abogado, pero no tenía las oposiciones hechas o las recomendaciones oportunas; otros, no muchos, que todo hay que decirlo, eran carne de presidio. El teatro en sí, salvo las excepciones que confirman la regla, era una especie de *refugium peccatorum* y a él se acogían, fuera de los realmente buenos actores, cuya vida auténtica era el teatro, los que tenían buen palmito o los que poseían una voz empastada con suficientes registros.

Era todo un mundillo y no podía ser de otra manera, ya que la vida se consumía, hora por hora, en el escenario, en los camerinos y en la cama. Las neuronas funcionantes se empleaban, fundamentalmente, para aprenderse de memoria los papeles; fuera de eso, el sistema nervioso se encontraba, por lo general, en pleno reposo; es evidente que en tales condiciones, cualquier camino, senda, ruta o como quiera decirse a lo que se refiera a las posibilidades intelectuales, estaba prácticamente cerrado a cal y canto. Es cierto que se alternaba con los autores, sobre todo si se tenía un puesto relevante en la compañía —por ejemplo con Pemán, con Marquina, con Benavente—. Ello confería al actor un aire de persona superior —ídolo— aunque pudiera ocurrir que actor y autor fueran en realidad unos seres insignificantes.

D. José Ortega y Gasset, un hombre que ha enseñado a pensar a los españoles, incluso a sus detractores, solía emplear la palabra «petrefacto» para referirse a lo que, de un modo u otro, es impermeable a no importa qué brisa. La piedra, en efecto, no cambia, no piensa, permanece desde siglos y siglos; únicamente sufre los procesos de la erosión y los metamórficos que, naturalmente le vienen de fuera; pero su esencia es piedra, fósil de la materia o materia fósil.

En la Barraca, y supongo que entre los poetas de la generación del 27, la palabra era «putrefacto», lo pútrido, lo que olía mal y de lo que era necesario apartarse. Putrefacto, adjetivo introducido en la vida cotidiana por Federico, resultaba ser también lo no vigente, ciertas modas y modos, determinadas formas de expresarse, tal o cual tema, incluso el modo de tratar a éste, comportamientos, conductas, todo podía encajar en la palabra condenatoria de putrefacto. Ciertas personas eran putrefactas por algún estigma —generalmente no referido a su físico, sino a su moral o al proceso o procesos que regían su pensamiento—. Nosotros, los de la Barraca, entonces y por entonces, en posesión de la Verdad, empleábamos con profusión tal adjetivo, substantivándolo muchas veces; llegábamos, incluso, a adjetivar al adjetivo para darle más fuerza: por ejemplo, putrefacto peludo, repugnante mezcla de albúmina y de pelos, cuya sola imaginación podía excitar el vómito.

Bien, el teatro que se hacía entonces en España era, en cierta medida, putrefacto; respondía mejor o peor, a procurar una evasión al espectador, a hacerle pasar dos horas sin problemas. Y si, por acaso, éstos se presentaban en la obra, la solución llegaba inmediatamente, con lo que la gente no tenía que pensar mucho tiempo.

Recuerdo a Rambal, que era capaz de llevar al escenario hasta una manada de tigres salvajes si la obra lo requería, que interpretaba, entre otras muchas cosas, obras policíacas en las que se reservaba el papel de Sherlock Holmes:

—Y ¿cómo cree Vd. que ocurrió el «quirímen»? (Rambal, que nació en Utiel, no decía, por ejemplo, el príncipe y la princesa, sino el «piríncipe y la pirincesa»; del mismo modo, en vez de crimen, decía «quirímen»).

—Yo creo que el asesino entró por la ventana.

—¡Ajá!, luego la ventana estaba abierta.

Con ello, al parecer, y otras deducciones semejantes, trataba de que la emoción que sufriera el espectador alcanzara un cúlmen razonable.

—¡«Baravo»! —le gritaba un compañero de la Residencia al final del acto.

En estas condiciones muy someramente descritas, viene o adviene la República y el tema tan traído y llevado de la renovación del Teatro Español, alcanza un primer plano; la U.F.E.H. (Unión Federal de Estu-

EXTRACTO DE LA

MEMORIA

DEL

TEATRO UNIVERSITARIO

"LA BARRACA"

U. F. E. H.

PROPOSITOS

El Teatro Universitario se propone la renovación, con un criterio artístico de la escena española. Para ello se ha valido de los clásicos como educadores del gusto popular; nuestra acción que tiende a desarrollarse en las Capitales, donde es más necesaria la acción renovadora, tiende también a la difusión del Teatro en las masas campesinas que se han visto privadas desde tiempos lejanos del espectáculo teatral.

Para desarrollar estos propósitos se ha formado un equipo de universitarios que con un espíritu deportivo han dado comienzo a la labor. La primera salida ha sido a la provincia de Soria que guarda una secular tradición dramática como lo demuestra el hecho de que en casi todos los pueblos existe un Teatro Municipal. Allí se han llevado 3 entremeses de Cervantes y un Auto Sacramental de Calderón de la Barca. El criterio renovador no se refiere solo al repertorio literario, sino que se extiende al criterio moderno de la plástica escénica. Para ello se ha buscado la colaboración de Pintores que participan de estas ideas. El movimiento y la luz, así como los trajes —realizados por el mismo decorador para dar una unidad de coloración y estilo en la escena— son también objeto de especial cuidado.

ORGANIZACION

Se rige por un comité directivo presidido por el presidente de la Unión Federal de Estudiantes Hispanos y está integrado por 4 estudiantes de Filosofía y letras, que colaboran con la dirección literaria, 4 estudiantes de Arquitectura, que se encargan de la parte técnica, montaje del tablado, decorados, etc. La dirección literaria está a cargo de Federico García Lorca y de Eduardo Ugarte.

Colaboran también en la realización plástica los pintores Benjamín Palencia, Ponce de León, Ontañón y Ramón Gaya.

La compañía está formada por estudiantes seleccionados después de las pruebas a que la dirección artística cree conveniente someterles.

ADMINISTRACION

Corre a cargo de los estudiantes que forman el Comité directivo. Todos cuantos intervienen en el Teatro Universitario, prestan sus servicios gratuitamente, corriendo a cargo de esta entidad los gastos que ocasionen.

Existen varios departamentos, al frente de cada uno de ellos están personas competentes.

Hasta ahora son los que más ampliamente han funcionado: El Departamento de la Compañía al frente del cual están los Directores Artísticos, auxiliados por los estudiantes de Filosofía y Letras.

El Departamento de Material móvil encargado de la camioneta, tablado, cortinas, decoraciones y luz eléctrica, del que están especialmente encargados A. Ruiz Castillo y Menéndez Pidal, con los estudiantes de Arquitectura.

Departamento de Biblioteca y Archivo fotocinematográfico: y empezarán a funcionar el de Revista, el de Estudio y selección de obras.

Hasta ahora el repertorio ha sido escogido entre los autores del siglo de Oro, habiéndose formado dos programas distintos: uno popular, a base de los entremeses Cervantinos, y otro, para públicos más restringidos, que es el Auto Sacramental, con ilustraciones musicales del maestro Julián Bautista.

Con este repertorio la Barraca ha recorrido toda la provincia de Soria, la región Gallega, y Asturias en el verano pasado. En Octubre y por especial invitación ha concurrido a la celebración del IV centenario de la Universidad Granadina. En Madrid ha dado una función reservada a los Cursos de Extranjeros de Verano y posteriormente se presentó ante sus compañeros de la Universidad de Madrid con tres funciones celebradas en el Paraninfo de la Central. Representó en el Español ante el Presidente de la República, el de las Cortes, Gobierno, Diputados y otras personalidades.

En las vacaciones de Navidad recorrió Alicante, Elche y Murcia, y a la vuelta dio otras tres funciones en Madrid, una para la Universidad Popular, otra con motivo de inaugurarse el pabellón de Filosofía y Letras de la Ciudad Universitaria y otra para los estudiantes de escuelas especiales.

PRIMER PROGRAMA

La Cueva de Salamanca. Cervantes. Decorado y trajes de Santiago Ontañón. Los dos Habladores. Escuela Cervantina. Decorado y trajes de Ramón Gaya. La Guarda Cuidadosa. Cervantes. Decorado y trajes de Alfonso Ponce de León.

SEGUNDO PROGRAMA

La vida es sueño. Auto Sacramental de Calderón. Realización plástica de Benjamín Palencia.

Actualmente se está ensayando y haciendo los trajes de Fuente Ovejuna.

Las decoraciones hechas y los figurines son del escultor Alberto.

A S O R

Avenida E. Dato, 13

MADRID

diantes Hispanos), se planteó, asimismo, el problema. Cuando D. Fernando de los Ríos accedió al Ministerio de Instrucción Pública, las cosas pudieron resolverse. D. Fernando era sobrino de Giner, uno de los fundadores de la Institución Libre de Enseñanza; era granadino y amigo de Federico y su familia.

En el periódico *El Liberal,* y con el título de «Programa y presupuesto de Instrucción Pública» (día 25 de marzo de 1932), se manifiesta D. Fernando de los Ríos como sigue:

«En algunos suscita una sonrisa que haya cien mil pesetas para el teatro estudiantil la Barraca. Para mí, perfectamente persuadido de que esa juventud universitaria, en un momento de colapso para la dignidad cívica española, fue ella, ella, quien dio la nota elevada, para mí eso es una nimiedad, dado lo que ella se merece; y ella va a ir por las aldeas y construirá su barraca y divertirá notablemente al pueblo. ¿Es que hay quien pueda ponerle ni siquiera el reparo del oportunismo?»

Las posibilidades, pues, para llegar a la creación de un Teatro Universitario que llevara a nuestros clásicos al pueblo de donde brotaron, eran favorables; Arturo Sáenz de la Calzada, a la sazón presidente de la U.F.E.H., también vivía en la Residencia de Estudiantes y, por supuesto, creía en la cultura como uno de los más importantes motores para conseguir el acercamiento humano y superar los desniveles existentes entre las clases sociales. Nada tiene de particular, pues, que se entregara de lleno a la creación de dicho teatro universitario.

Traduzco en parte lo que cuenta Marcelle Auclair del «parto» de la Barraca. Parece ser que el día 2 de noviembre de 1931, Federico llegó con gran excitación a casa de los Morla (los Morla constituían un matrimonio encantador que ya no existe; él trabajaba en la embajada de Chile, en Madrid; ella era Bebé, que cantaba con voz de ángel). Para salvar al teatro español, lo primero que hay que darle es un público —dijo Federico—. Ese público existe ya: es el pueblo; se le presentarán obras de Calderón, de Lope, de Cervantes, etc, pero también obras de noveles que valgan la pena. Se llamará la Barraca y será montable y desmontable, irá por villas y lugares, sobre todos los caminos del mundo, porque el público está en cualquier camino, al final de cualquier jornada de camino. Y si es verdad que se hace camino al andar, nosotros vamos a hacer al público en el camino; el tablado se montará incluso en los pueblos más humildes y mantendrá, en cierta medida, la tradición de los viejos comediantes ambulantes.

García Lorca contaba, para tal menester, con la colaboración preciosa de Eduardo Ugarte. Según Marcelle Auclair, Morla preguntó un poco tímidamente: —¿Y los fondos?, quiero decir, ¿de dónde sacarás dinero para llevar a cabo ese hermoso sueño?

Federico pareció no dar importancia al asunto: eso no es más que cuestión de detalle, se resolvería y fácilmente; lo importante era pensar sobre el nuevo carro de Tespis y ver el modo de llevar al pueblo lo que al pueblo le correspondía. La U.F.E.H. dio el visto bueno al proyecto y su presidente, Arturo Sáenz de la Calzada, lo sería, asimismo, del Consejo de Administración de la Barraca. El Consejo, como tal, comprendía cuatro estudiantes de Filosofía y de Derecho: Emilio Garrigues, Díez Canedo, Luis Meana y Miguel Quijano; este último se haría cargo de la Secretaría; posteriormente y a no tardar mucho, se la traspasaría a Rafael Rodríguez Rapún; por otro lado, existían cuatro supervisores arquitectos o estudiantes de Arquitectura: Gámir, Fernando La Casa, Luis Felipe Vivanco, poeta, además de estudiante de Arquitectura —posteriormente gran amigo de Luis Rosales; siempre andaban juntos, por lo que les decían Rosanco y Vivales—. Arturo Sáenz de la Calzada fue, asimismo, actor y representó el Fuego en el auto sacramental de *La Vida es Sueño*.

El director artístico era, por supuesto, Federico; ayudante de dirección, codirector, supervisor, o algo así, sería Eduardo Ugarte, concuñado de Bergamín, el director de la revista *Cruz y Raya*.

La subvención fue de cien mil pesetas; hoy día no habría con ese dinero ni para hacer medio metro cuadrado de autopista, pero entonces suponía, dado el presupuesto del Estado español, una cantidad importante. Cuenta Marcelle Auclair que Quijano fue a cobrar el dinero y que le dio tanto miedo tenerlo encima, que lo llevó rápidamente a guardarlo en la caja fuerte del padre de Garrigues. (En realidad de ese dinero había que deducir diez mil pesetas que la U.F.E.H. habría de destinar a otras actividades culturales, Cine-club, por ejemplo.)

Hubo, naturalmente, que comprar un camión para transportar los decorados y el tablado, así como los cestos de los vestuarios y atrezzos; la Dirección General de Seguridad prestó un autobús para los actores, así como los chóferes que se precisaran. Al principio, una señora de compañía a la que, naturalmente se pagaba, hacía las veces de carabina o algo así; cuando yo entré en la Barraca había una que se llamaba Doña Pilar; tal vez haya muerto, ya que pienso que, por entonces sobrepasaba la cincuentena; después de ella nadie cubrió su puesto ya que era totalmente innecesario.

Más adelante, coincidiendo casi con mi entrada en el teatro, se adquirió otra furgoneta destinada exclusivamente a transportar los decorados, las cestas-baúles y los atrezzos. No era nada fácil cargar los camiones; cualquier cosa que se pusiera un poco de través, imposibilitaba la tarea, lo que nos obligaba a llevar un orden exquisito. Como yo viajaba en la segunda furgoneta, mi obligación fundamental consistía en ocuparme en cargar y descargar los decorados, cestas y atrezzos; me ayudaba Rapún y nos echaba una mano Eduardo, el policía; en todo caso, ello no nos liberaba de ayudar a montar y desmontar el tablado; de cualquier forma, habíamos adquirido ya un entrenamiento suficiente y montábamos todo, incluso las baterías y los focos, con su toma de corriente, en muy poco tiempo; era más molesta la labor contraria, entre otras cosas porque estábamos fatigados —habíamos llevado a cabo la representación— y era, además, cuando podíamos equivocarnos al meter las cosas en las camionetas; la equivocación nos costaba tener que vaciar y volver a empezar.

El caso es que, de repente, dos teatros ambulantes hicieron aparición en los escenarios de España: la Barraca, auténtico teatro, con una misión definida que cumplió plenamente, y Misiones Pedagógicas con otra, de parecido significado pero, como su nombre indica claramente, más pedagógica que artística. Este último teatro o Misión, como quiera llamársele, lo dirigía Alejandro Casona, hombre agudo, de condición humilde pero magnífico escritor y, a su modo, revolucionario también en el teatro que se hacía en España. Lo importante es que ambos teatros peregrinos, ambulantes, representaban florones escénicos, y bien lucidos, de lo que fuera la Institución Libre de Enseñanza. No es fácil hablar de dicha Institución sin que a uno le tachen de hacer política; de todos modos hay que hacerlo, porque la Institución Libre de Enseñanza, independientemente de cualquier tipo de prejuicio, estuvo al frente de todo movimiento cultural. Consúltese a Cacho Viu, del «Opus Dei», quien ha escrito un tomo sobre dicha Institución; a pesar de que en él hay cosas, naturalmente, controvertibles, se percibe el latido de admiración por lo que fue, por lo menos en España, el movimiento más puro y honesto de aproximación entre los hombres —de buena y de mala voluntad, que la Institución no hacía distingos—. Quizás no resulte claro cómo del krausismo, sobre todo explicado por Sanz del Río, pudo brotar una de las cúspides más altas de la cultura del mundo, pero fue así. Yo tuve la suerte de vivir y estudiar en la Residencia de Estudiantes; fue un privilegio, lo comprendo ahora, en aquel mundo estudiantil de casas de pensión, de cuartos alquilados o de hoteles de mala muerte; fue un privilegio, aunque entonces yo no lo sabía. Pero un sitio al que estuvieron estrechamente vinculados D. Santiago Ramón y Cajal, D. Pío del Río Hortega, D. Abelardo Gallego, figuras internacionales en el campo de la Medicina —Histología y Anatomía Patológica—, el profesor Negrín, Grande Cobián, Severo Ochoa de Albornoz, en el de la Fisiología y Bioquímica, Bolívar y Zulueta en el de las Ciencias Naturales, Cabrera en el de la Física, Carracido, Hernando, Pittaluga, Calandre, Lafora, Sacristán, en Química Terapéutica y Psiquiatría, Unamuno, Ortega, Morente, Cossío, Castillejo, Gómez Moreno, Orueta, Moreno Villa, Sánchez Cantón, en el de las Letras y de las Artes, Cambó, González Hontoria en el terreno económico, Machado, Prados, Juan Ramón Jiménez, Gabriel Celaya, Guillén, Federico, en poesía, Buñuel en cine, Dalí y Vicente en pintura, Torner y Val en música, etc, etc, no puede ser un lugar cualquiera, un sitio de por ahí te pudras, y más si se tiene en cuenta de que a esa incompleta lista de los aludidos, puede añadirse la de Belloc, Claudel, Chesterton, Jacob, Bergson, Keyserling, Sforza, Wells, Turró, Carter, Wooley, Gropius, Le Corbusier, Esplá, Landowska, Falla, Milhaud, Poulenc, Ravel, Strawinsky, d'Ors, Mauriac, Marinetti, Worringer, Piaget, Obermaier, etc, etc, con lo que uno puede darse cuenta de que, sin saberlo, bajo las manos mágicas de D. Alberto Jiménez Fraud y de los que con él trabajaban, se había originado uno de los niveles vitales de más alto contenido espiritual, intelectual y mental, que jamás presenciara España —puede que ni Europa— en ningún momento de su existencia.

Quien haya visto a Einstein pasear por «la colina de los chopos», según la bautizó Juan Ramón, o a Mme. Curie —una viejecita de setenta años— dando una extraordinaria conferencia sobre el átomo, o a Eddington hablar de las galaxias, se dará cuenta de lo irreversible del tiempo, porque esas cosas no pueden verse más que una sola vez en la vida; y vale la pena verlas, aunque uno no se dé cuenta de su valor, aunque uno se muera nada más haberlas visto.

Pues bien, tanto la Barraca como Misiones Pedagógicas, fueron, asimismo, frutos, últimos frutos de lo que la Institución Libre de Enseñanza representó en España. No es que la Institución creara la Barraca, pero sí condicionó su existencia, ofreciéndole el Auditorium para sus ensayos, y residentes para componer el grupo. Todos, o casi todos los que lo formaban, procedían del Instituto-Escuela o de la Residencia de Estudiantes; Federico mismo había vivido, cuando estudiante, en la Residencia y, durante algún mes de Julio o Agosto, golondrina de verano, ausente su familia de Madrid, también iba a vivir a la Residencia, particularmente si teníamos que preparar una *tournée* por diferentes pueblos de España.

Hoy, todavía, la Residencia alza su cuatro pabellones modificados, y es un *pied a tèrre* para catedráticos de Universidad que pernoctan en Madrid; yo no sé si el aire cambia con el paso de los años, si también envejece, pero aquellos aires que agitaron los chopos del Canalillo, como las golondrinas de Bécquer, no volverán y no volverán porque tienen canas en sus pequeñas sienes de viento y luto en su corazón de oxígeno. Y ha corrido mucha agua por el Canalillo, muchísima, como para que las cosas puedan volver a lo que han sido. Y tampoco es preciso que vuelvan; puro proceso la vida, sólo el Uno de Parménides se halla eternamente inmóvil. La Barraca era algo vivo y murió; cumplió su parábola vital y tal vez no ha dejado recuerdo más que en los que en ella trabajaron; es muy posible que el mozo de Peñafiel que presenciara en el año 34 sus representaciones no recuerde que lo hizo, porque para que las cosas dejen huella hay que verlas una y otra vez, por lo menos treinta veces, y la Barraca, con todos sus logros maravillosos, tuvo una vida tan corta que fue un suspiro.

Ni siquiera sé si los numerosos grupos teatrales que existen ahora en España pueden llamarse hijos o nietos de la Barraca; tal vez el teatro que hiciera Luis Escobar durante y después de nuestra guerra, poseía, todavía, un regusto barraqueño, aunque era otra cosa; sí, en cambio, y con análogas directrices, surgió en Huelva, durante la guerra civil, dirigido por José Caballero, el grupo teatral llamado La Tarumba, que fue quien, realmente, recogió la antorcha, todavía humeante de la Barraca. Mientras tanto el polvo del olvido va cayendo día a día y todo es polvo, polvo y olvido incesantemente depositándose sobre los ramos de plomo que, sin quererlo, se caen ellos solos de la vida.

CAPITULO 3

Las obras que la Barraca montó

Tengo aquí conmigo, en este León de 1975, lejos del tiempo en el que fue publicado por Clásicos Castellanos, Madrid, Ediciones de la Lectura, edición y notas de Angel Valbuena y Prat, unos autos sacramentales de D. Pedro Calderón de la Barca. La cosa, por supuesto, no tendría importancia ya que, dada mi condición de universitario, puedo tener el libro en cuestión y a nadie le extrañaría verlo en mi biblioteca, modesta, por otro lado. Pero es que tal libro no es mío, no me pertenece ni me ha pertenecido nunca. Es un libro usado, bastante usado, tanto, que le faltan las pastas —en rústica—. Fue comprado en la librería Pueyo, Arenal, 8, Madrid, según reza un sello en la esquina de la primera página, página que no tiene nada impreso. Ultimamente, me refiero a dos años antes de la guerra civil, nosotros, mi familia, se entiende, vivíamos en Madrid, Diego de León, 45, 4.º izqda. Allí tenían Vds. su casa para lo que quisieran mandar, aunque mi timidez y ese recato absurdo, ese miedo a desvelar mi intimidad, a lo mejor no les dejaban pasar del dintel de la puerta, como me ocurrió con Federico y con Ugarte; no obstante, Manolo Puga, entre dos excursiones veraniegas, sí estuvo durmiendo en mi casa porque la suya estaba cerrada (su familia estaba fuera o algo así). Yo tenía mi cuarto remedando, en cierta medida, al que ocupaba en la Residencia de Estudiantes; dibujos clavados con chinchetas por las paredes, unos anaqueles con libros de estudio y una pequeña bibliotequita donde tenía, por ejemplo, las obras que Federico había publicado, primorosamente encuadernadas por separado, en piel de varios colores y con las dedicatorias del autor.

La calle de Diego de León se salvó de los bombardeos durante la contienda, pero no así de refugiados; las ocho habitaciones que tenía nuestra casa fueron ocupadas cada una por una familia en las que hacía la vida a pocos kilómetros del frente; cómo la hacía no puedo saberlo; lo que sí sé es que mis libros desaparecieron, sin duda para hacer fuego o algo parecido; de este modo me quedé sin muchos para mí inapreciables recuerdos; por eso constituye un enigma el hecho de que en estos momentos posea un libro de autos sacramentales de Calderón, precisamente el que utilizó la Barraca, libro con anotaciones —sobre todo

49

referentes a la luz de los focos y baterías cuando entraba o salía tal o cual personaje.

El libro lleva una firma: me parece leer Santos Molero, pero no estoy seguro, entre otras cosas porque no conozco a ningún Santos Molero —por lo menos no recuerdo haberlo conocido—. El libro es, indudablemente suyo, le pertenece, y quiero que sepa que estoy dispuesto a devolvérselo, un poco desvencijado, tal vez lleno de polvo, pero íntegro el texto, si bien con anotaciones y acotaciones. Cómo o por qué está este libro en una de las estanterías de mi biblioteca, aquí en León, a infinitos minutos, a infinitas horas, a infinito tiempo de la Barraca, es cosa que no me explico; pienso que tal vez me lo prestaron para que estudiara el papel del Fuego o, más tarde, el del Príncipe de las Tinieblas, pero no lo sé. El caso es que está aquí y que algo puede contarme con su presencia.

Yo asistí, en el Paraninfo de la Universidad Central de Madrid, a las representaciones del auto sacramental de Calderón, *La Vida es Sueño,* así como a las de los *Entremeses* de Cervantes.

El auto sacramental me impresionó realmente; mi hermano Arturo hacía de Fuego por entonces, y puedo decir que muy bien; la que luego había de convertirse en mi cuñada, Enriqueta Aguado, representaba el Amor Divino. La música del auto fue llevada bajo la dirección de Julián Bautista, música de la que el propio Federico dijo: —«El auto sacramental quedaría incompleto si le faltara el auxilio de la música. Pero ahí, ocultos, están unas vihuelas y unos cantores adolescentes que, en los momentos precisos, dejan oír sus voces, sus loas, sus réplicas, a la manera del coro de la tragedia griega y tal como solían tañer en tiempo de Calderón en los atrios de los templos. Es una música breve y simple, de canto eclesiástico, como la que hoy interpretan los «seises» de la Catedral sevillana». Federico añadía que su aire remoto, el de la música, proponía preocupaciones, tanto al señor como al plebeyo que la escuchara, fueran éstos ancianos o jóvenes.

Naturalmente eran la guitarra y el laúd, fundamentalmente, los instrumentos que se utilizaban en el auto; hubo obras en las que los violines dejaron oír el sonido de sus cuerdas, pero voces, guitarra y laúd eran los que se utilizaban cuando había que bendecir al Señor, por ejemplo:

> *Nubes de blando rocío*
> *primavera, invierno, estío,*
> *niebla, luz, sombra y albor...*
> *Bendecid al Señor.*

Evidentemente, los ensayos para aprender la música, no se hacían siempre con los instrumentos reseñados, sino que el piano, si lo había, también entraba en juego; nada había, creo yo, para Federico, más gozoso, a la vista de un piano, de cualquier piano, que abrirlo y tocarlo;

parecía como si tuviera una pasión física por el instrumento; aunque también tocaba la guitarra, nunca le vi el placer, cuando la pulsaba, que el que experimentaba al recorrer con los dedos las teclas del piano.

Fue en el año 1932 cuando la Barraca hizo su presentación oficial en el Paraninfo de la Universidad Central —calle de San Bernardo— pocos días antes de las vacaciones de Navidad; todos los mandamases políticos e intelectuales presenciaron la representación —incluso el cuerpo diplomático—; no salieron defraudados en modo alguno; muchos de ellos, con toda seguridad, fue la primera representación teatral —*sensu Talia,* quiero decir, teatro de verdad—, que presenciaron.

La Barraca, entiéndase Federico y Ugarte, suprimía aquello que, por una u otra razón, rompiera el *Gestalt* de la obra; más adelante me referiré más concretamente al *Gestalt:* ahora diré que se trata de un vocablo alemán que quiere decir forma, figura, aunque la traducción por sí no porte las implicaciones que los psicólogos de la forma dan a la palabra. Se trata de la forma, pero de la forma que se nos presenta siempre con carácter de inmediatez, no la que vamos forjándonos poco a poco, tras un análisis más o menos breve. Digamos que si yo presento un plato en escorzo a no importa qué sujeto de experimentación y le pregunto la forma que tiene, éste responderá inmediatamente que redonda, aunque lo que él ve, en realidad es un óvalo o una elipse. En el *Gestalt* no sobra ni falta absolutamente nada; no se trata de un agregado de partes —como en los psicólogos atomistas—, sino de totalidades; un decorado, por ejemplo, no sólo tiene que indicar un ambiente determinado, sino que, a la vez, tiene que ser, asimismo, ambiente. Por lo demás no es fácil explicar determinados conceptos, si no se parte de los supuestos previos sobre los que descansan; en todo caso el *Gestalt* posee siempre un carácter instintivo —la palabra instinto es admitida ya por los hombres de ciencia— y automático. Pues bien, Federico sabía ordenar los distintos *Gestalten;* había siempre un todo, una unidad en el escenario, se tratara de la obra que fuese.

No obstante y aunque hay quien nace ungido por la gracia —existen también los desgraciados— Federico estudiaba concienzudamente lo que tenía que llevar a cabo. Había tenido, cómo no, sus llantos en el teatro: *El maleficio de la mariposa* había sido su mayor llanto.

El escorpión dice: —Me he comido tres moscas
El público que presencia el estreno: —¡Cochino o buen provecho!

La Argentinita hacía de Mariposa; tuvo suficiente presencia de ánimo para no desmayarse. El comentario general, después de la representación, es que se trataba de una obra de cucarachas para cucarachas. No había *Gestalt,* porque no basta ser gran poeta o ser gran pintor o ser gran músico, para que poesía, pintura o música se recuesten amorosas en vuestros brazos y os peguen lengüetazos en los labios. Hay que trabajar y duro. A veces, trabajando duro, se consigue algo. Así Federico en

Mariana Pineda. Y así en la Barraca, donde había una experiencia hecha y por hacer, pero donde no se daban ya palos de ciego.

El auto sacramental de *La Vida es Sueño* tenía un decorado celeste de Benjamín Palencia; los figurines eran también obra del mismo pintor; cuando dicha obra se montó no estaba yo todavía en la Barraca, de manera que no puedo dar muchos detalles sobre el mecanismo de su montaje. Cuando yo la vi en el Paraninfo de la Universidad, Carlos Congosto, al que yo no conocí jamás, hacía el papel de Hombre. Mi impresión fue buena, francamente buena, tan buena como la de cualquier muchacho que, presenciando la obra, tuviera inquietudes en la mente.

Salían los cuatro Elementos, Agua, Aire, Tierra y Fuego, disputándose una corona de laurel. Calderón imaginaba a la Tierra saliendo de su esfera cabalgando en un león, al Fuego sobre una salamandra, al Agua jinete sobre un delfín y al Aire sobre un águila.

Todos salían a la vez, pero sin cabalgar; llevaban la corona, una gran corona, sujetándola con ambas manos cada uno; todos tiraban de ella, pero sin romperla. El Agua era Julita Rodríguez Mata, la Tierra María del Carmen García Lasgoity, el Aire Modesto Higueras y el Fuego Arturo Sáenz de la Calzada. El Agua era azul y verde, la Tierra blanca y siena tostado, el Aire gris de purpurina y el Fuego amarillo, naranja y rojo en forma de llamas. Y, en el fondo, era el caos. Sin embargo, Benjamín Palencia había dibujado un gran telón, con dos rompimientos laterales, todo ello en tonos grises, azules y blancos en el que casi se podía oír la música de las esferas; la música de las esferas o el murmullo del viento inmóvil.

En la página 181 del libro de Santos Molero que obra en mi poder, hay escrito con lápiz de tinta : «Luz blanca, rebajada». En efecto, los Elementos salían un poco como en sombras; la luz iba lentamente aumentando en intensidad, pero no demasiado. En la página 183, cuando la Tierra dice: «con Aire y Agua compito», hay una P, simplemente una P mayúscula, que, seguramente quiere decir o puede querer decir «preparado». Preparado, porque unos párrafos más tarde van a aparecer en escena nada menos que el Poder, la Sabiduría y el Amor, los que cantando, separan a los pretendientes a la corona. Entonces la luz aumenta notoriamente en intensidad, precisamente cuando el Poder dice a los cuatro Elementos que tienen que ser amigos y enemigos lo que duraren los siglos. La Sabiduría distribuye por zonas a los cuatro Elementos y después el Amor, con suave voz cristalina, va convirtiendo en nichos ecológicos a los diversos Elementos; hubo el peligro que cometió una vez Carmen Galán al decir: —«Al Aire habiten los peces»... en lugar de las aves, pero adjudicar a cada nivel de materia su elemento propio, resultaba, en efecto, un acto de Amor. Después todos vuelven a cantar —laúdes y vihuelas— y, más tarde, hay algunos párrafos suprimidos en la obra. Por ejemplo, en la página 193, los versos que van del 275 al 286 están suprimidos. En la invitación posterior que el Poder hace a los

La Vida es Sueño. Disputa de los cuatro Elementos.
(Cortesía de la Galería Multitud)

Universidad Central: Representación del auto La Vida es Sueño. *Parte inferior de la fotografía:*
Fila superior, de izquierda a derecha: Joaquín Sánchez Covisa, Alberto Quijano, Congosto, Arturo
S. de la Calzada, Diego Marín y Modesto Higueras. Fila inferior: Julia Rodríguez Mata, Federico
y Mª del Carmen García Lasgoity.
De Blanco y Negro (1932).

La Vida es Sueño, en la Universidad. De izquierda a derecha: Enrique Díez-Canedo, Miguel Quijano, Modesto Higueras, Arturo S. de la Calzada, Mª del Carmen Gª Lasgoity, Pilar Aguado, Benjamín Palencia, Federico, Kety Aguado, Claudio Sánchez Albornoz, Julia Rodríguez Mata, Eduardo Ugarte, Carlos Congosto, Emilio Garrigues, Ormaechea, Sánchez-Covisa, Marín, Manuel Puga, A. Ruiz-Castillo y Jacinto Higueras. Blanco y Negro de 1932.

Teatro universitario «La Barraca».

Los entusiastas jóvenes que componen la agrupación que pasea por España el castizo título "La Barraca" han hecho un alto en sus andanzas pueblerinas para presentar una muestra de su arte en el Paraninfo de la Universidad Central, donde han dado varias representaciones interesantísimas. Una de las obras elegidas fué el auto sacramental, de D. Pedro Calderón de la Barca, "La vida es sueño", al que se refiere dos de las fotografías de estas planas, y que constituyó un acierto rotundo, alto exponente de lo mucho y bueno que hay que esperar de este teatro tan genuinamente popular y español. Verdadera obra de cultura, "La Barraca" merece unánimes elogios y constantes alientos. Completó el programa de la simpática fiesta la magnífica actuación de la Orquesta Universitaria y coros del Instituto-Escuela, que, bajo la dirección del maestro Benedito, desarrollaron un selectísimo programa, uno de cuyos momentos recoge la primera de nuestras fotografías.

(FOTOS ZEGRÍ)

De un Blanco y Negro de 1932.

«El Delfín».
Tinta, acuarela y lápiz.

«El Albedrío».
Acuarela, tinta, purpurina dorada
(collage).
Al dorso: «El Albedrío».
Dibujo a lápiz.

«El Fuego».
Dibujo a la cera, tinta y toques de
purpurina dorada.

«El Entendimiento».
Collage, gouache, tinta y purpurina
plateada.

BENJAMIN PALENCIA
Cartel para «La vida es sueño».
Dibujo a tinta y lápiz. 44 × 28 cm.

«El Príncipe».
Dibujo a lápiz y acuarela.

Figurines de Benjamín Palencia
para «La vida es sueño».
1932.
47 × 32,5 cms.

«El Arbol del Paraíso».
Dibujo a lápiz.
Al dorso: «El Delfín».
Dibujo a lápiz.

«La Luz».
Collage, tinta, toques de gouache y
lápiz.

«El León».
Dibujo a lápiz.

«La Sabiduría».
Tinta, gouache, lápiz, purpurina dorada
(collage).

«El Amor».
Collage, tinta, acuarela, gouache y
ceras.

«El Entendimiento».
Dibujo a lápiz.

Elementos para maquetas de decorados y
figurines de Benjamín Palencia
para «La vida es sueño».
1932.
47 × 32.5 cm.

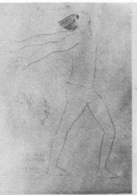

«El Aire».
Tinta y purpurina plateada.

«El Albedrío».
Dibujo a lápiz.

«El Aire».
Dibujo a lápiz.

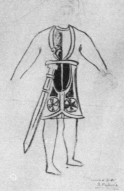

«El Hombre».
Gouache, tinta, toques de purpurina
dorada y plateada y collage.

«El Hombre».
Dibujo a lápiz y tinta china.

Elemento para maqueta
de decorado.

Figurines de Benjamín Palencia
para «La vida es sueño».
1932
47 × 32,5 cms.

cuatro Elementos para que vayan a recibir dignamente al Hombre, verso 480, hay otra P mayúscula, destinada a Aurelio Romeo que entendía de luces, o a Ugarte, que sabía de traspuntar; y a continuación la luz empieza a ponerse azul, los personajes abandonan la escena y un foco pequeño, azul también, ilumina la entrada de un nuevo personaje, la Sombra. Bueno, la Sombra era un personaje medular en la obra y lo encarnaba el propio Federico; iba envuelto en amplios tules negros con un tocado bicorne del que pendían también oscurísimos velos; daba un poco la impresión de viuda, inconsolable reciente viuda, aunque tal impresión se desvanecía en cuanto Federico iniciaba su terrible recitado (recitado terriblemente barroco en el que califica de anhélito al puñal —puñal sin respiración— o al revés, a la falta de respiración, de puñal, de aguda, que no está claro para mí). Y de repente, por el otro lado de la escena, iluminado por un foco rojo, así está indicado en el libro, sale el Príncipe de las Tinieblas, imprecando:

> *¡Ah del centro, de cuya oscuridad*
> *la Sombra arrastra lóbrego capuz!*
> *¡Ah del negado auxilio de la Luz*
> *línea del mal, antípoda del bien*
> *ciudad sin Dios! ¡Ah del abismo!*

Con la tenebrosidad de este conjuro, no había Príncipe de las Tinieblas que pudiera permanecer tranquilo; Lucifer removía sus vísceras en el Averno. Federico lo decía todo muy bien, apenas levantando la voz, pero concentrando en un tono tenso, la espiral oscura de la imprecación. Más tarde la luz inicia un cambio anunciando la llegada de un nuevo personaje, el Hombre; la luz de baterías y focos se hace intensamente blanca, porque al Hombre acompaña la Luz de la Gracia, la divina Gracia que no sale para todos. Y el Hombre, deslumbrado, se hacía ya, desde su creación, las preguntas que siguen teniendo vigencia: —¿Quién soy, qué seré o qué fui?

Paso torpe el primero que el Hombre dio, según Calderón; paso torpe y quejumbroso como lo demuestra en las bellísimas décimas, décimas quejumbrosas, en las que el Hombre se siente postergado al Sol, al ave, al bruto, al pez (en el drama, que no en el auto, Segismundo también envidiará al arroyo). Hay música, la luz se rebaja y quejándose también y maldiciendo, el Príncipe de las Tinieblas y la Sombra traman el complot que lanzará al Hombre a los abismos. En el fondo se oye la música:

> *Venid, corred, volad Elementos*
> *a dar la obediencia al Príncipe vuestro.*

Y con ello da fin el primer acto; muchas veces, sobre todo en los pueblos, era el único que se representaba; el drama de la creación, aún con el lenguaje conceptuoso de Calderón, era bien entendido por los campesinos, que no mostraron jamás signo de fatiga cuando lo presenciaron; sin embargo los tres actos, eso es, la obra entera, hubiera sido, tal vez, demasiado para ellos, ya que no estaban preparados.

La vista agudísima de Federico, esa hipersensibilidad de la que tantas muestras ha dejado, le había hecho observar, durante las representaciones, que en ciertos puntos de la obra decrecía el interés del espectador; evidentemente, tal fenómeno no podía por menos que sembrar la inquietud en el poeta y llevarle a un análisis despiadado de la obra, pero cargando la atención sobre el punto o los puntos negros. Posiblemente, el teatro clásico español está plagado de puntos negros o muertos en los que la atención del espectador vacila y, de continuar el deterioro por el interés de la obra, el aburrimiento substituye a lo que, en realidad, debería ser deleite. Federico, conociendo el fenómeno que, posiblemente hasta sus trabajos en la Barraca, ni siquiera había rozado su atención, estudiaba las obras expurgándolas de aquellos puntos oscuros contra los que se estrellaría la atención del auditorio. Necrosis literarias que amenazaban extenderse a todo el cuerpo de la obra; sin una sola vacilación, Federico las suprimía, dejando únicamente aquello que pudiera hacer vibrar al espectador y aún hacerle supervibrar; confería, de este modo, plena vigencia a lo representado y, mediante tal sistema, se perdía por completo el temor al fracaso.

En el segundo acto (segundo acto según Federico, ya que Calderón no divide el auto en partes), aparecen el Entendimiento y la Luz de la Gracia, así como el Albedrío. Ignoro las razones que movieron a Calderón a considerar al Libre Albedrío como un ente más bien perverso, tendiente a procurar la caída del Hombre, al terrible círculo de su caída. El caso es que lo consigue, a pesar de que el Entendimiento y la Luz hacen lo posible y lo imposible por impedirlo; pero es que el Albedrío que le ha sido dado al Hombre está, sin duda, en buenas relaciones con el Príncipe de las Tinieblas y con la Sombra, los que, con su salida al escenario, hacen que la luz disminuya en intensidad y empiece a aparecer un color rojo en escena (Desde aquí me pregunto si por acaso es rojo el color del pecado. Rojo es el vino y la sangre roja es, dirá Oscar Wilde, pero Federico ¿pensaría que también el pecado ensangrienta lo que toca?).

En todo caso, la Sombra se acompaña siempre del frío color azul, color como la luna; no, dirá Federico en el *Retablillo de Don Cristóbal,* no quiero monedas de oro. Déme las monedas de plata, que parecen estar siempre iluminadas por la luna, porque el oro me parece fuego y yo soy el poeta de la noche.

Y así era, en efecto; Federico debió morir en azul y azul se volvió todo él bajo y sobre el paisaje de la tierra; y allí donde las cosas no proyectan sombras, Federico seguirá azul, infinita, eternamente azul. Azul era el traje de la Barraca y azul el fondo sobre el que se inscribió la

carátula benjamín-palencianesca. ¡Azul, azul, cementerio en equívoco!
Nada en el aire es pájaro. El mundo entero tiene cicatrices azules.
Sombra de Federico, Federico en la sombra:

> *hasta tener ocasiones*
> *de introducir el veneno*
> *prosigan nuestros rencores.*

El Príncipe de las Tinieblas sigue siendo rojo; la Luz de la Gracia es
blanca con reflejos nacarados; el Hombre es meramente, un poco de
barro, desdichada arcilla.
En la página 225, entre los versos 1065 y 1070 hay otra P mayúscula
misteriosa; pienso que quiere decir *preparado*. El caso es que el Hombre,
instigado por el Albedrío, lanza a su Entendimiento por un precipicio.
Entonces se produce una especie de terremoto con verdes reflejos —el
color verde tiene una pecaminosa luz de onda—. La luz blanca se rebaja
hasta que, poco a poco, queda en semipenumbra el escenario, mientras el
Hombre, medio aletargado, después de reclamar auxilios que no alcanza
y tras quejarse de la manzana, pierde por completo el sentido; poco a
poco se va haciendo nuevamente la claridad; los cuatro Elementos
unánimemente:

> *Sufra, sienta, gima y llore*
> *quien malogrando fortunas*
> *vino en brazos de la Gracia*
> *y vuelve en los de la Culpa.*

Y con ello, tras un apagón y giro de 180 grados de los focos, para
deslumbrar al espectador, da fin el segundo acto del auto sacramental de
La Vida es Sueño.
Tal vez el público, también el lector, se pregunte si no será demasiado, si por comer una dulcísima poma la vida ha de endurecerse hasta el
punto que lo ha hecho, pero, además, traspasando el pecado de unos
hombres a otros —generación tras generación—, hombres que, a lo
mejor, no han comido una sola maldita manzana en su vida, tal vez ni
siquiera la han imaginado o conocido; de todos modos, hay que reconocer que Calderón relataba todo ello de forma bellísima.
El tercer acto lo inicia la aparición de Amor, la que —su intérprete
fue siempre femenino— juntamente con el Poder, decide perdonar al
Hombre, al hombre y a su pecado, pero condicionando el perdón a
determinadas normas; entonces se hace luz verde sobre el escenario, y
aparecen los cuatro Elementos transportando al Hombre desvanecido.
Cuando éste se da cuenta de su triste estado, a causa de haber arrojado al
Entendimiento por la ventana —como hiciera Segismundo con el criado
que trataba de aleccionarle—, cuando ve lo que ha perdido, pregunta por

la Luz. En lugar de la Luz sale la Sombra, acompañada siempre de su foco azul —moneda de plata, reflejo de la Luna—. El Hombre quiere huir de la Sombra, pero el Entendimiento —que no parece haberse hecho mucho daño cuando cayó por el precipicio—, dice que salvará al Hombre de las asechanzas de la Culpa siempre que el Hombre tenga y guarde un comportamiento grato a Dios. En «off» se oye la música de las esferas: —Gloria a Dios en las alturas y paz al hombre en la tierra».

Las cosas empiezan a cambiar favorablemente; el Entendimiento trae a rastras al Albedrío, exhortándole a que se ponga al servicio del Hombre, no de sus meros instintos; entonces la Sabiduría le quita las cadenas al hombre y, asumiendo el papel de Cristo, le libera del pecado. La luz se torna otra vez azul y aparecen el Príncipe de la Tinieblas y la Sombra decididos a matar al Hombre, tan magnificado por Dios; pero el puesto del Hombre lo ha tomado, con todas sus consecuencias, la Sabiduría; Sombra y Príncipe, tardíamente, advierten su error, palidecen y se asustan de ver que han tratado de poner a Cristo fuera de combate; todo es igual, ya que la Sabiduría, el Amor y el Sumo Poder han decidido que el Hombre es ser débil, pero bondadoso; de no volver a pecar, nada más sencillo que salvarse para toda la eternidad; con ello, y con la aparición de los cuatro Elementos que se ponen a cantar al unísono:

> *En Aire, Agua; Fuego y Tierra*
> *concha, espiga, voz y afecto*
> *tiene, goza, incluye y sella*
> *gracia, venia, amparo, asilo,*
> *piedad, refugio y clemencia.*

da fin al Auto Sacramental de *La Vida es Sueño*.

Uno piensa desde lejos, desde muy lejos ya, desgraciadamente desde lejísimos, cómo se le ocurrió a Federico montar tal obra; es cierto que por entonces los aires gongorinos, el culteranismo, en una palabra, estaban en boga, pero ello, por sí solo no constituye una razón. Es casi seguro que a Federico le gustaba salir a escena a representar un papel; ya de niño parece que se ocupó de eso con fortuna. Yo llegué un poco tarde a la Barraca; sus trabajos llevaban ya un año, o casi, cuando yo entré en el conjunto; por ello no puedo saber en virtud de qué idea Federico decidió montar un auto sacramental. En las obras completas de Federico no se nota, por muy atentamente que se lean, que éste fuera alguien realmente interesado en Teología —aunque ésta fuera expuesta en verso:

> *Mi corazón está aquí*
> *Dios mío...*

del Prólogo de 1920, a dieciséis años de su muerte o el

latiendo como el pobre corazón de la rana
que los médicos ponen en un frasco de vidrio

de la Oda al Santísimo Sacramento del Altar, o

el Cristito de barro se ha partido los dedos
en los filos eternos de la madera rota

del Nacimiento de Cristo; tres ejemplos, y hay muchos más, de que para Federico por lo menos en mi idea, la religión era algo ciertamente representable o literaturizable, una cosa que brotaba del mismo centro que el arte o que la magia, pero que fuera de eso, esto es, de dar pie a ciertos misterios profundos, no podía ser tenida en cuenta; afectivamente en cambio, sí podía, de hecho lo hacía, poner en juego los tremendos resortes emocionales del actor y del espectador. Tal vez fuera ésa la razón de montar el auto sacramental; quizás existiera la posibilidad de que el sueño se hiciera vida; sombra de sueño o algo así, dijo Píndaro de los humanos, y estamos hechos de la materia de los sueños, afirmaría Shakespeare, pero, ¿por qué no el drama y sí el auto?

Parece ser que, en principio, Federico pensó en una Barraca doble; la pieza a montar sería *El Mágico Prodigioso* (también la magia). Esta obra se montaría en dos versiones, clásica una y moderna la otra. Manuel Altolaguirre habría de intervenir en el montaje de alguna de ellas, pero ignoro en cuál, aunque imagino que en la primera.

Personalmente estoy casi seguro de que Federico escogió el *Auto Sacramental de La Vida es Sueño* para poder trabajar él en persona. Podría, como lo hizo, vestirse de negros velos que cubrieran su rostro y figura —y hasta su peculiar manera de andar, de niño tuve una lesión en las piernas, decía, por eso no puedo correr—, y, de esta guisa, recitar y recitar nada menos que como el Pecado, la Culpa, la Sombra. Porque a Federico, y eso es archisabido, le gustaba, le entusiasmaba el teatro: dirigir teatro, escribir teatro y, yo creo que más que todo eso, trabajar como actor de teatro. Pero en la Barraca sólo hubo tres posibilidades que se le brindaron, de modo natural y espontáneo, por así decirlo, a sus ansias de ser actor y una de ellas, quizás la mejor, porque todos le escuchaban pero nadie le veía, fue en el auto de Calderón. Es evidente que no lo hacía por y para lucirse o adquirir fama. Federico, a la sazón estaba en el culmen —desde que yo le conocí siempre lo estuvo—, de su popularidad, por lo que hay que descartar su propio lucimiento. En la vida de la Barraca ¡ay!, harto corta, además de la Sombra recitó, y ya hablaré más adelante de ello, *La Tierra de Alvargonzález* de D. Antonio Machado y, en *«off»*, el *Romance de las Almenas de Toro,* del que también hablaré.

Más adelante, y al referirme a las excursiones que la Barraca llevó a cabo, publico unas xerocopias que reproducen los «papeles» que Federico leía antes de las representaciones, en los que explica el sentido que el Teatro Universitario tenía.

Se ve, por tales papeles, cómo, para Federico, el Santo Sacrificio de la Misa constituía la máxima representación dramática; no en balde la realizó, como oficiante, muchas veces cuando niño.

Curiosamente, Federico relaciona a Calderón con Goethe y con Shakespeare. Calderón, poeta del cielo, se anticipa al Fausto y a la Tempestad; Calderón lleva encerrada una paloma dentro de su cabeza; Federico no dice cómo Shakespeare era un cisne que surcaba las grises aguas del Avón con un hombre dentro, también encerrado, hombre de dormires líquidos y de plumas de sueño. Tampoco dice que Goethe era un dodecaedro que pintara Escher, cóncavo y convexo a la vez, pero de agua de roca o de carbono puro cristalizado. Porque se confesaba del linaje de aquellos que de lo oscuro hacia lo claro aspiran; como corolario «sólo el villano sigue su capricho, el noble aspira a ordenación y a ley».

Cervantes, por su parte, Cervantes-Tierra, es, seguramente, una de las refutaciones más obvias del argumento ontológico de San Anselmo, según el cual lo real es siempre más que lo imaginado. Sin embargo, los entes de ficción, Don Quijote y Sancho, tienen más realidad que Iñigo de Loyola, pongo por caso, que Teresa de Jesús o que el propio Juan de Austria. ¿Qué es, en definitiva, lo real?

Aparte de eso, los poetas de todos los siglos, desde Mena hasta el propio Federico, han tenido palomas encerradas o ruiseñores o alondras, mirlos que cantan por entre la espesura de sus cerebros de miel y de hojas verdes.

Calderón-Cielo, pero, sobre todo, y ésa es mi opinión personalísima, Federico-Sombra; ésa, creo, debió ser la razón de montar el *Auto Sacramental de La Vida es sueño.*

Pero independientemente de las razones que movieran a Federico al montaje de un auto de Calderón, sí diré lo siguiente: Jorge Guillén cuenta lo siguiente en el prólogo a las *Obras Completas* de Federico (Aguilar, editor):

«En la plaza de un pueblo, a poco de comenzar la representación a cielo abierto, se pone a llover implacablemente, bien cernido y menudo. Los actores se calan sobre las tablas, las mujeres se echan las sayas por las cabezas, los hombres se encogen y se hacen compactos; el agua resbala; la representación sigue; nadie se ha movido.»

Es verdad; pero falta por añadir que tal cosa ocurrió cuando se representaba el primer acto de *La Vida es Sueño;* algunos quisieron abrir los paraguas que, en previsión de la lluvia que se anunciaba, habían llevado a la plaza, pero no se lo permitieron los demás espectadores; ello no indica sino que, a pesar de lo conceptuoso del mecanismo poético de Calderón, a la gente sencilla, sin letras, le gustaba el teatro, y le gustaba aunque se hallara marginado de su ámbito de información, de su mundo perceptible.

Me resta por añadir que los decorados y figurines eran extraordinarios; su autor, como creo haber dicho, fue Benjamín Palencia, quien, por entonces, se hallaba un poco dentro de las garras del surrealismo. Yo no lo presencié, pero con motivo de la primera excursión de la Barraca por tierras de Soria, frente al seco, árido, luminoso y abierto paisaje castellano que tan maravillosamente cantara D. Antonio, Benjamín Palencia se revolcó sobre un montón de estiércol —digamos en un paroxismo, en un frenesí— gritando: (refiriéndose al paisaje): —¡Qué maravilla!—. No estoy muy seguro de que Federico le imitara en eso de revolcarse por el abono natural, pero lo de ¡qué maravilla!, sí debió decirlo y luego, uno por uno, todos convinieron en que, efectivamente, aquel paisaje era una maravilla. Como yo no asistí a la escena, no puedo afirmar si el paisaje era o no una maravilla —seguramente lo era—, pero después nos quedó a los de la Barraca, a mí incluido, el hecho de aplicar lo de ¡qué maravilla! a cualquier cosa que se nos presentara ante los ojos y que se destacase un poco de lo trivial y mostrenco.

Vieja expresión esa de ¡qué maravilla!, ha ido, poco a poco, desapareciendo de mi lenguaje, tal vez porque el número de experiencias hechas supera una determinada cantidad a partir de la cual las maravillas empiezan a ser tan escasas que no vale la pena ni siquiera de buscarlas. Seguramente todos nacemos con una capacidad determinada de maravillarnos, capacidad que, desgraciadamente no es vitalicia; como aparecen las canas en los aladares, o cuando las articulaciones empiezan a emitir sus pequeñísimos lamentos —reúma y esas cosas—, nuestra capacidad maravillatoria empieza a sufrir rudos embates y ya no nos parece tan bello un atardecer con un sol, digamos occiso, derramándose por el poniente.

La Vida es Sueño nos ponía serios a todos; cuando la íbamos a representar parece como si anduviéramos con más cuidado. Lo último que recuerdo de dicho auto sacramental, no va envuelto en aplausos; Federico me había confiado el papel de Príncipe de las Tinieblas, pero, por no recuerdo qué motivos, aquel año no se representó *La Vida es Sueño* en Santander; no llegué, pues, a salir envuelto en luz roja.

Ignoro si la época por la que atravesamos está madura o quizás pasada para contemplar autos sacramentales; son muchos, muchísimos los acontecimientos que han tenido lugar en España, como para emitir un juicio de ese tipo. Las esquinas se han llenado de cosas imprevistas y nuevas escalas de valores han hecho irrupción en los aires de nuestro territorio; nuevas o viejas, pero que cambiaron horizontes y respiraciones.

Y hoy estoy aquí con este libro editado por «Clásicos Castellanos» propiedad de un tal señor Santos Molero al que no conozco, ni sé si vive, ni si la vida le sonrió o si se portó duramente con él. Y este libro es, precisamente, el que me ha hecho escribir todas las líneas que anteceden en este capítulo. Lo demás es sueño, pura «Vida es Sueño», retazos de recuerdos de sueño, sueño en fin que duró muy poco tiempo y del que despertamos atónitos los ojos y estremecida la garganta. Pero, desde aquí, saludo a todos los recuerdos que han aflorado a la capa consciente de mi sistema nervioso, gracias a este viejo libro del que todo ignoro.

N.B. La Galería Multitud, de Madrid, en su exposición sobre «La Barraca y su entorno», nos ha devuelto, como por arte de birlibirloque, la visión de un pasado caro a nuestros afectos. En dicha Exposición, *La Vida es Sueño,* se ha hecho más sueño todavía.

Los entremeses de Cervantes

No sólo lo religioso era materia teatral de estudio para Federico; también le gustaban otras muchas cosas, el ballet, por ejemplo. Cuando yo entré a formar parte del equipo, ya estaban montados cuatro Entremeses de Cervantes; de su montaje, pues, no puedo decir mucho, pero sí de cómo se bailaban en escena.

Federico decía: «Calderón es el poeta del cielo; Cervantes el de la tierra; los personajes de Calderón son ángeles; los de Cervantes son hombres... El poeta no los humaniza, sino que se vale de ellos en su pura condición de elementos» (Cf. «En la Universidad: La Barraca», en el diario «La Libertad» del 1 de noviembre de 1932; léanse, asimismo, las xerocopias que incluyo en este libro).

Los Entremeses que estaban montados cuando mi incorporación al elenco, eran *La Cueva de Salamanca,* que solía ofrecerse en primer lugar, *La Guarda Cuidadosa,* a continuación, y, por último, *Los Dos Habladores* (Cervantes sí, Cervantes no). A ellos se unió más adelante, pero antes de mi llegada, *El Retablo de las Maravillas,* que fue estrenado en el Teatro Español con mucho éxito. *El Retablo* solía darse a continuación de alguna obra de peso, *Fuenteovejuna,* pongo por caso, o *El Caballero de Olmedo.* Pero los otros tres Entremeses estaban prácticamente unidos con carácter indisoluble en la Barraca y, generalmente, presentados en el orden que he dicho.

Había, hay, habrá siempre, quijotistas y cervantistas. D. Miguel de Unamuno, por ejemplo, pensaba que Cervantes era un advenedizo o poco menos, en tanto que Astrana Marín, D. Eugenio Montes, —cuyo nicho ecológico se halla en Roma— y otros, eran y son cervantistas. No hay, pienso, inconveniente alguno en que haya discrepancias sobre un hecho literario. Recuerdo que en la Barraca, durante nuestros viajes por las viejas y polvorientas carreteras de nuestra península, nos acontecía que alguno, alguna, Federico, el propio Ugarte, más taciturno, entonara de repente una canción que para mí tiene las mayores resonancias afectivas:

Siempre, siempre será comentaaaado
desde el uno hasta el otro confiiiín
este libro inmortal anotaaaado
por D. Efe Rodríguez Marín.

que siempre nos procuraba, por otra parte, hilaridad honesta para un rato. Ignoro de quién era la letra y lo mismo me ocurre con la música, pero no tendría nada de particular que ambas hubieran brotado de la imaginación de Federico.

Cervantistas, pues, o quijotistas, tanto Federico como Ugarte decidieron montar algunos de los Entremeses de Cervantes, sin duda porque les gustaban y veían en ellos posibilidades escénicas inéditas. Y los montaron maravillosamente. Sin embargo María de Maeztu, directora a la sazón de la Residencia de Señoritas, nos pidió que los representáramos en el paraninfo de la casa-palacio de Miguel Angel, 8. Lo hicimos, claro está —sólo que con la mitad del tablado, ya que entero no cabía—. Pues bien, aunque trabajamos sin un solo fallo, a María de Maeztu no le gustó la representación; comentó que no se podía tratar tan irrespetuosamente a D. Miguel de Cervantes; que bailar los Entremeses constituía poco menos que un delito, etc. Con ello, Doña María dio a entender su cervantismo petrificado, «petrefacto», como diría Ortega.

Los Dos Habladores, como he dicho, era el último Entremés que se montaba cuando el programa era de Entremeses. En la obra hacía de Hablador Modesto Higueras, por cierto que muy bien. El papel era muy cansado porque había que estar hablando y moviéndose todo el rato y, como quiera que se hablaba en tono alto para que la gente que ocupaba las plazas de los pueblos oyese bien lo que se decía, acababa uno auténticamente reventado; era necesario, para llevarlo a cabo, auténtica juventud, dedicación y condiciones excepcionales. Doña Beatriz lo hacía a la perfección Mª del Carmen García Lasgoity, aunque tengo idea de que primero lo hizo Enriqueta Aguado; el Procurador, que era a la vez el Alguacil, corría a cargo de Jacinto Higueras, siempre gran actor; el marido de Doña Beatriz lo encarnaba Diego Marín estupendamente; cuando por motivos de estudio o por otra emergencia que desconozco nos dejó, abandonó la Barraca, me encargué yo de dicho papel. El entremés tenía *Gestalt* —por supuesto, todos lo tenían.

La obra carecía de decorado; se representaba sobre la cortina negra del fondo, pero, la verdad es, que el Entremés no necesita decorado. Unicamente la muchachita Inés, sacaba una mesa pintada muy graciosa con la comida, mesa que se sujetaba con una rema articulada. Luego, en casa de Doña Beatriz había un sillón y unas esteras con unos palos para sacudirlas. Eso era todo. Terminaba con música cuya letra es lo único que me es dado poner aquí: —Vete, vete pícaro hablador, vete, vete pícaro hablador, etc...

La pieza en sí, que constituye una delicia, no es sino todo un tratado de Medicina Homeopática: *similia similibus curantun* sólo que en dosis masivas. A la Habladora se opone el Hablador quien, como habla más que ella, la enmudece; de esta manera todos se huelgan —menos la Habladora, supongo.

Este Entremés era el tercero de la serie y el que daba fin al espectáculo; luego venía el recoger el tablado, los decorados, los trajes, montar todo en los camiones e irnos a dormir.

El principal papel de *La Guarda Cuidadosa,* por lo menos cuando yo estuve en la Barraca, lo encarnaba, muy bien a mi juicio, Eduardo Ródenas; primeramente lo había interpretado Ormaechea, pero no puedo dar mi opinión sobre su modo de actuar; era un soldado roto que había puesto su pica en Flandes pero que, a pesar de todo, no tenía ni un maravedí; lo único que hacía era impedir que persona alguna se acercara, ni siquiera con la idea, a la casa de Cristinica —limpia de polvo y de paja—, doncellita de unos señores principales y de la que estaba enamoradísimo; la obra en sí no es sino una sucesiva aparición de personajes más o menos graciosos con los que entabla conversación el soldado, pero Cristinica, papel representado por Julita Rodríguez Mata, tenía puesto su corazón en un sacristán —Modesto Higueras—, quien no parecía asustarse mucho de las bravatas del soldado. De este modo acaba casándose con él, provocando la lamentación del desdeñado:

Siempre escogen las mujeres
aquello que vale menos...

También había canciones en escena, cancioncillas antiguas que Federico con un acierto insuperable, sabía colocar en el momento justo. Los decorados, sintéticos, eran de Ponce de León, así como los figurines, muy graciosos y de acuerdo con el carácter, entre guiñolesco y de paso de ballet, que tenía la obra.

Los señores importantes en cuya casa servía Cristinica, corrían a cargo de Diego Marín y de Mª del Carmen García Lasgoity; había un zapatero y otro sacristancico —ambos encarnados por Jacinto Higueras— y un pedigüeño que pedía para la lámpara del aceite de Señora Santa Lucía que nos conserve la vista de los ojos. A lo que el soldado preguntaba: —¿Pedía para la lámpara o para el aceite de la lámpara...? El que pedía era Quijano que salía vestido de verde y con una pequeña urna donde, al parecer, se encontraba la Señora Santa Lucía.

Es curioso cómo a veces los recuerdos son nítidos, en tanto que otros aparecen como desdibujados, como llenos de polvo, de espumilla; la imagen se torna borrosa y no hay manera, por mucho que uno piense en ella, de hacerla salir como Afrodita dicen que salió de la ardiente espuma: dibujada, limpia, hermosa, armónica y encajada en el resto del recuerdo, de la composición. Tal me ocurre a mí con el Entremés de *La Cueva de Salamanca.* Sin saber por qué, se me ha escurrido por no sé qué

(Cortesía de la Galería Multitud). (Ensayo general).
Una escena de La Guarda Cuidadosa.

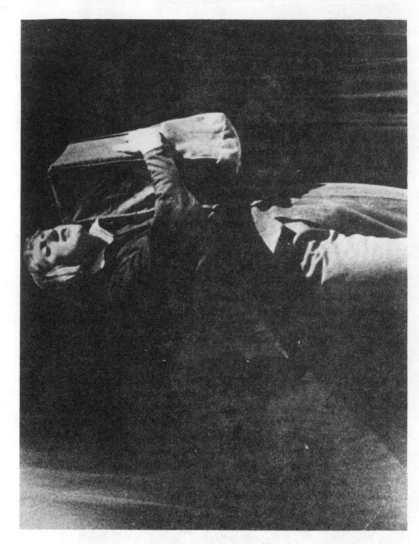

La Guarda Cuidadosa. Alberto Quijano pidiendo para la lámpara. (Cortesía de la Galería Multitud).

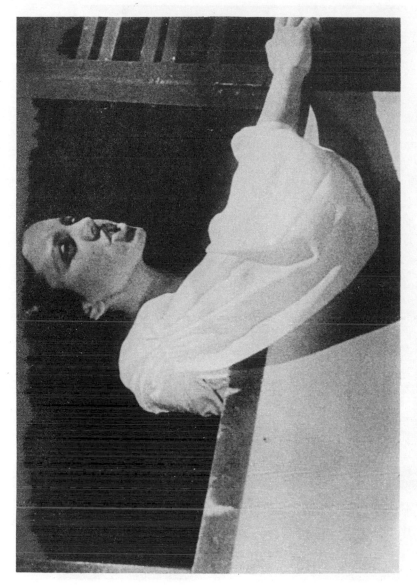

La Guarda Cuidadosa. Julita Rodríguez Mata —Cristinica—, insultando al soldado. (Cortesía de la Galería Multitud).

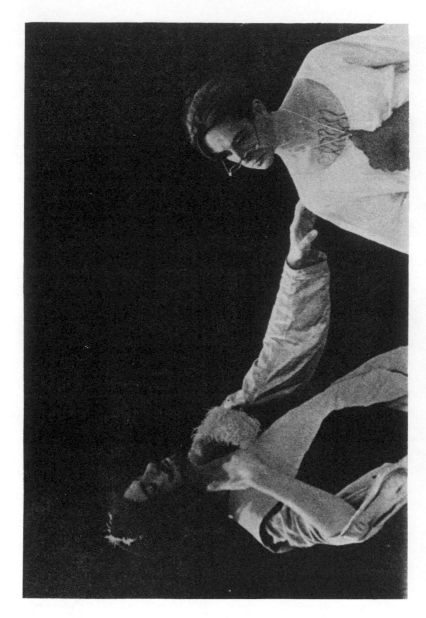

Ormaechea y Jacinto Higueras en una escena de La Guarda Cuidadosa
(Cortesía de la Galería Multitud).

Diego Marín en La Guarda Cuidadosa.
(Cortesía de la Galería Multitud).

tortuosos caminos y no se me aparece tan clara —en el recuerdo, quiero decir—, como los otros Entremeses. En él se trata, sin embargo, de una acción muy sencilla: el marido tiene que marcharse de viaje para resolver ciertos asuntos que le reclaman, ocasión que aprovecha la mujer para que vayan a su casa el sacristán Reponce, con el que engaña a su esposo, y el barbero del lugar, que se entiende con Cristina, la criadita. Pero he aquí que llega un estudiante de Salamanca con más hambre que un bengalí, solicitando humildemente alojamiento para una noche; compasivas, ama y criada le llevan al pajar, desde donde el estudiante se da cuenta de la llegada del sacristán y del barbero y de todos los manejos que se traen entre manos. Mientras tanto, al marido se le rompe una rueda del coche en el que viaja, y se ve forzado a volver a su casa; se esconden barbero y sacristán y aparece entonces el estudiante, de cuya presencia en la escena dan explicación las dos mujeres. Pero como el estudiante ha visto las canastas de comida y las botellas de vino, dice que en Salamanca ha aprendido magia y que puede hacer aparecer a dos demonios en forma de barbero y sacristán trayendo cosas ricas de comer, con lo que todos se holgarían. Hace el conjuro y aparecen, en efecto, el sacristán y su compinche con el apatusco de la canasta; todos gozan de las viandas y del rico vino de Esquivias, sin que el pobre marido tenga sospecha ninguna. El Entremés constituía una auténtica delicia, no sólo bueno para abrir boca, sino para llenarla completamente; tanto la dirección de la pieza, como la interpretación de la misma, eran realmente insuperables.

Como quiera que el año en el que yo me incorporé a la Barraca, y justamente cuando íbamos a emprender la primera excursión, Julita Rodríguez Mata se lanzó a realizar un crucero por el Mediterráneo, bajo la égida de Palas Atenea, sus papeles tuvieron que ser interpretados por Conchita Polo y por Carmen Galán; el resto del reparto no varió, y María del Carmen García Lasgoity, Diego Marín, Covisa y Quijano, así como los Higueras, cosecharon los aplausos.

Los figurines de *El Retablo de las Maravillas,* deliciosos figurines, los imaginó Manuel Angeles Ortiz, hoy día residente en París, según creo. El Retablo, en realidad, y fuera de una pequeña embocadura con bambalinas de colores que llevaban Chirinos y Chanfalla, no necesitaba decorado, así es que, tal como ocurría con los Habladores, se representaba con las cortinas negras del fondo. Unicamente, cuando Chirinos y Chanfalla presentaban sus invisibles maravillas, se colocaban unos bancos oblicuamente para que cada personaje que ocupara un asiento no tapara al del puesto siguiente.

Chirinos y Chanfalla, los dos sinvergüenzas, eran papeles que representaban, y muy bien, M.ª del Carmen García Lasgoity —la que camelaba al Gobernador: —«¿de modo que vuesa merced es el que compuso aquellas famosas coplas de Lucifer estaba malo...?», a lo que contestaba Covisa muy serio, francamente indignado, pero halagado en el fondo: —«Malas lenguas hubo que me quisieron ahijar esas coplas, que así fueron mías como del gran Turco. Las que yo compuse —y aquí Covisa cambiaba de expresión— fueron aquéllas que trataron del diluvio de Sevilla, que puesto que los autores son ladrones unos de otros...»

Es sabido que existe un cuento, «El traje nuevo del Emperador» o algo así, con una idea semejante: sólo los tontos, o tal vez los que no son cristianos viejos legítimos —por los cuatro costados, a machamartillo—, son los que no pueden ver el traje o el espectáculo. Naturalmente, todo el mundo lo ve.

—«Por las espaldas me ha calado el agua hasta la canal maestra» —dice el bestia del Alcalde, y entre dientes, para sí mismo: —«Yo estoy más seco que un esparto» —declara en un aparte el Secretario del Ayuntamiento (Alberto Quijano). El Alcalde era Navaz, vestido de amarillo, ocre y marrón, con su hermosa vara. Juana Castrado era Conchita Polo, que era la que más ratones veía y que estaba guapísima. Finalmente llega el soldado que no sabe nada y que se queda espatarrado cuando le dicen que la doncella Herodías está ahí bailando: —¡Y cómo se mueve la muy...! ¡Cánsala sobrino, cánsala!—. El soldado asegura que él no ve absolutamente nada de lo que los otros afirman ver; éstos sonríen mefistofélicamente, con lo que el soldado echa mano a la espada y arremete con todos. El soldado era Eduardo Ródenas.

Mi segundo papel en la Barraca fue precisamente en *El Retablo;* hacía el sobrinillo del Alcalde y tenía que bailar con la invisible, pero bien contorneada, supongo, doncella Herodías; iba vestido de zagal, con una pelliza de cordero que para tal personaje imaginara Manuel Angeles Ortiz; aprendí a bailar las sevillanas porque me las enseñaron Encarnación López y su hermana Pilar, aunque confieso que el día en que debuté con tal papel, me olvidé de los pasos y tuve que improvisar el baile; sin embargo, creo que ahora, desde tan lejos todavía podría bailar mis sevillanas

> *Camino de Sevilla, camino de Sevilla*
> *olé olé camino llano, olé olé camino llano,*
> *se enamoró mi niña, se enamoró mi niña*
> *olé olé de un sevillano, olé olé de un sevillano*

aunque el polvo las haya inmovilizado en mis pies. Aunque es bueno que caiga polvo y vaya enterrando las cosas; es bueno que venga el viento y las vaya deshaciendo y la lluvia y el rayo y el terremoto y la suprema ceniza. Ya no queda nada, ¿véis?, había un montón de vísceras en acción, varios hígados, varios pulmones, varios corazones, varios estómagos y varios millones de glóbulos rojos representando los Entremeses de Cervantes, mientras unos cientos de estómagos, de vísceras atónitas, de pelos sin sombrero o de herramientas paradas, de inmóviles arados, escuchaban lo que decían las primeras entrañas; las segundas se extrañaban y aplaudían, pero el polvo no dejaba de caer ni un solo segundo, el polvo que todo lo iba a enterrar; a enterrar silenciosamente, a pesar de los avances de la Ciencia y de los adelantos del Pensamiento. Porque la memoria de los hombres sólo dura cien años y aún eso es mucho; más allá conmemora, no recuerda; pero dentro de diez millones de años no hay memoria suficiente ni hombre al que le interesen las desgracias o alegrías de un prójimo de diez millones antes. Porque somos una especie biológica cualquiera; somos pura naturaleza en proceso, y de ello no nos puede librar nadie.

Viejos Entremeses de Cervantes, conmigo estáis, en mi corazón os llevo, como Machado llevaba en el suyo los altos álamos del amor, pero ¿tiene alguna importancia todo eso?

Fuenteovejuna

Era en la primavera; todavía los exámenes de Junio estaban lejos y, seguramente, el sol brillaba sobre la Colina de los Chopos; la Residencia, rosa y verde, empezaba a dar pequeños brotes en los árboles; era en la primavera madrileña, cuando uno se dice: —el lunes empiezo a estudiar—, resolución, por otra parte, que nunca se lleva a efecto; después vendrán las noches sin dormir, los cafés repetidos para evitar el sueño, los nervios desatados y, como remate a tanta desdicha, los malditos exámenes.

«Era del año la estación florida», cuando García García me dijo que no se encontraba a nadie que pudiera hacer el Comendador de *Fuenteovejuna*.

—Me temo que lo tendrás que hacer tú —me informó seriamente, y me advirtió —Te tendrás que poner barba roja.

Yo no sé en virtud de qué razones, Federico y Ugarte habían imaginado a Fernán Gómez con la melanina capilar poco oxidada (ello es lo que da lugar al pelo rojo, tan frecuente entre los escoceses); es posible que le considerasen una especie de Judas —ya se sabe que también a Judas lo representa la plástica y aun la literatura con el pelo rojo, si bien yo, personalmente, pienso que eso es un tópico— y que, puesto que encarnaba lo abyecto que un hombre puede llevar en sí, no estaría de más simbolizar esa singularidad perversa en el cabello. Así pues, el Comendador de *Fuenteovejuna* salió con el pelo rojo —pelo rojo y barba roja—, por lo menos en las primeras representaciones.

El traje de soldado de Fernán Gómez —cuyo era el nombre del Comendador—, era de pana ocre que parecía terciopelo; llevaba puesta una banda, como de guarda jurado, con una chapa de latón en medio en la que, si bien no se leían las letras de la leyenda de los Girones, el espectador podía suponerlas grabadas. El traje de paisano era actual, de paño negro, como el que llevaría cualquiera al que se le acabara de morir un ser querido, sólo que confeccionado por una modista de teatro —que también tienen sus matices—; donde todos llevamos un bolso para el pañuelo en la chaqueta, el Comendador llevaba, bordada en rojo, una gran cruz de Calatrava, orden a la que pertenecía. Por lo demás, y aunque llevaba chaleco y camisa, no llevaba corbata. Alberto, el figurinista, posiblemente pensó que el cacique —*more freudiano*— ya lleva la corbata en otro sitio y que, tal vez, no es necesario que se le vea. Además, ¿por qué llevar corbata cuando uno se acuesta con patanas?

　　　　—¿Qué hay de Inés?—
　　　　　　　　　　—Cual—
　　　　　　　　　　　　　　—La de Antón—
　　　　—Para mejor ocasión
　　　　ha ofrecido sus donaires...

De los dos sombreros que el Comendador llevaba a lo largo de la obra, uno el del soldado —puede verse en la iconografía—, era igual que el que, también como soldados, llevaban sus servidores; el de paisano era actual, negro, pero de anchas alas. Los criados del Comendador iban vestidos de pana clara, en tonos ocres, con chaquetilla corta y con fajas —negra o roja—; tampoco llevaban corbata, aunque sí camisa blanca.

Confieso que, al principio, me puse la peluca roja y la barba y el bigote; todo ello constituía una verdadera lata: había que darse mucho color de fondo para que no se viera la raya que la peluca hacía en la frente, y un mástic pegajoso para que ni bigote ni barba pudieran desprenderse; siempre odié tales artilugios, hasta que logré evadirme de ellos. Finalmente acabé pintándome con el color de los maquillajes la barba y el bigote, de color castaño, como el color de mi pelo. Era mucho más cómodo y bastante menos arriesgado; me refiero a no recuerdo qué sitio, en el que el bigote estuvo a punto de despegárseme. Por lo demás, hacía las mismas cosas, decía las mismas impertinencias y moría de la misma manera con un pelo que con otro.

Pues bien, como ya he dicho, en esta obra fue donde me probó Federico como actor; fueron muchos pero no demasiados, los que se presentaron para ver si servían como actores; Federico y Ugarte, con inmensa paciencia, les probaban; les hacían recitar una poesía —se supone que todo el mundo, más o menos, se sabe una poesía de memoria, sobre todo si es universitario— y luego se les decía que cantasen alguna cosa que también, con toda seguridad, mejor o peor, sabía todo el mundo. El pretendiente recitaba; a lo mejor Gabriel y Galán, tal vez Campoamor, quizás Espronceda; entonces Ugarte ponía en la ficha correspondiente al candidato: recita como una máquina de coser. Recuerdo uno que, al ser probado, cuando se le rogó que cantase, arrancó con: ¡Oh cazador, cazador que vas en pos del amor...,! etc, y como el

Proyecto de Alberto para el decorado de Fuenteovejuna. Se trata del pueblo con la Encomienda en el centro. Del libro de Peter Martin sobre el genial escultor.

ALBERTO
"Boceto para el decorado central de
«Fuenteovejuna».
Acuarela, 82 × 37 cm.

ALBERTO
"Bocetos para el decorado lateral de
«Fuenteovejuna»
Acuarela, 26 × 32 cm.

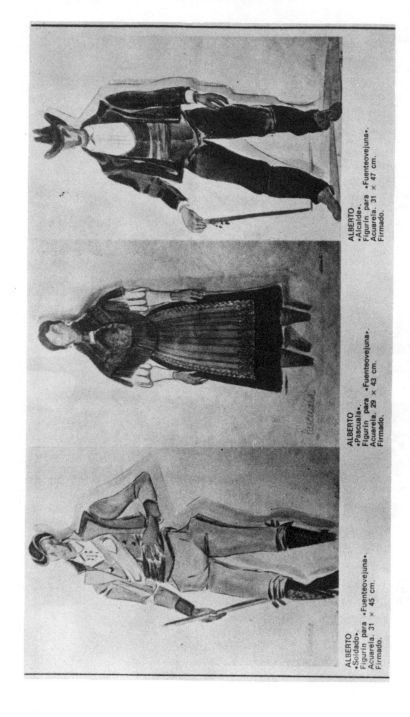

ALBERTO
«Soldado».
Figurín para «Fuenteovejuna».
Acuarela. 31 × 45 cm.
Firmado.

ALBERTO
«Pascuala».
Figurín para «Fuenteovejuna».
Acuarela. 29 × 43 cm.
Firmado.

ALBERTO
«Alcalde».
Figurín para «Fuenteovejuna».
Acuarela. 31 × 47 cm.
Firmado.

Figurines de Alberto para Fuenteovejuna.
(Cortesía de la Galería Multitud).

muchacho se sabía la canción entera, hubo que escucharle respetuosamente. (No fue actor de la Barraca.)

Como quiera que yo me había corrido una juerga con Federico, y Federico se interesó por mi salud, yo no fui probado como los demás, sino que, de buenas a primeras leí el papel de Barrildo

A lo menos aquí está
quien nos dirá lo más cierto.

Con ello quedé enrolado en el elenco.

Fuenteovejuna empieza con una escena en la que Laurencia y Pascuala, su amiga, charlan de sus cosas; no fue tampoco fácil escoger el papel de Laurencia. Carmen Galán parecía muy niña, pero resultó la que mejor llamó hilanderas y maricones a los corregidores, incluido su padre; el papel lo probaron varias, hasta la misma M.ª del Carmen que tenía más experiencia escénica, pero a Federico le gustó más el nervio que Carmen Galán ponía en la escena en la que insulta a todo el Ayuntamiento. Y resulta que el párrafo de Laurencia, cuando increpa a los ediles es como una lezna ardiendo; además de los insultos a los que he hecho mención, les llama medio-hombres, liebres cobardes, que tenían que ponerse faldas, solimanes y colores; nada de eso, como se comprende, gustó al Alcalde; en definitiva, Laurencia consigue que se les suba la sangre a la garganta de los hombres y eso lo logró Carmen Galán.

Recuerdo que cuando pronunciaba, a voz en cuello, los siguientes versos:

Vive Dios que he de trazar
que sólo mujeres cobren
la honra de estos tiranos
la sangre de estos traidores
y que os han de tirar piedras
hilanderas, maricones
amujerados, cobardes...

desde el público llegaba nítido al escenario un ¡Uuuuhhh!, no sabemos si de sorpresa o de condenación; el caso es que, en la época a que me refiero, 1933, una mujer no decía maricón ni aunque la asparan; tampoco hablaba el llamado sexo débil tan mal —o tan bien, que no puedo emitir juicios de valor— como ahora, de manera que yo pienso que era la sorpresa de la gente la que tenía la culpa del ¡Uuuuhhh! cuando Laurencia, con todas las potencias de sus registros vocales y consonantes, soltaba lo de maricones. Cuando acababa su recitado la gente aplaudía a rabiar, teniéndose siempre que interrumpir la escena; los actores quedaban como estatuas —era la consigna— y, cuando los aplausos decrecían, volvían a la vida.

Bien, vuelvo a decir que en escena aparecían Laurencia y Pascuala; con ellas en escena, salían a renglón seguido Barrildo Frondoso y Mengo discutiendo sobre el amor, pero en tono metafísico; quieren que las mujeres hagan de juez en su discusión, pero éstas les remiten al cura o, en su defecto, al sacristán, los latinos o ladinos de la villa. A continuación Flores, criado del Comendador y soldado hace acto de presencia con aire marcial, y con la alegría rezumándole por cada poro de su piel; en efecto, va a iniciar su aria teatral.

—*Gentil azor* —murmura Laurencia.
—*¿De adónde bueno, pariente?* —*le pregunta a continuación.*
—*¿No me véis a lo soldado?*

Y entonces Flores recita su romance, un largo romance en el que se cuenta la victoria de los Girones sobre Ciudad Real y cómo el gallardo maestre había, después de la conquista, hecho azotar a la plebe y cortar la cabeza a los nobles. Y anuncia que el Comendador llegará de un momento a otro, de manera que pueden pensar en el recibimiento que están obligados todos a hacerle.

Efectivamente, le preparan el recibimiento. Todo el corregimiento en pleno, encabezado por Sánchez Covisa, que es el Alcalde, llena de regalos la casa del Comendador. Se cantan canciones alusivas a la victoria:

Sea bienvenido el Comendadore
de rendir las tierras
y matar los hombres...

El Comendador, yo, está, estoy, efectivamente, muy satisfecho de la victoria, agradezco los presentes, sin darles demasiada importancia, aunque son numerosísimos, y, supongo, les costarían lo suyo a los pobres habitantes de Fuenteovejuna.

Dos cestas de polidos barros, un ganadillo entero de gansos, diez cebones en sal, cien pares de capones y gallinas y doce cueros de vino; se comprende, fácilmente, que con todo eso podía alimentarse durante un año todo el pueblo; el Comendador lo acogía con displicencia, como haciendo un favor al aceptarlo; lo que le interesaba al Comendador era la presencia en su casa de Laurencia y Pascuala, sobre todo de la primera, la que le traía a mal traer.

—*¿No basta a vuestro señor*
tanta carne presentada?
—*La vuestra es la que le agrada.*

Es sabido que Frondoso está enamorado de Laurencia y que ésta se deja querer, pero sin dar esperanzas; pero cuando el Comendador que va

de caza, soprende sola en el campo a Laurencia, se relame, le dice que
se le entregue, que nadie podrá ir en su ayuda y que, además a él·no se le
ha resistido nadie —hace una lista de las que no se le han resistido—
para, finalmente, abalanzarse sobre ella, ya se sabe con qué objeto;
entonces aparece Frondoso, que agarra la escopeta que el Comendador
ha dejado en el suelo a fin de poder llevar a cabo sus perversas
intenciones, y le dice que se largue y que deje en paz a la moza. Hay una
escena terrible entre los dos hombres, Laurencia se vá, Frondoso
escapa con la escopeta y, finalmente, tras jurar tomar cumplida venganza,
también se marcha el Comendador. Ante el valor de Frondoso que se
atreve, nada menos que con un señor de horca y cuchillo, Laurencia se
enamora de él y para siempre. Y con ello da fin el primer acto.

El segundo tiene lugar en la plaza del pueblo; Alberto hizo unos
decorados extraordinarios (nosotros decíamos antes: ¡qué maravilla!).
Hay dibujada en medio de la plaza una forma que Alberto decía que era
un «pájaro de su invención». En la obra *Alberto,* presentada por Peter
Martin y editada por la Editorial Corvina de Budapest, con
prefacio de Pablo Picasso, puede verse uno de los decorados de *Fuenteo-*
vejuna, precisamente el que yo publico. En él aparece la casa del
Comendador, con torreón y escudo; la casa es de adobe, recubierta de
rosadas tejas; hay una rueda en primer término entre formas plásticas
de color tierra; en otra lámina del libro aludido, que se titula «Ríos de
España desangrándose» —olivos y rastrojos formando un paisaje lunar,
pero de Castilla —Castilla de largos ríos—, el dibujo es muy parecido al
que nos hizo para el campo de *Fuenteovejuna.* Curiosamente, era tan pura
tierra de secano, tierra arada con el arado romano por el mismo campesino a través de los siglos, quiero decir, un campesino esperaba su turno
para cuando el que araba moría, cogía el relevo y era esperado por otro
que hacía la misma operación a través de las generaciones y de los siglos,
y, ¿quién distinguiría un campesino de otro?, para, finalmente, sacar de la
tierra un ocre, un siena, o un amarillo de inusitada belleza:

> *Tierras pobres, tierras tristes*
> *tan tristes que tienen alma*

diría Machado, era tan pura la tierra, digo, la que nos pintó Alberto, que,
al pasar por Alcaraz —paisaje de tierras rojas, sangrientas, alternando con
ocres amarillentos y blancos de ceniza, sin un solo vegetal, tierra erosio-
nada, golpeada por todos los elementos, aire, fuego, hombre —todos los
de la Barraca, lo mismo ellas que nosotros, exclamamos sin poderlo
remediar: ¡Fuenteovejuna!

Pues bien, el segundo acto se iniciaba en la plaza del pueblo donde, a
la fresca, departían unos vecinos. El comendador formaba tertulia con
ellos, el Comendador con sus criados y hacía leves y aun claras insinua-
ciones al Alcalde, allí presente, sobre la conveniencia de dormir la siesta

con su hija (con la del Alcalde, claro); parece que las cosas irían mucho mejor si tal cosa tuviera lugar. Ello, como es natural, se acoge con una negativa cerrada y entonces el Comendador, cambiando de tono y maneras, empieza a meterse con el mujerío del pueblo y a decir que muchas mujeres, aun casadas, ya habían estado con él, a lo que los presentes dan muestras de haberse ofendido y contestan incluso con firmeza al Comendador, éste se enfada y acaba echándoles a todos de la plaza, mientras se queja del cansado villanaje que le rodea y al que tiene que soportar. Pregunta a sus criados por Frondoso, el hombre que quiso matarle y dice que espera ocasión para llevar a cabo su venganza. Luego habla de las mujeres fáciles de la villa, de Olalla, moza briosa, de Pascuala —que no debe ser la amiga de Laurencia— y de Inés, la de Antón que están prestas a ofrecer sus favores al Comendador. Y en esto irrumpe en escena Cimbranos —Ródenas—, para anunciarle que Ciudad Real está perdida y que se ponga a caballo si quiere salvarla.

No es cosa de contar, ce por be, cómo es la obra de *Fuenteovejuna;* si he hablado de ella y si sigo hablando, es porque me refiero a la *Fuenteovejuna* que montó la Barraca, que montaron Federico y Ugarte ayudados por las muchachas y muchachos que formábamos el elenco por entonces.

El caso es que Frondoso y Laurencia acaban prometiéndose y, tras una escena violenta en la que el Comendador se lleva consigo a Jacinta, la labradora, la boda tiene lugar. Ahora bien, una boda en escena no era cosa que Federico dejara irse así como así, sino que la aprovechaba para sacar de ella lo más hondo, lo más popular, digamos lo más paleolítico que una boda rural puede tener en sus entrañas, si por acaso las bodas tienen entrañas.

«Cuando tu padre se casó conmigo, parecía que se casaba un monte» —diría Federico en *Bodas de Sangre.*

La pareja, el vaso y la simiente, la simiente y el vaso. «Gatas y flores son las mujeres, me parece que decía Nietzsche, y, en el mejor de los casos, vacas». Pero para Federico no eran vacas, ni gatas ni flores; eran pura sangre corriendo a torrenteras y buscando al macho donde hubiera machos. Por eso se desgarraban los vestidos y dejaban que sus pechos olieran a nardo.

En *Fuenteovejuna* había una boda, la de Laurencia y Frondoso; ello suponía parar la acción dramática, hacer un paréntesis y detenerse en la boda, boda que no se consumaría sino cuando el Comendador empezara a sentir, si es que los sentía, los recónditos, pero seguros pasos de los gusanos. En Fuenteovejuna, provincia de Córdoba, y con el calor que llena sus aires, los muertos tardarían poco tiempo en pudrirse. Bueno, pues cuando Fernán Gómez empezó a pudrirse, tal vez, se consumó totalmente la boda de Laurencia y de Frondoso, el vaso y la simiente.

Pero la celebración de la boda, ese «despierte la novia, despierte la novia», era una verdadera fiesta para Federico

> *¡ea, tañed y cantad*
> *pues que para en uno son!*

Empezó montando el baile de las agachadas, según su propia invención:

> *Este baile que llaman, las agachadas*
> *con el sacristancico, quiero bailarlas.*
> *Pues agáchate Pedro, pues agáchate Juan*
> *vuélvete a agachar Pedro, vuélvete a agachar Juan.*

Se bailaban en corro; los trajes, dibujados por Alberto, tenían la gracia de la tierra; antes, me parece, tal vez después, se cantaba:

> *Al val de Fuenteovejuna — la niña en cabellos baja*
> *el caballero la sigue — de la cruz de Calatrava*

con una música prodigiosa que había sacado Federico no sé de dónde. Ya he dicho que conocía de música popular todo lo que hay que conocer. Federico había coincidido en la Residencia de Estudiantes con el musicólogo-etnólogo Torner y, por otra parte, había recibido, desde su niñez, información necesaria para que su sensibilidad se llenara de rico contenido folklórico.

Los ensayos de canto los hacíamos en el salón de la Residencia —en el tercer pabellón—, donde estaba el gran piano Bechstein. Allí, y uno por uno, teníamos que cantar para probar las voces individuales; después venía el ensayo de conjunto. La cosa salía bien; no hubo lugar donde la boda de *Fuenteovejuna* no se aplaudiera a rabiar; incluso hubo un pueblo —no recuerdo cuál— en el que, además de dos Entremeses, se representó solamente la escena de la boda.

«Federico: especialista en bodas», le dijimos, sobre todo cuando, de manera totalmente diferente, montó la de Aminta y Patricio en *El Burlador de Sevilla*. No, no se puede explicar por qué movía a los personajes como lo hacía, de dónde sacaba sus canciones que eran, en todo caso, las adecuadas, y cómo imprimía a la escena una movilidad perfecta que hacía, insisto, que el público prorrumpiese siempre, y en todo caso, en incontenibles aplausos. No puedo saber, creo que nadie puede saber todavía en qué resortes mentales, en qué mecanismos del sistema nerviosos se encuentra, como agazapada, la cualidad plástico-teatral que en Federico alcanzó tan altas cúspides.

Yo no sé si Federico pensó alguna vez en casarse; quizás previó su muerte anticipada; lo que si sé es que, si Federico se hubiera casado,

como lo hizo su hermano, por ejemplo, su boda hubiera sido digna de un
rey; de un rey de la poesía, de un rey de la inteligencia, del Pensamiento,
de un rey para el que nada humano puede serle ajeno y que, por lo
mismo, hubiera sido una boda diferente a todas las bodas, boda de miel y
de rocío, de onda de río y de espadaña húmeda.

Bien, la boda era interrumpida, desdichadamente interrumpida, por
el Comendador que volvía derrotado; el Comendador, con su gran Cruz
de Calatrava, naturalmente, no entendía de bodas. Detenía a Frondoso,
quitaba la vara al Alcalde, le golpeaba con ella ferozmente y hacía que a
Laurencia custodiasen diez soldados.

—¡Tornóse en luto la boda!

No, nadie habló en aquellos momentos; nadie protestó, nadie se
atrevió a alzar la voz; no era el tiempo llegado todavía. Unos pobres
labradores... Pero la boda dejó huella, surco en sus corazones, para que
en ellos prendiera más tarde la semilla de la revuelta, la de alzarse contra
un podrido orden establecido.

—Señores
aquí todo el mundo calle
como ruedas de salmón
me puso los atabales

Y así acababa el segundo acto. En lo sucesivo y a pesar de, aparente-
mente, poseer todos los triunfos, ya no estaba el horno del Comendador
para cocer los bollos de su vileza.

—Ya todo el árbol de paciencia roto
corre la nave de temor perdida...

No hay miedo ya entre los campesinos, pero, por si quedaba alguno
de ellos con recelos, entra Laurencia despeinada, arañada, sangrando,
rota «si no a dar voto, a dar voces». Es el culmen de la obra: los insultos
que dirige a los hombres de Fuenteovejuna, «ovejas sois, bien lo dice de
Fuenteovejuna el nombre», consiguen que el más remiso busque cualquier arma, del tipo que sea, horcas para aventar gavillas, hoces para
segar hierbas y espigas, varas para dirigir mulas, cuchillos para cortar el
pan de hogaza y, tal vez, para separar la cabeza del tronco del Comendador. Hachas y puñales; las espadas son armas de nobles, de gentes que
han nacido para bordarse en el pecho la cruz de Calatrava, para tener
criados que las sirvan y guarden las espaldas, si es preciso; casta de
gansters, diríamos hoy día, que manejan metralletas y pistolas ante la
gente inerme.

Jacinta vuelve; Jacinta que ha sido del Comendador y del bagaje de su
ejército vuelve; vuelve dispuesta a ser capitana de un ejército de mujeres

que recobren en parte, a lo menos, el perdido honor. Y todos juntos, mujeres y hombres, cuando el Comendador pronuncia la sentencia de muerte contra Frondoso, irrumpen en la Encomienda a pesar de su torreón y de su escudo, a pesar de la cruz de Calatrava, a romper un estado de cosas insostenible, estado que, como siempre, ha sido creado por un felón.

—«¡El pueblo contra mí!» —dice, asombrado de tamaña herejía el Comendador—; sucede algo que no tiene precedentes en la historia. Y dice Flores, el criado del Comendador:

> *Cuando se alteran*
> *los pueblos agraviados y resuelven*
> *nunca sin sangre o sin venganza vuelven.*

Finalmente se oye la voz de Jacinta, de piel de nácar:

> —*Su cuerpo recojamos con las lanzas.*

Consumatum est. El Comendador y sus criados, la soldadesca que le defiende y protege, pero no lo que él representa, desaparecen en escena que se apaga súbitamente, cuando el Comendador quiere invocar todavía su señorío; cae de espaldas muerto y la luz del escenario se deshace en negros.

Como es natural, todas las alusiones a los Reyes Católicos, así como las escenas en las que éstos toman parte, quedan suprimidas en el montaje de la Barraca. Pero como, no obstante, el pueblo de Fuenteovejuna —Flores, el criado del Comendador, ha conseguido huir—, sabe que su delito, si delito puede llamarse al hecho de castigar las felonías del Comendador, no quedará impune, Esteban, el Alcalde y padre de Laurencia, convoca a todo el pueblo para darle las consignas a seguir en el caso de que el Pesquisidor trate de poner en claro los hechos. Es Fuenteovejuna la que ha matado, ni tú ni yo, ni él ni nosotros, ni ellos, sino el pueblo, casa por casa, con su esencia, con su azul de atardecer, con el final canto del ruiseñor; porque no se puede deslustrar el brillo de los vasos llenos, ni abrir grietas con arañas en el corazón, sin exponerse a lo peor. Y Fernán Gómez no sólo había hecho eso, sino que, además, había llenado de pequeños hilillos de sangre los rincones de las casas y los ángulos oscuros de las puertas.

Se hace un ensayo, pues, para ver cómo se han de comportar todos:

> —*¿Quién mató al Comendador?*
> —*Fuenteovejuna lo hizo.*
> —*Perro, si te martirizo...*
> —*Aunque me matéis, señor.*

Martirio sí que les dieron; torturaron a niños, a ancianos y mujeres, pero todo fue inútil; el pueblo, casa por casa, tejado por tejado, ventana por ventana, había matado; y lo había hecho porque no podía tolerar la náusea, el rodar de las piedras por el monte cuando los enamorados juegan, ni las barbas manchadas de pus —no eran tan ricos como para todo eso—. La obra da fin; los últimos personajes, Laurencia y Frondoso, solos en escena, después de haber celebrado la negativa de Mengo ante las preguntas del Pesquisidor, tampoco saben quién mató al Comendador. Y así pregunta Frondoso:

> —¿*Quién le mató?*
> —*Dasme espanto*
> *Pues Fuenteovejuna fue.*
> —*Y yo, ¿con qué te maté?*
> —¿*Con qué?, con quererte tanto.*

Cae el telón; los aplausos suenan y se suceden unánimes, como los cisnes de Rubén; son aplausos cálidos, apretados, no sé si merecidos o no, pero ahí están como demostración de que el juego escénico ha calado hondo en los espectadores, sean estos de la clase que fueren. Más aún, recuerdo un día —lo que no recuerdo es el lugar, sólo sé que trabajábamos en teatro y, por tanto, en una ciudad— en que, después de la representación de *Fuenteovejuna,* se puso en escena un Entremés de Cervantes en el que ni Puga ni yo teníamos papel; pues bien, para ver el Entremés, fuimos los dos al palco que tenía la Barraca en dicho teatro; la gente nos reconoció y, a pesar de estar fuera del escenario, nos siguió aplaudiendo calurosamente.

Fuenteovejuna, montada por Federico y por Ugarte fue, constituyó una demostración clara de que con los autores clásicos —los llamados clásicos—, era lícito, legítimo, tomarse cuantas libertades se estimaran convenientes para que el juego de la escena resultara más próximo a la fibra sensible del espectador; la única condición para llevar a cabo semejante empresa que, por otra parte, podía resultar peligrosa, era que la libertad tomada cumpliera todos los requisitos exigibles. Es lícito destacar, en la escena teatral, primeros, segundos y aún más planos, de modo que, al recortar, al separar unos de otros, la obra adquiera un volumen determinado. Por lo demás, eso se hace, asimismo, en cualquier otro tipo de arte, sea este o no interpretatorio. Pero en *Fuenteovejuna* Federico prescindió, y aún totalmente, de determinados planos de la obra, planos que la ubicaban en una época determinada y le restaban la universalidad que la obra tiene; de este modo quedaba al descubierto, con las espaldas al aire, con las carnes bajo la lluvia, el drama rural que ha sido consubstancial con España, seguramente desde el neolítico. Y la gente lo entendía así; aplaudía no sólo por la interpretación, la dirección, el juego escénico de decorados y figurines, etc, sino porque se le hacía patente, como una herida, algo que, oscuramente consabido, llevaba el campesino en sus mecanismos mentales, en cada gota de su sangre y en los mares negros de su sudor cotidiano.

Federico consiguió un logro sustancial en este terreno; posteriormente con mayor o menor éxito, se han llevado a cabo experimentos semejantes, pero yo creo que Federico abrió el camino, por otra parte de modo ejemplar.

Hoy, a tantos años de nuestra última actuación, todavía revivo nítidamente no sólo la representación, sino los momentos que la precedían; el vestirse siempre un poco deprisa, maquillarse con un tono ocre oscuro con el fin de que la intensa luz de las baterías no le dejase a uno anémico, avivar los rasgos fisiognómicos de ojos y boca, pintarme la barba y el bigote, ajustarme el sombrero y esperar mi turno. La obra me la sabía entera, de manera que no necesitaba transpunte que me diera la entrada; yo creo que todos, más o menos, nos sabíamos la obra completa. No había, por supuesto, apuntador. Ugarte y Obradors, entre las cortinas o detrás del escenario, cuidaban de que no se produjese el menor fallo.

Yo acababa mi trabajo en *Fuenteovejuna,* juntamente con los que representaban los papeles de mis criados y alcahuetes, antes que los demás, de manera que tenía tiempo de desmaquillarme, ponerme el mono y asistir al final de la obra desde la plaza o desde el palco.

Fuenteovejuna fue, seguramente, con los Entremeses, la pieza que más veces se representó; no hubo ni un solo sitio donde el éxito más rotundo fuera su acompañante: campesinos, obreros y estudiantes, intelectuales y profesionales diversos, gozaron plenamente de la versión que Federico y Ugarte hicieron de *Fuenteovejuna* —versión para ser montada en un tablado itinerante... De este modo, «la cosa que rueda, se monta y se desmonta», pudo hacer caminos por nuestro territorio pero, sobre todo, pudo hacer y lo hizo, un público incondicional que, seguramente, a pesar de tanto tiempo transcurrido, volvería a aplaudir ruidosamente, si tuviera lugar para ello, si el tiempo fuera reversible, una nueva representación de *Fuenteovejuna.*

El Burlador de Sevilla

La Biología es una ciencia no exacta, pero es ciencia; Darwin enunció en su día y en el terreno biológico, —un buen día del pasado siglo—, la teoría de la selección natural, en virtud de la cual sobrevivirían, en la lucha por la existencia —*struggle for life*—, aquellos seres que se encontraran mejor adaptados a las condiciones, siempre duras, del medio. Ahora bien, tal vez en sentido biológico dicha adaptación implica —supone— el hecho de proyectarse en el futuro con el mayor número de descendientes posible. El más adaptado no solamente reacciona con más idoneidad a las solicitaciones del entorno, sino que, a la vez, representa, en cierta medida, el arquetipo de la especie, el cual, provisto de los genes más valiosos, hace que éstos se transmitan a su descendencia en mayor profusión que pudiera hacerlo el menos adaptado.

En este sentido Don Juan Tenorio, cualquier Don Juan Tenorio, ya sea medieval, renacentista, barroco o romántico, es, constituye un arquetipo: representa, por antonomasia, el semental de la especie, el encargado de diseminar su propio seminario entre los miembros femeninos de la misma, para que nuevos Don Juanes, a su vez, puedan encandilar a Isabelas, Amintas, Anas o Ineses en cadena ininterrumpida, tendente ésta a mejorar la biología de la especie por lo menos en su aspecto físico que es, en definitiva, lo que entra por los ojos y lo que, en definitiva también, disemina inseminando.

En el aspecto mental, Don Juan parece dotado de una determinada capacidad de perversidad; no le basta ser el número uno, sino que el mayor gusto que en él puede haber

es burlar una mujer
y dejarla sin honor.

El mérito de Tirso de Molina fue el de haber recogido en una obra barroca, llena de preciosos versos, una serie de leyendas que sobre la figura del Burlador corrían por los espacios abiertos del siglo XVII. Tales leyendas son cuajadas por Tirso en un estupendo drama, en el que la supervivencia del más adaptado, del número uno —por lo menos en lo que a su propia vida se refiere—, queda tronchada como un lirio blanquísimo.

Tal vez fuera una de las razones que impulsaron a Federico y Ugarte a la elección de la obra, esa muerte prematura del arquetipo; en su virtud podrían mover en escena algo biológicamente importante, *non sancto,* considerado en su aspecto moral   un tanto deficiente en cuanto a contenido mental. Las escasas neuronas funcionantes de Don Juan se hallan, por otra parte, en correlación con su aspecto físico. Si no tiene más que alargar el brazo para tomar lo que, aún sin alargarlo, se le ofrece, ¿para qué pensar?.

Así Don Juan, el Don Juan de Tirso, niño mimado por la fortuna, no piensa, *sensu estricto:* imagina, esto es, deja que su imaginación recorra aquellos perversos caminos que hagan bueno su sobrenombre de «el Burlador», que le confieran rotundidad.

Tirso tuvo la enorme habilidad de encontrar un arquetipo, llenarle de sangre y, como «caballo griego», pasearlo por la escena.

Federico y Ugarte, por su parte, mantuvieron la vigencia de una obra concebida en el siglo XVII por un fraile —obra con sus trucos y sus engaños que hoy se nos antojan pueriles— y lograron percutir con ella las fibras emocionales de los espectadores —y aún de las espectadoras.

Al igual que Don Quijote y Sancho, Don Juan se encuentra ora

Decorados de José Caballero para El Burlador de Sevilla *y* El caballero de Olmedo. *(Cortesía de Galería Multitud).*

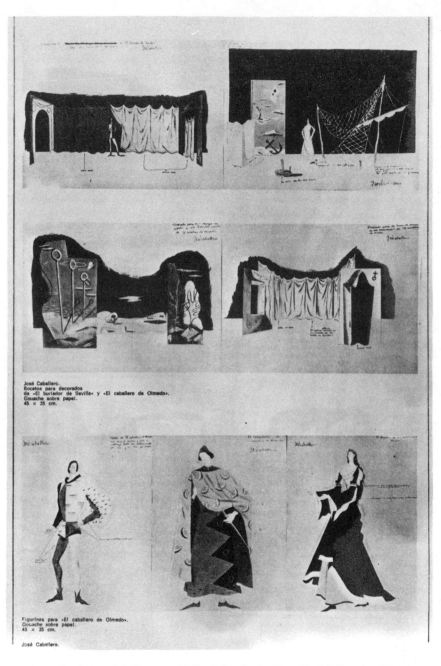

Decorados de José Caballero para El Burlador de Sevilla y El Caballero de Olmedo.
Figurines para El Caballero de Olmedo. *(Cortesía de la Galería Multitud).*

aletargado, ya despierto en el inconsciente colectivo de los españoles; figura ancestral de la especie, había que pasearla por los escenarios de España. El Don Juan de Zorrilla aparecía todos los años, puntualmente, sobre las tablas: ¿por qué no contraponer al puro romanticismo de la creación de Zorrilla el tratamiento barroco del ancestro específico?

La idea era buena y es casi seguro de que también formó en las razones que movieron a Ugarte y a Federico para montar *El Burlador de Sevilla*.

No cabe duda, por otro lado, que Don Juan Tenorio, como tal, le va bien al español y a cualquier representante de la especie; buena prueba de ello, aparte de los estudios y ensayos que tal personaje ha sugerido, es que, además de Tirso y de Zorrilla, también Zamora, Lord Byron, Goldoni, Molière y hasta el mismo Espronceda, se dejaron prender en las redes de lo que representaba la figura de Don Juan.

En *El Burlador de Sevilla* son cuatro las mujeres que quedan sin honor: Tisbea, la pescadora, la Duquesa Isabela, Aminta y doña Ana de Ulloa, la hija, nada menos, que del Comendador; para lograr sus propósitos suele emplear sólo dos procedimientos: con Tisbea y con Aminta, una pescadora y una labradora respectivamente, el de prometerlas matrimonio, haciéndolas de paso ver que él, Don Juan, es uno de los herederos más ricos de España. Con las otras dos burladas, la Duquesa Isabela y doña Ana, emplea un truco que yo no comprendo demasiado, a menos que para una mujer todos los gatos sean, en efecto, pardos: Don Juan se hace pasar por otra persona, precisamente por la que espera anhelante la mujer que ha de ser burlada. Una vez consumado el acto, no antes, la mujer se da cuenta de que ha perdido irremisiblemente su honor e, invariablemente, prorrumpe en gritos, alborota la casa y pone en apuros a Don Juan; éste, sin embargo, se resguarda en el prestigio y en las influencias de su padre o de su tío para salir con bien del embrollo. Lástima que con doña Ana las cosas no salgan tan bien y, para escapar, tenga que dar muerte al padre de la burlada, al Comendador.

La obra empieza cuando ya Don Juan, tras haber estado disfrutando con la Duquesa, es acompañado por ésta para que, sigilosamente, se marche del Palacio en el que la Duquesa vive —la Embajada de Nápoles—. Resulta que a la Duquesa se le ocurre encender una luz.

> —Pues, ¿para qué?
> *Para que el alma dé fe*
> *del bien que llegué a gozar.*

Don Juan se niega y esta negativa, sólo esta negativa, hace que la Duquesa se dé cuenta de la burla (Don Juan, es, pues, proteiforme).

Y de camino para España en barco y cerca de la costa, la nave en la que viaja Don Juan con su criado Catalinón, naufraga y entonces Tisbea que es una pescadora que no quiere saber nada de los hombres, ve a Don

Juan medio ahogado y se enamora de él como una pobre paloma.

Parecéis caballo griego
que el mar a mis pies desagua
pues venís formado de agua
y estáis preñado de fuego.

El fuego, por sí solo no basta para que Tisbea, la desdeñosa, ceda a los deseos de Don Juan; sí, en cambio, la promesa de matrimonio.

Yo dé cuantas el mar
pies de jazmín y rosa...

recitaba Carmen Galán, antes de lamentarse al día siguiente.

Había una música sobre el fondo de esa escena: «A pescar va la niña, tendiendo las redes, y en lugar de peces, las almas prende». Federico le puso, como siempre, la música justa. La pobre Tisbea tiene un despertar amargo, como el mar, más que la mar.

Ensilla Catalinón, que de risa
muerta ha de salir el alba
de aqueste engaño...

Porque Tisbea, la pescadora, aunque recite heptasílabos y sepa de la perfidia del pérfido Sinón, es burlada sin mayores dificultades, presa en la seguridad que la promesa de matrimonio le presta.

Los figurines, muy renacimiento italiano, para la obra, los dibujó Ponce de León, un muchacho con gran sensibilidad para la pintura, si bien un poco decadente; no sabemos hasta dónde hubiera podido llegar, porque la muerte se le cruzó en el camino.

Decorados no teníamos; Federico, que estaba en América cuando Ponce nos hizo los figurines, no estaba muy seguro sobre su necesidad; hay que tener en cuenta que tales recursos escénicos aumentaban notablemente los presupuestos de las obras; por otro lado ocupaban un espacio en las camionetas del que éstas no disponían, de manera que nos íbamos acostumbrando a prescindir de ellos; por otra parte, el juego de la escena, aquello que los personajes representaban, el modo de hacerlo o decirlo, creaba un ambiente suficiente que permitía prescindir de cualquier tipo de decoración. El personaje teatral, en idea de Federico, era también *circums-stancia,* esto es, a la vez que poseía un carácter, un temperamento, tenía la obligación de proyectar esa personalidad sobre lo que le rodeaba; en una palabra, el juego del personaje consigo mismo y con los demás personajes, debería, si la obra estaba bien montada, hacer superflua cualquier otra indicación de entorno.

Finalmente, José Caballero dibujó unos decorados deliciosos para *El Burlador;* no obstante, no llegaron a plasmarse en realidad, simplemente porque la falta de capacidad de las camionetas, a la que ya he aludido, juntamente con la supresión de la mitad de la subvención a que fuimos sometidos (estábamos en el bienio Gil Robles), nos impidieron meternos en gastos mayores y no absolutamente necesarios.

Y con ello volvamos a nuestro *Burlador;* el Duque Octavio le fue adjudicado como papel a Alberto Quijano, pasó después a Manolo Puga y terminó haciéndolo, tal vez, Carmelo Mota; Leyva se encargó de Don Pedro Tenorio; Catalinón era interpretado, con la gracia que en sus cosas ponía, por Jacinto Higueras; su hermano Modesto encarnaba al Marqués de la Mota, otra especie de Don Juan, mujeriego, libertino y, además, enamorado de doña Ana de Ulloa, la que acaba de llegar con su padre de la Embajada de Lisboa; el Rey la tiene casada y no se sabe con quién, informa el Marqués a Don Juan, quien ignora que es precisamente con él, con Don Juan con quien ha de contraer nupcias; pero como quiera que es la dama de los sueños del Marqués, decide burlarla y burlarle sin saber, por supuesto, que la burla ha de salirle muy cara.

> *Que no hay plazo que no llegue*
> *ni deuda que no se pague.*

Pero Don Juan no piensa en plazos, sino en cómo sustituirá al Marqués en el dulce quehacer de desflorar la belleza de doña Ana; la suerte, en virtud de un artilugio imaginado por Tirso de Molina, hace que un papel, conteniendo una cita para el Marqués, vaya a parar a las manos de Don Juan quien tras leerlo, ya de la burla se ríe:

> —*Burlaréla, vive Dios,*
> *con el engaño y cautela*
> *que en Nápoles a Isabela.*

Lo curioso es que tampoco le reconoce doña Ana en los momentos que preceden al éxtasis amoroso, ni durante el mismo, sino después, cuando ya está todo consumado. Tampoco doña Ana sabe que está prometida precisamente a Don Juan de modo que, cuando se da cuenta de que Don Juan no es el Marqués, se pone a alborotar como una enloquecida. A los gritos acude su padre.

> —*¿No hay quién mate a este traidor*
> *enemigo de mi honor?*

Ya se sabe que en el siglo XVII hablar del honor era una cosa muy seria, sobre todo para los aristócratas, que tenían tiempo suficiente para ocuparse y preocuparse de tal cosa; conque el Comendador, al oír que su honor está por los suelos, saca fuerzas de flaqueza —en realidad no es joven— y se dispone, como se hacía antiguamente, a lavar la afrenta con la sangre envilecida de Don Juan. Pero como Don Juan es más joven, más brioso y maneja mejor la espada, el resultado no se hace esperar y el Comendador cae muerto.

Esta escena planteaba unos problemas técnicos; lo que llevaba Don Juan, y se supone que, asimismo, el Comendador, eran espadas para manejar a mandoblados, esto es, con las dos manos; no resultaba nada fácil encontrar quien nos enseñase, al Comendador y a mí, cómo se manejaban unos espadones que, además, eran de madera; la lucha, pues, podía resultar absolutamente ridícula si desconocíamos las reglas; de haberse tratado de floretes, la cosa hubiera cambiado, ya que podían haber sido de verdad y alguien hubiera podido darnos clase de esgrima; entonces Federico recurrió al sobreentendido; hizo hablar al Comendador en *off* esto es, fuera del escenario, y a mí salir violentamente, cruzar la escena de parte a parte elevando lentamente la espada y dejándola caer justamente cuando iba a desaparecer por el otro lado; la dejaba caer como si, en efecto, abriera en dos de un mandoble a mi enemigo el que, detrás de las cortinas, se desplomaba haciendo un ruido sordo; el duelo, pues, se sobreentendía, sin por ello perder su carácter de tragedia. En este aspecto, como en otros, Federico creaba un ambiente determinado que obligaba a una, también determinada, actitud del espectador.

La siguiente burlada es Aminta, la campesina que se casa con Patricio, el honrado labrador; Gaseno, el padre de uno de los desposados; lo hacía Covisa; Patricio lo encarnaba Manolo Puga y Aminta Carmen Risoto; por supuesto había acompañamiento de mozos y mozas que, así como los soldados y personajes complementarios, corrían a cargo de los que cantaban y sabían tocar instrumentos; a veces los comparsas no eran actores, pero llenaban correctamente el escenario; por ejemplo Rafael Rapún vistió un traje parecido a la sota de espadas como soldado en la Embajada de Nápoles y se avergonzó mucho por ello: «que yo no estoy para estas cosas; pues tienes que hacerlo, de manera que coge tu lanza y sal.» Y Rapún salió y no le pasó nada.

Se trataba de otra boda y había, naturalmente, que hacer una interrupción en la obra; ya he dicho que Federico nació para casamentero, por lo menos en teatro; no he visto a nadie disfrutar como a él montando una boda en un escenario. Esta vez tuvimos acompañamiento de violines, pues Carmen Risoto y Mario Etcheverri sabían tocar tales instrumentos. Cantos y bailes:

> *Esta noche mando yo = mañana mande quien quiera*
> *esta noche he de poner = en tus esquinas banderas*
> *Anda salero = cómo ha llovido*
> *la calabaza = ya ha florecido.*

Y también:

La Marijuana = la que cantaba
bebía vino = siempre bailaba
y a su niño tetica le daba.

Los bailarines se turnaban.

Y salga Vd. y salga Vd., que le quiero ver
saltar y brincar y andar por el aire
como la jeringonza del fraile,
mi jeringonza, por lo bien que lo baila esta moza...

Era una boda tal vez menos espectacular que la de *Fuenteovejuna,*
pero más profunda; no hay que olvidar que Federico había casado a
Belisa con Don Perlimplín y a Cristóbal con doña Rosita.

En definitiva, y una vez celebrados los esponsales, Don Juan convence a
Aminta para que, en vez de ir al tálamo con Patricio, lo haga con él ya
que el matrimonio, en no siendo consumado, con engaño o con malicia
puede anularse. Aminta duda, como lo hiciera Tisbea, pero Don Juan le
habla de matrimonio, de la posición espléndida que en la corte tiene y,
sobre todo, de las alhajas que Aminta llevará cuando sea su mujer:

En prisión de gargantillas
la alabastrina garganta
y los dedos en sortijas
en cuyo engaste parezcan
transparentes perlas finas.

Ante eso, Aminta no se resiste y queda burlada como las demás; Don
Juan se marcha gozoso apuntando en su diario, si por acaso lo lleva, su
nueva conquista, su nueva burla —última burla.

Federico suprimió el coro de las plañideras que van a quejarse al rey
de las burlas de que han sido objeto; cada una cuenta su cuita, pero todas
parecen coincidir en lo de ¡mal haya la mujer que en hombre fía! Sí, en
cambio, recalca la gracia que parece hacerle a Don Juan el anunciado
castigo, a mayor o menor plazo, de sus engaños:

Si de mi amor aguardáis
señora de aquesta suerte
el galardón en la muerte
qué largo me lo fiáis.

Don Juan piensa que va a vivir más de cien años, que no va, en puridad
a morir nunca —es un arquetipo—; su cuerpo le parece gozar de una

renta vitalicia de juventud: —Si tan largo me lo fías, vengan engaños—, aunque ya está advertido que no hay plazo que no llegue ni deuda que no se pague. Tanto la advertencia, como la gracia que ésta despierta en Don Juan, se hacían con música; música tomada del Romancero o bien música inventada por Federico; las canciones se cantaban detrás de las cortinas y, en realidad, constituían la única decoración de *El Burlador*.

El Comendador, aun muerto, no perdona; en el Don Juan de Zorrilla, un punto de contricción, juntamente con la ayuda del espíritu de doña Inés, puede salvar a Don Juan de los fuegos eternos del infierno; pero Don Gabriel Téllez era barroco, no romántico y, para él, el que la hace la paga; no hay puntos de contricción que valgan, y el Comendador, en la nave fría de la iglesia, tampoco está dispuesto a perdonar; la suerte de Don Juan, con toda su juventud a cuestas, con todas las mozas que esperan, seguramente, a ser engañadas por él, es la de un ser condenado a morir irremisiblemente:

> *Que no hay plazo que no llegue*
> *ni deuda que no se pague.*

Don Juan tiene el valor de dar su mano al Comendador y ése es su fundamental error; en esta vida, por lo visto, y así sucede harto a menudo, no hay que dar jamás la mano al vencido: al vencido hay que exterminarle como a una sabandija para que no pueda, como las salamandras de Karel, alzarse algún día con la victoria. Don Juan le da, pues, la mano, y el frío intenso, violento como agujas de hielo, paraliza su corazón:

> *¡Que me quemo, que me abraso!*

Porque Don Juan no distingue ya el frío del calor, ni distingue la vagaroso, blanca, espectral figura del Comendador quien, inflexible, hace que el Burlador no discrimine los volúmenes, los artesones sacros de la iglesia; Don Juan no ve ya nada, porque está muerto y condenado, además, a ir al infierno. Y con un fondo de cortinas negras, con el canto que suena casi a gregoriano y que, detrás de las cortinas se entona a dos voces (tomado del Romancero: Ibase por un camino = íbase por un camino = el valiente D. Bernardos).

> *Adviertan los que de Dios*
> *adviertan los que de Dios*
> *juzgan los castigos grandes,*
> *que no hay plazo que no llegue*
> *que no hay plazo que no llegue*
> *ni deuda que no se pague.*

Y con ello da fin a la obra; no es necesaria más moraleja, ni tampoco el comentario sobre la moraleja, ni la insistencia sobre la moraleja: el que la hace la paga, aunque sea un niño bonito; es posible, pero eso no lo dice Tirso de Molina, que el que no sea niño bonito la pague más pero, a la hora de pagar, no hay más remedio que hacerlo; todo ello muy del siglo XVII, aunque los figurines correspondiesen al XV; el carácter y el lenguaje eran, en todo caso, los que hubiera empleado Tirso.

Tal fue la idea de Federico y la obra resultó y alcanzó el éxito requerido, si bien es verdad que no se puso en escena más que dos veces: en la Universidad Internacional de la Magdalena, en Santander y en Palencia; su juego escénico fue perfecto y no hubo ni un solo fallo. D. Miguel de Unamuno la aplaudió con calor, hizo de la representación los más elogiosos comentarios e incluso se desplazó a Palencia para volver a verla; porque sólo en Santander y en Palencia, como he dicho, pudo Don Juan Tenorio, el importante Don Juan Tenorio, llevar a cabo sus perversas acciones. Y después el polvo, otra vez el polvo, empezó a caer sobre la obra montada por Federico. No historia, sino polvo; únicamente mil personas, en números redondos, presenciaron la representación; muchos han muerto desde entonces aunque ya, antes de morir, habían olvidado por completo, solicitados por otros asuntos, a Don Juan, al Marqués de la Mota, a Aminta y a Tisbea; sobre todo a la Barraca, que recorría los caminos de España buscando público, haciendo público y, lo que es todavía más, interesando al público por nuestro teatro.

La Egloga de Plácida y Victoriano

Lo malo para quien escribe sobre teatro, y más sobre teatro clásico, es no saber ni teatro, ni de teatro clásico; en ese inseguro terreno me encuentro yo, cuyos recuerdos literarios se remontan al bachillerato, cuando estudiaba la Historia Literaria de D. Narciso Alonso Cortés; en tal coyuntura, debo confesar que la Barraca hizo bastante por mi cultura en el territorio de las letras, ya que me permitió adentrarme no sólo en el terreno de nuestros clásicos del siglo de oro, sino también en el de los que, impulsados por una inquietud creadora, emborronaron cuartillas en el siglo XVI y aun antes. Yo, como leonés, es claro que había oído hablar de Juan del Enzina, como había oído hablar de Gil Vicente, aunque confieso que no me interesaban mayormente; sin embargo me enseñaron mucho y no sabría cómo enumerar las cosas que de ellos aprendí. «El hombre es una animal con historia», había dicho Ortega; gracias a nuestros autores de otrora yo historicé, valga el vocablo, mi animalidad en cierta medida; lo malo de la historia es que se olvida y, en cuanto a la animalidad, ésta experimenta también cambios con los años, de manera que, desde la perspectiva actual, me cuesta mucho trabajo traer a mi memoria aquello que se refirió al montaje de la *Egloga de Plácida y*

Victoriano, égloga escrita en el dialecto leonés llamado sayagués, lenguaje rústico y pueblerino, pero que saca a escena, como la cosa más natural del mundo, nada menos que a Venus y a su hermano Mercurio para que se dignen arreglar los amores en precario de la bellísima Plácida y del apuesto Victoriano.

Evidente resultaba que la Barraca llevaba un repertorio muy aceptable del siglo XVII y ello por razones obvias: era más fácil encontrar algo teatrificable en nuestro Siglo de Oro que no en la época del Renacimiento, época en la que, por causas que no son a discutir aquí, España no gozó de la lozanía plástica y literaria de otros países, Italia, por ejemplo; lo que sí parece resultar claro, es que los españoles se dejaron influir por las formas literarias italianas —Petrarca, Dante, etc.—, perdiendo la espontaneidad medieval y haciéndose más sofisticados; es natural que en las églogas los pastorcicos jueguen principales papeles, pero ya no lo es tanto que las divinidades clásicas romanas aparezcan en escena y dirijan el cotarro, ayudando a los personajes protagonistas cuando éstos se encuentran en apuros; de todos modos, el Renacimiento, melancólico retorno a un pasado glorioso y, asimismo, con gloriosos logros, el Renacimiento, digo, también alcanzó a España y algunos escritores, Juan del Enzina entre ellos, se dejaron apresar por los metros endecasílabos, introduciendo el paganismo en su cosmovisión poética y teatral.

Juan del Enzina, vecino de León durante una temporada, escribió varias églogas, pero Federico y Ugarte, que husmeaban entre toda clase de teatro, escogieron la de Plácida y Victoriano para el repertorio de la Barraca; creo que acertaron; el Renacimiento español es pequeñito, pero íntimo «como una pequeña plaza». Las desavenencias amorosas entre Plácida y Victoriano, que les pueden arrastrar a la muerte, han de arreglarlas Venus y Mercurio; los pastores Gil y otro compañero, ayudados por Suplicio, gran amigo de Victoriano, forman parte de los que procuran la felicidad de la pareja, armonizando lo que para en uno es la misma carne, los mismos huesos, las mismas lágrimas.

> *Dios salve, compaña noble,*
> *norabuena estéis, nostramo,*
> *merecéis doble y redoble,*
> *hiedra, laurel, palma e roble*
> *os den por corona e ramo.*

Así, tras dar un volatín, aparece en escena Gil Cestero —porque labra cestería—, el hijo de Juan García (y carillo de Mencía, la mujer de Pero Luengo). Hace un resumen de lo que va a suceder en la obra y, finalmente, llama a los amadores para que aparezcan ante el público y den principio a la representación. Plácida lo encarnaba muy bien Gloria Morales; de Victoriano hacía Manolo Puga, los pastores corrían a cargo

de Modesto Higueras —también cestero— y de Carmelo Mota. Venus lo
hacía Elena (Elena, eso es todo, porque no recuerdo su apellido). Era
pelirroja y cantaba con Leyva *La Verbena de la Paloma.* En la égloga decía
dulcemente:

> —*Ven Mercurio, hermano mío...*

tan dulcemente que a uno le daban ganas de ser Mercurio. De Mercurio,
con el torso desnudo, pero con el caduceo y alas en los pies y en el
sombrero

> *con un candelabro prendido en la diestra*
> *volaba el Mercurio de Juan de Bolonia.*

Sí, Mercurio volaba en ayuda de los enamorados; Hermes, el ladrón,
no siempre se dedica a robar vacas. Mercurio era representado por
Mario Etcheverri, el alto y buen muchacho que venía de Misiones
Pedagógicas, que tocaba el violín y que cantaba extraordinariamente
bien; tenía un estupendo sentido de la música y me imagino que se habrá
casado y arrullado a sus hijos cantando, tal vez, la música que Federico
puso a la égloga:

> *ora escucha, Gil Cestero*
> *otea qué sonecillos.*

Y desde dentro, con música de violines, se cantaba, cantábamos
todos:

> *Estando cousendo = a miña almohada*
> *miña agulla d'ouro = meu dedal de prata*
> *miñas teixeriñas = de folla de lata*
> *pasó un cabaleiro = pidoume posada*

que sonaba dulce, como la lluvia gallega cuando cae sobre los cuerpos
cansados y desnudos.

Había algunos actores que cantaban muy bien, además de Mario; por
ejemplo, Julián Orgaz, un muchacho bajo, moreno que también procedía
de Misiones Pedagógicas, y Carmen Risoto, que terminó su carrera de
violín; voces empastadas delgadas, graves, las canciones que adornaban,
iluminándolas, las representaciones de la Barraca, llenaban las plazas de
los pueblos de aire fresco, como si se agitaran las hojas de todos los
árboles y se revocaran las fachadas de las casas de adobe.

Suplicio lo hacía yo; era el amigo entrañable de Victoriano que, como
no estaba enamorado, y, además era hombre experimentado, podía dar
inútiles consejos a su amigo:

Y lo que tiñe la mora
ya madura y con olor
la verde los descolora
y el amor de una señora
se cura con nuevo amor

porque Victoriano sólo piensa en Plácida y para él todo el mundo es Plácida y sin Plácida la muerte es bienvenida. El poeta oriental diría: —Que teniéndote a ti, ¿para qué quiero la bienaventuranza del cielo?, y no teniéndote a ti, ¿para qué quiero la bienaventuranza del cielo?, cosa exactamente que les ocurría a Plácida y a Victoriano pero, por no recuerdo qué malhadadas razones, se pusieron de morros el uno con el otro. Bien es verdad que todo acaba felizmente, gracias a la intervención de las deidades romanizadas que son Afrodita y Hermes.

Los figurines, de una sensibilidad prodigiosa —dibujos de gracia etérea—, hechos a base de brocados y rasos, los dibujó Norah Borges de Torre —viuda hoy, si es que vive, que seguramente vivirá, de Guillermo de Torre, el famoso crítico literario, y hermana del conocido escritor argentino—. No recuerdo si se llamaba Encarnación la modista o sastra que realizó los trajes; en todo caso, y desde que yo me incorporé a la Barraca, era siempre la que nos realizaba el vestuario de todas las obras que montábamos; vivía, si mi recuerdo es fiel, en una bocacalle que enlazaba Fuencarral con Hortaleza, y nos trataba ya como si fuéramos de la familia.

En cuanto al decorado, no lo había; sólo la cortina negra servía de entorno a la acción. El tablado poseía unos rompimientos laterales, también de cortina negra, tras los cuales podían ocultarse músicos y cantores; también los mismos actores antes de salir a escena; si el coro era numeroso, los que cantaban se situaban detrás del escenario, al abrigo de la gran cortina del fondo.

Ignoro si la falta de decorado de la égloga fue por deseo expreso de Federico o porque Norah no acertó a hacer lo que, en realidad no hubiera sido difícil; imagino, pues, que Federico no quiso el decorado, consiguiendo que fueran los actores y los figurines que éstos llevaban, los que hicieran al público soñar casas, prados, árboles y rebaños. Creo que sí lo conseguimos y el éxito que logramos fue total.

Arte joven, tiempo joven; arte ido, tiempo ido.

La fiesta del romance

Una extraña mezcla, pero no un popurrí. El Romance, Lope y D. Antonio Machado se presentaban ante las candilejas unidos por obra y gracia de Federico y Ugarte. Yo imagino que esta fiesta se le ocurrió a

Federico porque le gustaba recitar en público; no sólo era egregio poeta, sino también refinado actor: estar en la esencia de las cosas, no dejar que se le escapara ni el más mínimo grano de polvo, ni el pequeño temblor que mueve al aire, eso era lo suyo. Por eso, astutamente, ideó el montaje de lo que se bautizaría con el nombre de Fiesta del Romance; si recordamos que Federico escribió, por su parte numerosísimos y magníficos romances, el montaje de tal Fiesta —en la que tal forma poética era la protagonista—, no debió costarle demasiado.

El *Romance del Conde Alarcos,* seguramente tomado, como la mayoría de los del romancero, de alguna vieja y olvidada gesta —o acontecer—, se caracterizó por el coro, como de tragedia griega, que se colocaba a ambos lados del escenario; el coro es, precisamente, quien va cantando y contando lo que en la escena sucede:

> *Retraída está la Infanta*
> *bien así como solía...*

Manuel Angeles Ortiz dibujó los figurines; focos verdes, rojos, azules y amarillos, proyectados sobre la escena, constituían la única, pero suficiente decoración. Cantaban Carmen Risoto y Mario en uno de los lados, Conchita Polo y, seguramente Julián Orgaz, en el otro; túnicas griegas cubrían a los componentes del coro, túnicas blancas, sin orlas ni grecas, que recogían los colores de los focos. Las mujeres del coro llevaban velos por la cabeza.

La retraída Infanta corría a cargo de Carmen Galán, que se retorcía los brazos desesperadamente; llevaba un traje, creo, de lamé de plata y, en la cabeza, un gorro del que colgaba una muselina blanca. Mi papel era el del Rey, con una túnica de terciopelo verde y una capa roja bordeada de piel blanca, como de armiño; la corona era de latón dorado; debajo de ella llevaba una peluca de seda; me pintaba barba y bigote, acentuando los rasgos en el maquillaje, para dar más carácter a un personaje vil.

> *¿Qué es aquesto, la Infanta,*
> *que es aquesto, hija mía?*
> *Contadme vuestros enojos*
> *no tengáis malenconía.*

La Infanta le dice llanamente que ya es hora de que el Rey, su padre, la case, que necesita cambiar de estado antes de que su lozanía se desmorone y amustie; que la hora de pensar en la boda ha llegado ya. El Rey se queda un tanto perplejo, porque no encuentra pareja para su hija —sangre azul, se entiende—; recuerda, eso sí, al Príncipe de Hungría, pero ya es tarde para pensar en él. En cuanto al Conde Alarcos —también de sangre azul—, resulta que está casado, tiene hijos, y es verdaderamente amante de su esposa. La Infanta adopta entonces la sinuosidad que debió adquirir en el Paraíso la serpiente cuando quiso tentar a nuestra común madre. Con claridad que espanta, le dice al Rey:

> *—Mate el Conde a la Condesa*
> *que nadie no lo sabría,*
> *y eche fama que ella es muerta*
> *de cierto mal que tenía.*

Al Rey no parece agradarle el asunto, pero obedece y da orden al Conde Alarcos para que mate a su esposa y se case con su hija; efectivamente, eso es lo que ocurre; la escena en la que el Conde estrangula a su mujer es de gran dramatismo, porque la Condesa accede a todo lo que su marido la pide, pero le ruega que antes de morir la permita despedirse de sus tres hijos, uno de ellos, el pequeño

> *que no quería mamar*
> *de tres amas que tenía*
> *si no era de su madre*
> *porque bien la conocía.*

Bien, el Conde Alarcos se casa con la Infanta, pero en unión maldita; es una boda que no sale bien, aunque Federico la llevara a escena; tampoco, por otra parte, salieron bien las *Bodas de sangre,* ni *Yerma,* ni la de Belisa y Don Perlimplín; la del Conde Alarcos, no obstante, estuvo maldita desde sus principios, ya que, a los treinta días murieron todos, el Rey, la Infanta, y el propio Conde Alarcos. Lo que el romance no cuenta es lo que les pudo ocurrir a los hijos de la estrangulada Condesa, ni qué fue de sus vidas.

Ya he dicho que los colores de los focos constituían el solo decorado, exceptuando las hieráticas figuras del coro, que no abandonaban la escena. Así, por ejemplo, en el momento en el que el Conde Alarcos da muerte a su esposa, una intensa luz roja iluminaba el tablado, como llenando de sangre los volúmenes, las cortinas negras y los desdichados y trágicos personajes.

En cuanto a la música que cantaba el coro, Federico la había sacado de nuestro romancero musical; gran parte de ella correspondía al romance de Delgadina, la princesa de la que se enamora su padre, el Rey, y quiere casarse con ella. La música es de un dramatismo verdaderamente sobrecogedor, que carga su incisivo acento en la acción. Como recuerdo curioso consigno aquí cómo Federico escogió, para un breve pasaje de la obra, una música, también de romance, que había compuesto o ideado el poeta Pedro Salinas. Pedro Salinas, en el suave paisaje de Santander, se quedó sorprendido cuando se oyó en el escenario de la Barraca y, supongo, el corazón debió llenársele de pájaros.

Mas también todos murieron
dentro de los treinta días.

Con ello daba fin el romance y pasábamos, inmediatamente, a representar *La Tierra de Alvargonzález.*

Manolo Puga hacía el Conde Alarcos; Gloria Morales la Condesa; ambos estaban perfectos en sus papeles.

La Tierra de Alvargonzález

Era el aria de Federico; Federico sentía profunda admiración por la poesía de Antonio Machado y se sabía de memoria, si no toda, gran parte de la obra del poeta andaluz. Recuerdo un día que íbamos en taxi al Teatro Español, para asistir a una representación de *El Amor Brujo;* era un día cualquiera; sólo que Federico recitó:

Alamos de las márgenes del Duero
conmigo vais, mi corazón os lleva.

La poesía completa, se entiende; y al recitarla pareció como si la calle de Alcalá se convirtiera de repente en campo, el cielo en agua, las casas en aire; a partir de entonces empecé a leer a Antonio Machado.

Pues bien, *La Tierra de Alvargonzález* fue escrita, todo el mundo lo sabe, por Antonio Machado. Federico pensaba representarla tal vez como la canción del ciego que, con grandes cartelones, da información gráfica de lo que va cantando o contando. Federico se colocaba en el lado izquierdo del escenario —visto desde el patio de butacas—, dejando libre el tablado para la acción. Vestía el traje de mono de la Barraca, con la insignia a un lado del pecho —izquierdo— y recitaba de pie.

Los papeles estaban repartidos de la siguiente manera: Alvargonzález, José María Navaz, hijos de Alvargonzález, Joaquín Sánchez Covisa, Manolo Puga y yo; Covisa y yo éramos los asesinos, los que arrojan a la Laguna Negra el cadáver de Alvargonzález; Puga hacía el hijo al que su padre había dedicado a la iglesia, el hijo menor, que a los latines prefería las doncellas hermosas y no gustaba de vestir por la cabeza, el que cuelga la sotana un día y parte a tierras lejanas para volver cuando ya su padre, muerto, duerme un profundísimo sueño húmedo, sueño líquido, bajo las aguas oscuras de la Laguna.

Y el que la tierra ha labrado
no tiene tumba en la tierra.

Los trajes que llevábamos los cuatro actores, eran los de los campesinos de *Fuenteovejuna,* de pana, con chaquetas cortas y fajas rojas o negras.

Los decorados —sintéticos, en forma de biombo—, los realizó e ideó Santiago Ontañón. Uno de los biombos representaba la arboleda cabe la cual extiende Alvargonzález la manta para dormir al arrullo del agua, antes de ser asesinado. A continuación, el segundo biombo imitaba el hogar familiar, la cocina pueblerina con el fuego y las cacerolas y, finalmente, el tercer biombo era el sombrío paisaje de la Laguna Negra entre viejos árboles, pinos cubiertos de blanca lepra, laguna a la que acaban arrojándose los hermanos mayores, los asesinos. Los tres biombos se ponían a la vez en el escenario y el foco de luz iluminaba a aquél que, constituía el entorno de la escena, de acuerdo con el recitado.

Había música; «a la vera de la fuente, Alvargonzález dormía», aquellos versos que cantan «la tierra de Alvargonzález / se cubrirá de riqueza / y el que la tierra ha labrado / no duerme bajo la tierra», los entonaban detrás de las cortinas, permitiendo a Federico descansar de su trabajo de rapsoda. Asimismo, los versos que relatan cómo «no tiene tumba en la tierra / entre los pinos del valle / del valle de Revinuesa / al padre muerto llevaron / hasta la Laguna Negra», tenían música que cantaban los invisibles acompañantes.

La idea de escribir esta historia en romance, se la había brindado a Machado un hecho real que sucedió en la provincia de Soria, precisamente cuando él estaba ejerciendo su función docente en el Instituto de aquella capital; la culpa la había pagado, según Machado, un buhonero que cruzaba aquellas tierras; fue en Dauria acusado de la muerte de Alvargonzález, condenado y, al parecer, muerto en garrote infame; de no haber sido por los remordimientos, el crimen de los hermanos hubiera sido perfecto ya que, aunque las gentes de los pueblos murmuraban «no tiene tumba en la tierra», nadie se atrevió a achacarles el crimen.

Federico empezaba su recitado con la escena vacía, iluminada por un foco que le permitía leer; a pesar de su prodigiosa memoria para todo lo que fuera poesía —y aun para lo que no fuera poesía—, no se atrevía a equivocarse en una recitación que duraba media hora. Por otra parte, la Barraca, y en homenaje a Antonio Machado, había impreso el romance entero, ilustrado con un dibujo de Ontañón y lo repartía por los pueblos después de la representación. Así pues, Federico recitaba o leía recitando o ambas cosas; los personajes aparecían cuando él los iba nombrando: Alvargonzález. —«Una mañana de otoño / salió solo de su casa / No llevaba los lebreles / agudos canes de caza.»

Navaz salía como en sueños y un foco blanco se volcaba sobre él: pone sobre la piedra una manta para dormir al lado de la fuente, al arrullo del agua —los violines entonaban una *berceuse*—. Una voz en *off* —M.ª del Carmen G.ª Lasgoity— llenaba con su decir las palabras de la mujer de Alvargonzález.

> —*Hijos, ¿qué hacéis?, les pregunta.*
> *Ellos se miran y callan.*
> —*Subid al monte, hijos míos*

y antes que la noche caiga
con un brazado de estepa
hacedme una buena llama.

Alvargonzález tiene un sueño como Jacob, en el que altas escalas van de la tierra al cielo; entonces interrumpe la recitación de Federico:

—Tus manos hacen el fuego;
aunque el último naciste
eres en mi amor primero

dice dormido, alzando las manos como arrullando a una criatura: serán sus últimas palabras. Aparecen los asesinos; nada les ha salido bien, porque no gozan de lo que tienen por ansia de lo que esperan con la muerte de su padre. Hasta la Laguna Negra le arrastran después de haberle apuñalado, y allí lo arrojan en aguas profundas. Pero es igual; nada cambia nada; la herencia está ensangrentada: el tizón pudre las mieses y una mala hechicería hace enfermar las ovejas; todo se vuelve maldita cizaña que no deja crecer la hierba.

Hermano, ¡qué mal hicimos!
El segundo dijo: ¡Hermano
demos lo viejo al olvido!

Regresa, finalmente, el hermano menor, el emigrante, que ha hecho fortuna, a hacerse cargo de su parte de la herencia; hay una escena en la que los dos hermanos mayores se pierden entre los añosos pinos, camino de Urbión, donde la selva ulula, el lobo vigila, la lepra, el liquen, se adhiere a los viejos troncos, y sólo al caer la noche, se ven por el suelo los brillos apagados de blancas osamentas; es un tremendo trozo del planeta, con la muerte arrastrando a los asesinos hasta la Laguna Negra, en vez de llevarlos a Vinuesa por Santa Inés. Federico recitaba:

Páramo que cruza el lobo
aullando a la luna clara
de bosque a bosque; baldíos
llenos de peñas rodadas
donde, roída de buitres,
brilla una osamenta blanca.
Pobres campos solitarios
sin caminos ni posadas
¡oh pobres campos malditos,
pobres campos de mi patria!
¡Oh tierras de Alvargonzález
en el corazón de España,

tierras pobres, tierras tristes,
tan tristes que tienen alma!

y se le hacía un nudo en la garganta y le daban ganas de llorar y de revolcarse por el suelo, porque su emoción, emocionada y emocionante, alcanzaba altísimas cúspides, cúspides que, por otra parte, nos hacía alcanzar a todos, actores y público.

Los hermanos, finalmente, a la vista de la Laguna, sienten que los remordimientos les suben de los pies al corazón e, impulsados por algo que puede más que ellos, se lanzan a las negras aguas.

¡Padre! —gritaron y al fondo
de la laguna serena
cayeron y el eco ¡padre!
resonó de peña en peña.

Federico había pensado que, en efecto, «el eco ¡padre!», fuera repetido por varios actores situados a distancias cada vez más alejadas del escenario, pero a última hora desistió. La obra terminaba tras la última palabra de Federico y los aplausos sonaban incontenibles.

La Tierra de Alvargonzález constituyó siempre un éxito donde se representó; actor hubo que pensó que podía sustituir a Federico si, por acaso, éste se cansaba de recitar; naturalmente, Federico no se cansó nunca pero, aunque lo hubiera hecho, nadie hubiera podido rayar a su altura; las palabras, cuando él recitaba, eran como flores, como árboles frutales, como raíces hondas, sonidos minerales y silencios de agua.

No creo que Antonio Machado presenciara alguna vez *La Tierra de Alvargonzález;* por lo menos yo, personalmente, no lo recuerdo; tampoco la vio, que yo sepa, su hermano Manuel; *La Tierra de Alvargonzález* fue para los que acudían a la Universidad Internacional de la Magdalena y para los campesinos de varios pueblos de España, para el Auditorium donde se ensayó y para los que presenciaron sus ensayos; se repartieron muchos de los cuadernos impresos con la obra por los pueblos; cuadernos amarillos, rosas y azules, pero ignoro si alguien, el que sea, no importa quién, conserva todavía la obra que imprimió la Barraca y que ilustró con un dibujo Santiago Ontañón. Porque todo lo demás, todo lo demás y todo lo demás, ha muerto.

Las Almenas de Toro

En puridad no se trataba de un romance, sino de la glosa que Lope hizo de otro romance de nuestro Romancero y que le inspiró la obra con tal título. La Barraca no ponía en escena sino el pasaje que se refería concretamente al romance; éste era recitado por Federico detrás de las cortinas, en *off*.

En las almenas de Toro
allí estaba una doncella
vestida de paños negros,
reluciente como estrella.
Pasara el Rey Don Alonso
namorado se había de ella,
dice: si es hija de Rey
que se casaría con ella,
si es hija de Duque o Conde
la tendría por manceba.
Allí hablara el buen Cid
estas palabras dijera:
es vuestra hermana, señor,
la que véis en las almenas.
Si es mi hermana, dijo el Rey
fuego malo encienda en ella,
llámenme mis ballesteros
tírenle sendas saetas
y a aquel que la errare
que le corten la cabeza.
Allí hablara el buen Cid
desta suerte respondiera:
mas aquel que la acertare
pase por la misma pena...

Salían después a escena —cortina negra al fondo, ya que las almenas se suponía que estaban a la altura del anfiteatro, en plena sala— el Rey Don Sancho, no Don Alonso, como en el Romancero, acompañado por el Conde Ansúrez; el Cid, con su cota de mallas, sale por el otro lado de la escena; entablan entonces conversación sobre la belleza del lugar, Toro, plaza a la que el Rey asedia. Y cuando Don Sancho está describiendo una a una las cosas que le gustan, repara cómo en las almenas hay una mujer:

—Por las almenas de Toro
se pasea una doncella
pero dijera mejor
que el mismo sol se pasea...

El Conde Ansúrez:

Ya se acerca a verte en ellas.

Efectivamente, el Rey queda como electrizado a la vista de la mujer, y como quiera que da por segura la ocupación de la plaza, dice:

—Si es hija de Duque o Conde
yo me casaré con ella
de buena gana, vasallos,
y hárela en Castilla reina
....
Mas si por dicha, si ya
que esto puede ser que sea,
es hija de labrador
tendréla por mi manceba.

Como se ve, el Rey Don Sancho no es tan exigente como el Don Alonso del Romancero; a Don Sancho le basta con que sea hija de Duque o de Conde para desposarla; sólo si es hija de campesino, si ha nacido sin venitas azules en los brazos, si en su casa han pasado hambre y miseria, sólo en ese caso haríala su manceba.

El Cid hace ver al Rey que se trata de su hermana, quien, por el temor que le tiene, le cierra las puertas de la ciudad. Entonces la cólera más atroz se distiende, como un resorte maligno, en el Rey Don Sancho: —«¡Mal fuego se encienda en ella!», case mal con hombre indigno que no haya calzado espuela jamás, ni vestido sayo de seda y cuyo nacimiento —espantoso deseo— venga desde el primer villano que puso arado en la tierra. Llama a voces a los ballesteros y manda que la maten, que nadie goce en su belleza; con ello se marcha esquizofrénico, sin mirar a nadie, presa de un ataque feroz de rabia. Aparece el ballestero que va a disparar la flecha mortal, cosa que impide el Cid:

—¡Que al hombre que la acertare
antes que ponga la cuerda
le haré saltar de los hombros
y de un revés la cabeza!

Y ante el «mandólo el Rey» del asombrado ballestero:

—Pues decidle
que se quitó de la cerca
....
Y vosotros, infanzones,
a los moros en la guerra
tirad flechas, que las damas
son las que tiran las flechas

con lo que daba fin el espectáculo.

Las Almenas de Toro, la escena de Lope que se representaba, duraría unos veinte minutos, más o menos, pero encantaba al público, que la aplaudía entusiasmado. Ciertos poetas, creo que Guillén y Salinas, afirmaron que aquello estaba perfecto, que no se podía quitar ni añadir nada.

Los figurines fueron los primeros que José Caballero dibujó para la Barraca; en ellos se aprovechaba el traje de mono del uniforme; sólo la mitad del personaje llevaba el atuendo del figurín; la otra mitad era el mono y las cintas que sujetaban el traje; el pantalón lo atábamos también con cintas para despojarle de su condición de tal; sólo Carmelo Mota, que hacía el arquero, salía sin mono, medio torso desnudo. Modesto Higueras encarnaba el Conde Ansúrez y decía que sí a todo lo que el Rey afirmaba. El Cid y el Conde llevaban cascos sobre la cabeza y yo, el Rey, una corona visigótica no almenada y con cadenas colgando; también peluca de seda y barba y bigote pintados.

La Fiesta del Romance no fue pródiga en representaciones, quizá porque Federico, al empezar, decididamente, a ocuparse de sus propias creaciones, no quería recitar *La Tierra de Alvargonzález,* pero siempre que se representó constituyó un verdadero éxito; hoy día, que los modos teatrales han cambiado sustancialmente, también constituiría éxito; sólo el hecho de pensarla, proyectarla y llevarla a escena en la forma en que Federico y Ugarte lo hicieron, constituyó la mejor prueba de que el Teatro Español, tan desangelado y sin substancia, estaba siendo sometido a tal revisión, que la savia ascendería por su tronco de luces, escenario y bambalinas, inundando a los actores y obligándoles a pensar en modos distintos de interpretación.

La tierra de Jauja

Como todo el mundo sabe, se trata de un Paso de Lope de Rueda que viene a durar un cuarto de hora o algo más; Federico lo montó al modo de un entremés de Cervantes, sin decorado y aun sin figurines, al objeto de representarlo al final de una obra larga, *Fuenteovejuna,* por ejemplo. Que yo sepa y recuerde, y que Mnemosine, la diosa de la memoria, me perdone si me equivoco, sólo se representó dos veces, una de ellas en Santander, que salió bordado, como suele decirse, y otra en Canfranc que no corrió la misma suerte: se representó mal, aunque el público no se diera cuenta.

El caso es que Federico lo montó con su amor acostumbrado, con el cariño que ponía en las cosas que entraban en su mundo mágico; buscó, para el Paso, una música preciosa que había tomado de una canción, no sé si del siglo XV o del XVI. La canción, la original canción, tenía una letra que decía:

De casta de Carnocales = traigo yo los huevos madre,
mire qué buenos serán

pero en el Paso la letra de esta música era: «Mala noche me diste, María del Río, mala noche me diste, Dios te la dé peor.» La cantaba Jacinto Higueras, el bobo de la olla, quien salía con una cazuela para llevársela a su mujer, que estaba trabajando; Jacinto Higueras era el tonto del pueblo —Mendrugo— y dos sinvergüenzas, Navaz y Modesto Higueras —Panarizo y Honziguera— con tanta hambre como total ausencia de escrúpulos, deciden entretenerle y comerle la cazuela; lo consiguen hablándole de la Tierra de Jauja, en la que hay ríos de miel y todas las exquisiteces imaginables y aún inimaginables; mientras el tonto escucha lo que uno le dice, el otro come de la cazuela; el bobo sigue oyendo embelesado hablar de guisados, de pasteles, de salsas riquísimas y así, turnándose, los dos sinvergüenzas le comen lo que el pobre Mendrugo llevaba a su mujer.

Como he dicho, en Santander la cosa salió bien, la gente se rio, aplaudió y se marchó a su casa; pero en Canfranc salió mal: a Navaz se le olvidó de repente el papel, aunque el Paso se ensayó suficientemente; en lugar de hablar de pasteles y bizcochos, como era su obligación, dijo de pronto: «Vamos a comerle la cazuela.»

Evidentemente, ello constituía un triste fin para esa delicia que escribió Lope de Rueda, pero Jacinto Higueras tenía suficiente dominio de la escena y, sin inmutarse, contestó: «—No, que es para mi mujer, que la van a hacer obispesa y así seré yo obispeso.» Modesto entonces, dándose cuenta del jardín, salvo la situación poniéndose a hablar de la tierra de Jauja y de sus maravillas gastronómicas al alcance de la mano; nadie del público se dio cuenta del olvido de Navaz, ni del arreglo de los hermanos Higueras; solamente los compañeros de la Barraca que presenciamos la representación, nos dimos cuenta de todo y la cosa, aunque parezca tonta, nos divirtió bastante.

Como he dicho ya, no había figurines ni decorado; los personajes salían como Dios les daba a entender, con pelucas, sombreros, capas, grandes espadones, pero con el mono de la Barraca; iban abundantemente y estrafalariamente maquillados y, de las rodillas hasta los pies, se ataban cuerdas con objeto de que el pantalón remedase unas calzas de la época. Jacinto, el tonto del pueblo, a cuya mujer iban a hacer obispesa, salía con la olla muy bien envuelta; salía cantando lo de «mala noche me diste...».

Siento nostalgia por este Paso, tal vez porque la segunda representación no salió perfecta, como las demás; no fue culpa de Federico el fallo, sino de las pequeñas circunstancias que continuamente están acechando sin que uno se dé cuenta; de pronto llegan, están ahí y hay que comer la cazuela.

Mala noche me e diiste = María del Riooo ooó
con el bilindrondron drón
Mala nochee me diiste = Dios te la dee peooooor

Con el bilindron drondrondrondrondron
Con el bilindrondrondrondrondrondron.

El Caballero de Olmedo

No sé por qué recuerdo la mano de fuego que aparece en la cena del Rey Baltasar, de las palabras que escribe en el aire y de la interpretación que de dichas palabras haría Daniel, el bíblico profeta

Mane dice que ya Dios
ha numerado tu reino
Thecel y que en él cumpliste
el número y que en el peso
no cabe una culpa más;
Fares, que será tu reino
asolado y poseído
de los persas y los medos.

El Caballero de Olmedo fue la última obra que se montó bajo la dirección de Federico antes de nuestra guerra civil (numerado el reino, cumplimos el número y en nuestro repertorio no cabía una obra más; después las ideas de Federico y Ugarte pasarían a ser poseídas por otros ¿advenedizos?, ¿gente de bien?).

En realidad, Federico montó prácticamente solo el primer acto de *El Caballero;* los otros dos los dejó pergeñados, pero sin un estudio suficiente; hubo pocos ensayos, cierta desgana por parte de Ugarte y Federico y, sobre todo, no hubo un ensayo general que nos advirtiera de lo que andaba mal, que era bastante. Fue, repito, la última obra.

Federico tenía soltura escénica; Federico tenía experiencia escénica; Federico había llegado hasta el fondo de los resortes del juego del actor, del decorado y de las obras que, representadas sobre un tablado, o sobre un escenario, duran dos horas y media. Ciertamente la vida suele ser más larga, la vida de una persona, me refiero.

Y ante Federico se abría, pero hecho carne ya, el mundo de sus propias creaciones, creaciones que no le costaba trabajo alguno llevar al escenario; las ideas se le acumulaban, preparaba trilogías, escribía sin cesar y, como consecuencia, la Barraca pasó a segundo término. Por otra parte, el Club Anfistora —nombre éste inventado por Federico—, que dirigía Pura Ucelay, podía llevar a escena obras del propio Federico (Federico no había querido jamás que la Barraca fuera vehículo de su propia obra); el Club Anfistora había puesto ya en escena el *Amor de Don Perlimplín con Belisa en su jardín, La Zapatera Prodigiosa,* e iba a preparar —no lo hizo nunca— *Así que pasen cinco años.*

En la Barraca, Federico ensayaba los tratamientos de las obras, procuraba las soluciones a los problemas escénicos y, aunque no agotó todas las posibilidades (compárese, por ejemplo, la *Yerma* que estrenó con Margarita Xirgu —decorados de Fontanals—, y la que imaginó, sobre una carpa movediza Nuria Espert), sí se le hizo evidente que en su propio teatro, más que en el de los autores ajenos, —ya fueran o no clásicos—, podía plantear y resolver con éxito su peculiar problemática y arbitrar las soluciones precisas en cada caso. La Barraca había sido, para Federico, un venero, un hontanar de experiencias logradas en su mayor parte; era natural que, al cabo de casi cuatro años de brega, quisiera descansar y dedicarse a lo que como un duende, le aguijoneaba sin cesar en sus fibras sensibles.

La creación se produce cuando un aserto de ilogicidad incide y percute sobre ciertos circuitos del cerebro medio; en el cerebro medio se originan las emociones, los sentimientos afectivos, y éstos, al difundirse por el organismo, crean un desequilibrio interno —desequilibrio biológico, molecular— que sólo se corrige con la creación (digamos que se trata de un *feed-back* negativo); la creación es la norma del equilibrio y el creador un perpetuo desequilibrado que, a veces, se equilibra.

A Federico le llegaban por todas partes, violentas incitaciones que sólo él era capaz de recoger en sus circuitos mesencefálicos y llevarlas luego para su conveniente elaboración, a la corteza cerebral; para los demás no existían como tales; estaba en el culmen, por entonces, de su creación; no sabemos, no podemos imaginar lo que hubiera hecho, lo que hubiera escrito, si la salvaje muerte no se hubiera cruzado en su parábola vital. Hay quien tiene una muerte adelgazadísima, finísima como el hilo que la araña teje —fácil de cortar por Atropos—, pero otros padecen una muerte tosca, gruesa, sorda, golpeante y sucia, como de fango removido. La de Federico fue, seguramente, de éstas; yo no sé si fue la que le correspondía, porque no creo que exista el gran sastre de las muertes todas que vaya tomando medida a cada uno y le proporcione la muerte ajustada, milimetrada, la precisa, pero el hecho es que Federico murió en la gran emboscada de la vida, de su trayectoria viva, con todas sus arterias latiéndole y, posiblemente, con cambios en la estructura de la sangre, porque es difícil que no cambie la sangre cuando uno sabe que va a morir. Así Federico. Y, así también, el Caballero de Olmedo.

El Caballero de Olmedo muere en una emboscada, sobre un paisaje de agujas grises; no le acompañaron los olivos ni el murmullo de una fuente próxima, pero sí la sucia asechanza y el disparo de miles de sangres en el pecho; el Caballero de Olmedo queda en el campo seco y reseco que va de Olmedo a Medina, secándose y resecándose, comido por las hierbas, por las pequeñas lancetas de las hierbas muertas. Y hoy ha desaparecido todo rastro de su cuerpo difunto, de lo que fue su cuerpo vivo, de sus apetencias y sus ilusiones. Y con él, la Barraca; y con él, Federico.

Todavía ensayábamos en el Auditorium; me parece que Diego Marín

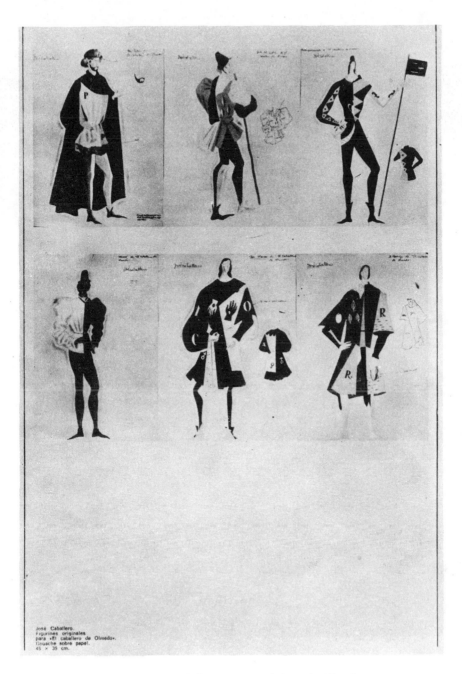

Figurines de José Caballero para El Caballero de Olmedo.
(Cortesía de la Galería Multitud).

Grupo que estrenó El Caballero de Olmedo

nos abandonó por entonces y ya no se le repartió papel. Recuerdo que Federico me pidió —me había nombrado *regisseur*— que hiciera yo el reparto; él empezaba a no querer complicaciones; Ugarte, por su lado, debía tenerlas más íntimas. Yo repartí como sigue, que no me falla la memoria en este caso: Inés, Carmen Galán, Leonor, Carmen Risoto, Fabia, María del Carmen García Lasgoity, Don Alonso, Manolo Puga, Tello, Jacinto Higueras, Don Pedro Sánchez Covisa, Mendo, Julián Risoto, Don Fernando, Carmelo Mota y Don Rodrigo, yo mismo. Tenía confianza en que el reparto fuera acertado y creo que fue así; Federico, le dio el visto bueno y se empezaron los ensayos; el papel de Don Pedro, el padre de doña Inés, lo empezó a ensayar Covisa, pero no estoy seguro de que lo estrenara; como Marín nos abandonó, no sé si por culpa de los estudios, entonces el papel lo hizo un muchacho gallego, cuyo nombre no me es posible recordar.

El primer acto se ensayó normalmente en el Auditorium; todavía no nos había dibujado José Caballero los figurines ni los decorados; los figurines estaban todos ellos inspirados en la obra de V. Boehn, tomo I, Edad Media, de la *Historia de la Moda;* correspondían al siglo XIV y eran una verdadera delicia; no hubo problema alguno con ellos.

Ya he explicado cómo a Federico no le gustaba hacer refundiciones de las obras de los autores clásicos; suprimía escenas o versos que, a su juicio, carecían de vigencia o de interés teatral: los puntos negros del teatro; —incluso algunas escenas descomponían la línea axil de la representación—, pero no hacía jamás refundiciones ni correcciones al autor. Los ensayos, puesto que no teníamos decorados, se hacían con las cortinas del Auditorium sirviendo de fondo —cortinas de color marrón oscuro.

Sale a escena D. Alonso quien, divinamente encarnado por Puga, piensa que no puede haber amor si no asiste a su concepto la unión de dos voluntades; él está enamorado de Inés y, en tanto que ésta no le corresponda, él, D. Alonso, el Caballero, no será sino un ser imperfecto. Pero como en la Edad Media no era fácil acercarse a la muchacha que a uno le robaba los sueños, D. Alonso recurre a los buenos oficios de Fabia, la Celestina de Lope, la que sabe de bebedizos para inspirar el amor, la que, seguramente, sabe zurcir virginidades malparadas, la que se ocupa, en una palabra, de todo juego amoroso, sea este o no decente. Y dice D. Alonso:

> *Por la tarde salió Inés*
> *a la feria de Medina*
> *tan hermosa, que la gente*
> *pensaba que amanecía.*

Insisto en que todavía no nos habían hecho los decorados que, a tal efecto, dibujara Pepe Caballero; eran decorados sintéticos, biombos que se sujetaban con remas al escenario; tres decorados: uno para representar el interior de la casa de Inés, otro para el exterior y un tercero que era el paisaje de Castilla donde, tras haber triunfado en los juegos, ha de morir D. Alonso. Los biombos de los decorados eran bastante grandes y, en modo alguno, fáciles de mover y sustituir; ello, por supuesto, no quitaba a los dibujos que hizo Pepe Caballero ni un ápice de lo hermosos que eran, aunque nos plantearon problemas que entonces se nos antojaron de difícil solución; la solución que, finalmente, vino, dimos con ella, no acudió precisamente el día del estreno en Santander, día en el que, por causa de la lluvia, tuvimos que montar medio tablado —no nos cabía entero— en el interior de una de las caballerizas, en la de la izquierda.

Federico, con su sabiduría escénica solucionó rápidamente el primer acto; los otros dos, mal que bien, los fuimos improvisando, pero ensayándolos sin los decorados; los papeles los aprendimos fácilmente, como solía suceder en todas las obras que montábamos; ocurrió, sin embargo, que empezaron a entrar actores nuevos que, sin desmerecer de los que ya estábamos, tenían, tal vez, otro ritmo; se planteaba, pues, y además, un problema de acoplamiento.

D. Alonso, a través de Fabia consigue, en un papel escrito, declarar su amor a Inés; ésta, seguramente, ya se habría dado cuenta de que el apuesto Caballero de Olmedo no la quitaba ojo; hay pues, enamoramiento mutuo, unión de dos voluntades; hay, también, el primer choque de Don Alonso con Don Rodrigo —novio oficial de doña Inés, como Don Fernando lo es de doña Leonor—, al que pone en fuga solamente con desenvainar la espada. Doña Inés finge que quiere meterse monja para, de este modo, eludir la boda con Don Rodrigo que su padre le prepara; a tal efecto, y como quiera que ha de aprender el latín, Tello, el criado de Don Alonso, se finge profesor de tal idioma; de este modo, entre Fabia y Tello, los amores de doña Inés y de Don Alonso podrán llegar a feliz término. Pero los celos empiezan a anidar en el pecho de Don Rodrigo que comienza a sospechar algo. Y con esto se anuncian las fiestas de Mayo de Medina —toros, lanzas, rejones, cañas, etc.—, fiestas en las que han de competir, como caballeros rejoneadores, tanto Don Rodrigo como el Caballero. La fortuna no sólo sonríe a Don Alonso en todos y cada uno de los juegos, sino que, además, salva la vida de Don Rodrigo que cae ante el toro.

Acabadas ya las fiestas, Don Alonso se despide de doña Inés, pero ya con el ánimo conturbado:

> —*Puesto ya el pie en el estribo*
> *con las ansias de la muerte,*
> *señora, aquesta te escribo.*

Y, efectivamente, aparece la primera sombra premonitoria tras la despedida, sombra que no hace sino llamarle por su nombre; sombra premonitoria de una muerte ineluctable y anticipada que, si bien infunde cierto pavor en el ánimo del Caballero, no basta para amilanarle. Don Alonso ha de regresar a Olmedo, donde viven, achacosos, sus padres; la emboscada tendida por Don Rodrigo en el camino que va de Medina a Olmedo, está dispuesta. Pero Don Alonso confunde la pena que le causa el abandonar a doña Inés, con la turbación de que algo terrible le va a pasar. Y es en estos momentos cuando canta la voz que profetiza:

Que de noche le mataron
al Caballero
la gala de Medina
la flor de Olmedo

voz oculta que en canto casi gregoriano, anuncia lo irremediable. Federico tomó esta música de la que Cabezón —o tal vez Cristóbal de Morales— compuso precisamente para este alucinante y dramático momento, para esta trágica escena en la que ni los hados pueden salvar a un hombre condenado a morir:

Sombras le avisaron
que no saliese
y le aconsejaron
que se volviese
el Caballero
la gala de Medina
la flor de Olmedo.

Don Alonso llama y habla con el campesino, cuya era la voz que entonaba tan lúgubre canción: —Volved, volved a Medina— ruega el labrador a Don Alonso antes de desaparecer. Pero el Caballero piensa que todos lo tomarán por cobarde si vuelve y continúa su camino hasta caer en la emboscada donde Mendo, el criado de D. Rodrigo, le dispara un tiro que será mortal. Después todo se convierte en lágrimas pero también todo está definitiva, irreversiblemente consumado.

Aunque Lope da ocasión al público, a los espectadores, a que presencien cómo el Rey ordena la ejecución de los culpables, Federico hacía terminar la obra cuando Tello, el fiel criado, se lleva moribundo al noble Don Alonso.

Y ahora vamos con nuestro *Caballero de Olmedo*. Teóricamente los decorados tendrían que montarse y desmontarse en décimas de segundo, ya que las escenas de interiores y exteriores se suceden ininterrumpidamente; por desgracia, el peso y el tamaño de los biombos impedía esa movilidad que hubiera sido *conditio sine qua non* para una fluidez escénica eficiente; para colmo, ya dije que no hicimos ensayo general; el estreno fue en Santander y el clima no nos acompañó, precisamente. Habitualmente, montábamos el tablado en la plaza de las caballerizas, bajo la torre; conseguíamos así una sala correcta para una audiencia teatral y los actores tenían suficiente espacio para el juego escénico y para moverse detrás de las cortinas; todos los años tuvimos buen tiempo, menos el que estrenamos *El Caballero de Olmedo;* podemos pensar que nos acompañó la mala suerte en aquella ocasión —1935— o, por el contrario, que la buena suerte estuvo con nosotros en las anteriores —habitualmente Santander es un lugar donde llueve con cierta frecuencia, incluso en verano—. El caso es que aquel año nos llovió y de manera torrencial; Federico estaba con nosotros, pero ya no vestía el traje de mono, sino que iba vestido con un traje de fresco, claro de color, y no parecía muy interesado en lo que a las representaciones se refiriera. Tenía que marcharse a Madrid donde le reclamaba un asunto que para nosotros fue capital (me refiero al tricentenario de la muerte de Lope de Vega).

Hicimos, claro está, precipitadamente y sin pararnos en las escenas, un conato de ensayo general en el medio tablado que montamos en la caballeriza de la izquierda, caballeriza que poseía una sala bastante aceptable para dar una conferencia, por ejemplo, pero absolutamente insuficiente —estrecha, entre otras cosas—, para el movimiento de la tramoya y de los actores; el remedo de ensayo general con una obra que no habíamos previsto en sus detalles, resultó algo espantoso; de no haber sido porque los decorados eran preciosos hubiéramos representado la obra con cortinas negras —¡más nos hubiera valido!—, pero estábamos fijos, atraídos, hipnotizados por los decorados y cometimos el error de utilizarlos.

Federico, a la vista de los resultados, no asistió a la representación; como pretexto adujo su viaje a Madrid. Ugarte resistió.

En tales condiciones dio comienzo la representación; no teníamos apenas espacio para movernos:

> *Amor, no te llame amor*
> *el que no te corresponde...*

empezaba Manolo Puga recitando su papel, iluminado por un foco que le llegaba desde abajo. Se habían colocado sillas en la sala y la gente empezó a interesarse realmente; lástima que el interés fuera rápidamente interrumpido; un apagón total de luz para cambiar la escena; los tramoyistas, casi a oscuras, quitaban el biombo que representaba la calle y colocaban el que indicaba la casa de Inés; efectivamente, Fabia, de estar con D. Alonso, había ido a ver a la dama; al cuarto de hora, otro apagón para cambiar los biombos: la escena volvía a transcurrir en la calle; pocos minutos después, nuevo apagón para un nuevo cambio, etc, etc, hasta conseguir que el espectáculo resultara insufrible; la gente —los espectadores— comenzó a desfilar, primero silenciosamente, después sin recato; la sala, lentamente al principio, rápidamente después, fue vaciándose y solamente algunos se quedaron para ver cómo moría D. Alonso.

Nosotros estábamos desesperados, pero no se nos ocurría el modo de acabar con tal estado de cosas; terminó, finalmente, la representación y, mohinos y derrotados, cosa que jamás nos había ocurrido, saboreamos las hieles del fracaso, fracaso no en tanto que actores, ya que como tales la obra había quedado bien parada, sino en cuanto presentarnos ante el público sin una cosa conseguida, lograda, tal como era nuestra costumbre. (Faltaban ya los cimientos.) Porque, además de las constantes interrupciones de las escenas, estaban los martillazos que había que dar para clavar las remas que sostenían los biombos y las voces de «aquí no», «ayúdame a poner esto o lo otro» o «no se ve nada», etc, que también eran oídas por el público.

El Caballero de Olmedo, posiblemente, nos hizo bajar de nuestro cielo; nos dio la medida de nuestras fuerzas pero, a la vez, nos hizo meditar sobre las dificultades que la escena plantea; parte de ellas fueron salvadas en la representación que dimos en el Teatro de la Comedia —tricentenario de Lope, patrocinado por el Ateneo—. Pepe Caballero y yo, siempre pendientes de los decorados, (por entonces Federico nos había, prácticamente abandonado), ideamos bajar el telón y trabajar sobre la corbata del escenario, inmediatamente sobre las baterías, para dar lugar al cambio de los distintos biombos. A pesar de todo, se oían los martillazos; la solución, sin embargo, nos permitió mayor holgura y, sobre todo, una continuidad en la acción que no conseguimos, ni mucho menos, en Santander; finalmente se nos ocurrió, cuando se rompió el hechizo de los biombos aislados, hacer como en *La Tierra de Alvargonzález,* esto es, colocar en el tablado o en el escenario, los tres biombos a la vez e ir iluminando uno a uno, según las necesidades de la acción; de este modo, y al final, con las últimas representaciones de *El Caballero,* la obra quedó, si no perfecta, sí con un grado de bondad suficiente. Una obra, en fin que no desentonaba de las demás.

A cambio de ello, de la perfección escénica que conseguimos en la obra de Lope, tuvimos algunas defecciones en el cuadro de actores; ya he dicho que Diego Marín nos abandonó; a poco lo hizo también Sánchez Covisa y, naturalmente, tuvieron que entrar nuevos actores para substituirlos; Alberto Quijano nos dejó, asimismo; con la indiferencia por nuestra suerte de que había dado muestra Federico, se completó el colapso que ya se había empezado —insensiblemente, un poquitín de polvo—, con la muerte de Conchita Polo, a dibujar en el horizonte, con la marcha de Julita Rodríguez Mata y con la de Eduardo Ródenas. Todos ellos constituían elementos extraordinariamente importantes para la Barraca, para que ésta, como tal, continuase su camino, pero, además, preocupaciones de otra índole que más tarde habrían de cuajar en la guerra civil española, se fueron introduciendo en nuestras actividades; no es que discutiéramos de política unos con otros, no; simplemente, había algunos elementos, piezas clave en el funcionamiento de nuestro teatro, que consideraban que el momento no estaba para representaciones, aunque estas se dirigiesen a un público que no conocía prácticamente lo que era el teatro y que ignoraba todo de nuestros clásicos. Rafael

Rodríguez Rapún, en junta de la U.F.E.H. también habría de dejar su puesto vacante; tal junta tuvo lugar a finales del año 1.935, aunque no puedo precisar la fecha.

En estas condiciones, entró a formar parte del elenco un grupo de muchachos animosos, pero a los que hubo que enseñar a toda prisa el repertorio de obras y el funcionamiento del teatro: recuerdo los nombres de Ruiz Salinas, de Torrente, de Pardo, de Manresa, de Mª Carmen Gª Antón, de Nazario Cuartero, entre otros; había un muchacho de Villafranca del Bierzo que sustituyó a Covisa en *Fuenteovejuna,* del que sólo recuerdo que era moreno y que se llamaba Domingo. Con nosotros empezó a venir también el pintor Juan Antonio Morales, así como Tere Risoto, hermana de Carmen y de Julián.

Por no sé qué motivos, y ésa fue una dificultad más, no pudimos seguir ensayando en el Auditorium; hicimos gestiones en la Sala de Fiestas del Cine Barceló y allí tuvieron lugar, un tanto apresuradamente, nuestras repeticiones de las piezas, como diría un francés. Los papeles quedaron prendidos un poco con alfileres y, a causa de ello, y por primera vez en su limpia historia, hizo su aparición en el tablado de la Barraca, la terrible, la espantosa concha del apuntador, bajo la que se cobijaba Obradors. Hubo que hacer un pequeño aditamento al tablado para colocarla, aditamento que se cubría con negra tela y con el cartel de la Barraca. Pero con la concha se perdió una de las virtudes íntimas, profundamente primaverales de nuestro teatro.

Pues bien, la primera obra en la que se empleó la concha, fue en *El Caballero de Olmedo;* a causa de ello, y tal vez por las dificultades que nos planteó, no tuve excesiva simpatía a esa obra de Lope que, como he dicho, salió, finalmente, tan bien como otra cualquiera. Los papeles se interpretaron perfectamente y aún pienso que llegamos a sabernos la obra entera, pero la concha del apuntador se convirtió en una caja de muerto en la que se enterrarían la espontaneidad y ese hacer limpio de todos los actores de la Barraca —desde el mayor hasta el menor farol.

Salvo el estreno de *El Caballero* en Santander en el que el fracaso nos acompañó y, quizás la representación del Teatro de la Comedia, donde se afinaron los matices, la obra de Lope constituyó un éxito allí donde se representó. Solamente la presencia de la concha del apuntador enturbió ligeramente la diáfana frescura de nuestro modo de hacer; pero la gente estaba tan acostumbrada a los apuntadores, que no se dio cuenta de la introducción; por otra parte, yo creo que Obradors disfrutó enormemente presenciando todos los espectáculos que, a partir de la introducción de la concha, puso en escena la Barraca.

He procurado resumir el contenido y el modo de montaje de las obras que formaron el repertorio de la Barraca hasta allí donde me alcanza la memoria. Creo que todo lo que llevo dicho responde a la realidad de lo que fue; lo que callo o insinúo, es aquello que aparece confuso en mi memoria, después de tantos años. Algo sí puedo asegurar: en algunos libros que he leído sobre Federico —no voy a citarlos— se habla de que la Barraca montó la *Historia del Soldado,* de Ramuz, con música de Strawinsky. Personalmente puedo asegurar que, durante mi estancia en la Barraca, tal obra no contó en nuestro repertorio y ni siquiera se habló de ella (La *Historia del Soldado* se montó, eso sí, en la Residencia de Estudiantes, pero no por la Barraca, sino por gentes afines. Colaboraron en la *mise en scène* Halfter, Rivas Cherif y José Caballero, entre otros).

En algún otro libro he leído que Federico, y para nuestro montaje del *Peribáñez* de Lope en la Barraca, salió a los pueblos a comprar telas genuinas con las que confeccionar los trajes; la verdad es que si lo hizo no fue para la Barraca, sino para el Club Anfistora que sí puso en escena dicha obra de Lope. Nosotros éramos lopistas, ya que en nuestro repertorio figuraron *Fuenteovejuna, El Caballero de Olmedo* y la escena de *Las Almenas de Toro.* Se habló, eso sí, de montar *La Dorotea,* pero la empresa nunca se llevó a cabo. Lo que sí es seguro es que *Peribáñez* no entró jamás en los cálculos de Federico y Ugarte como obra a montar por la Barraca.

Y en cuanto a otro tipo de teatro, la Barraca puso en escena —ya hablaré más adelante de eso—, *El Retablillo de Don Cristóbal.* Lo hizo una sola vez y no en la plaza de un pueblo español ni en un escenario de teatro de provincias o madrileño, sino en un hotel y con motivo de un homenaje. Ya he dicho que Federico no quería utilizar a la Barraca como vehículo de sus escritos teatrales o poéticos; hombre de enorme pudor en ése y en otros sentidos, se obligó a sí mismo a que nadie pudiera decir que aprovechaba la Barraca para estrenar lo que ninguna otra compañía hubiera querido. Pero en la ocasión del *Retablillo,* echó mano de nosotros porque sabía que, como la Barraca, nadie podría representar la graciosa historia de Don Cristóbal y de doña Rosita. Así, pues, movimos los muñecos y hablamos por ellos. Fue, constituyó un verdadero éxito, ya que la obra, extraordinaria, nos salió redonda, sin un solo fallo. El frontispicio del guiñol era de Fontanals, pero los decorados fueron dibujados por Miguel Prieto y José Caballero; los muñecos, por su parte, fueron creación del escultor Ángel Ferrant quien trabajó duramente para tener todo a punto; como se hizo un poco apresuradamente, en todo tuvimos que ayudar todos.

Como sólo se representó una vez, he casi olvidado el reparto; recuerdo que la madre de doña Rosita lo interpretaba María del Carmen Gª Lasgoity; la propia doña Rosita corría a cargo de Julita Rodríguez Mata. Lo que sí es seguro es que yo hacía el Poeta y el Enfermo que saca cuello; lo demás se ha perdido en el olvido, por lo menos no ha dejado huella indeleble en mi memoria; cuando pienso en la representación tengo, no obstante, una idea grata, buena, como de cuento de feliz final.

En resumen, el repertorio de la Barraca, el que llevó y paseó por los pueblos de España, y el que representó en la Universidad de Santander, era el siguiente, comentado ya, con mejor o peor fortuna:

Cervantes: —*La Cueva de Salamanca, La Guarda Cuidadosa, Los Habladores* y *El Retablo de las Maravillas;* Calderón: —*Auto Sacramental de La Vida es Sueño,* del que a veces se representaba únicamente el primer acto; Tirso de Molina: —*El Burlador de Sevilla;* Lope de Vega: —*Fuenteovejuna, Las Almenas de Toro* y *El Caballero de Olmedo;* Juan del Enzina: —*Egloga de Plácida y Victoriano;* Lope de Rueda: —*Paso de La Tierra de Jauja;* Antonio Machado: —*La Tierra de Alvargonzález;* Romancero: —*Romance del Conde Alarcos.*

El Caballero de Olmedo constituyó la obra número trece del repertorio; si uno fuera superticioso llegaría a pensar que tal número fue el que acabó con la Barraca, pero no fue así, desgraciadamente, sino la serie de eventos, concausas, de aires con sangre, los que terminaron no con la Barraca, sino con un mundo que apenas si había hecho emersión sobre la tierra de España.

No quiero referirme tanto a un acabar forzado por circunstancias a las que no hay posibilidad de substraerse, cuanto al olvido que, posteriormente, se cernió sobre la Barraca en la mente de los que la vieron —gozaron de su espectáculo— y en la idea de los que no la conocieron. Es cierto que todos los que han escrito sobre Federico, y son muchos los que lo han hecho, para bien y para mal, hablan, en mayor o menor medida de la Barraca, pero como de una cosa secundaria, marginal en la vida y en el corazón del poeta. Quizás tengan razón, aunque a mí, como a otros que formaron el equipo teatral que se movió a las órdenes de Federico —universitarios todos, clasistas, en cierto modo—, para mí, haya sido raíz y hoja, tierra húmeda y fruto.

Oí no hace mucho una charla sobre los grupos teatrales de hoy día —teatros dichos independientes—, con diferentes tendencias, generalmente las llamadas progresistas. En dicha charla se hacía una introducción hablando de los principios, del inicio, de la raíz de tales teatros de ensayo; pues bien, no se mencionó a la Barraca, no digo ya como fuente, como hontanar de renovación de viejas fórmulas, de olvidados cauces, sino ni tan siquiera como hito perdido en la inmensa llanura del tiempo ido. No duele el polvo del olvido, sin embargo; las pequeñas células del organismo siguen su diminuto funcionar sin derramar ni una sola gota de linfa, ni una lágrima. Pero si alguien quiere hacer una historia de o sobre el Teatro, hará bien en enterarse de lo que la Barraca trató de hacer y logró hacer, que no fue poco.

Algunos antiguos componentes de la Barraca hemos proporcionado toda clase de detalles a gentes interesadas en reconstruir la estructura del teatro español durante los años que precedieron a nuestra contienda; sé positivamente, que en la Universidad de Barcelona se ha leído una tesina sobre la Barraca y que en Estados Unidos, ha sido aprobada una tesis doctoral sobre el teatro de Federico y de Casona en su aspecto itinerante por las tierras de España; la Barraca y Misiones Pedagógicas, y esto lo digo yo, fueron como apéndices valiosos de lo que fue capaz de llevar a cabo, entre otras cosas, la mentalidad que se apoyaba en las directrices de la Institución Libre de Enseñanza. Y si es verdad que hoy todo está olvidado, no es menos cierto que, en su día, fue capaz, y ampliamente, de llevar un poco de cultura a los que ignoraban incluso lo que la cultura fuese.

Todavía recuerdo, sí lo recuerdo, cuando Obradors y Ugarte estaban entre las cortinas, haciendo de transpuntes; todos nos sabíamos, más o menos las obras de arriba a bajo, pero allí estaban ellos; sólo más adelante, cuando el Fénix cumplió su tricentenario, cuando Federico prefirió *La Dama Boba* a *El Caballero de Olmedo,* hizo su aparición la concha del apuntador en nuestro limpio tablado; tal vez eso fue el primer estertor de su muerte; poco a poco, ya lo he dicho, nos fueron dejando actores fundamentales. Recuerdo que se decía entre los del grupo: —«Todos somos necesarios, pero ninguno es imprescindible.»

Tal vez sea cierto; las cosas suceden a las cosas y el orden del Universo, si es que el Universo tiene un orden, parece que no se altera demasiado por ello; incluso si desapareciera toda la especie humana —la máxima complejidad conocida, la mayor entropía negativa de que tenemos noticia—, la tierra, el planeta tierra, no alteraría ni un grado su sempiterna trayectoria; pero dejadme que os diga que cuando se trabaja en equipo, como nosotros lo hacíamos, puede que no todos seamos necesarios, pero todos somos imprescindibles; éste y no su inverso, es el enunciado que cohonesta con la realidad; no nos damos cuenta de cuándo una preforma va, poco a poco, dando lugar a una forma y ésta, ulteriormente, a una postforma; pero preforma y postforma son ya dos especies diferentes, en las que una ha olvidado su semilla y la otra la esencia del recuerdo. Y que el paso de una a otra cosa, el mecanismo de esa sucesión, se hace precisamente cuando, trabajando en equipo, como lo hacíamos, unos miembros se van y dejan paso a otros; parece como si un poco de ceniza fuera llevada por el viento a otros lugares, ceniza procedente de desmoronamientos casi imperceptibles, pero desmoronamientos, al fin, decisivos. La Barraca se desmoronó, se acabó, murió precisamente porque todos éramos imprescindibles. No le busquéis una tumba, ni una lápida ni un mausoleo. ¿Hubo circunstancias que facilitaron esa muerte? Sí, las hubo: la Barraca era la Barraca y su circunstancia. Y eso, por lo visto le ocurre a cualquier cosa que fluye. *Panta rei.* Seguramente, Heráclito sabía que nadie puede bañarse dos veces en el mismo río de la Barraca.

CAPITULO 4

La formación de los actores

Querría, aunque comprendo que esto es muy difícil para mí, indicar, dar cierta medida, de cómo Federico formaba a sus actores universitarios, esto es, a nosotros; yo he montado, dirigido alguna obra —muy modestamente— y sé lo difícil que es llegar a buen término; quiero decir, nuevamente, dos palabras acerca de lo que es *Gestalt,* tal como la definen los psicólogos de la forma; una obra está conseguida, según tales hombres de ciencia, cuando no se puede quitar ni añadir un rasgo, un pequeño rasgo que apenas quepa en un diente cariado, en el hueco de un pelo. Si existe la posibilidad de quitarlo o añadirlo, entonces la obra no está verdaderamente bien montada. *Gestalt,* ya lo he dicho, quiere decir forma o figura, pero, en todo caso, es lo que nos aparece siempre con carácter de inmediatez; no vale pensar en ella; la forma está ahí y nos coge o nos sobrecoge de modo instantáneo, siempre, por supuesto, que nos encontremos en el «ámbito de información» en el que la forma se presenta. Una obra de teatro es una forma; su realización es una forma, su interpretación es una forma; todas esas formas tienen que coincidir en una sola forma para que la obra de teatro sea eso, una obra de teatro y no algo desvaído sin unidad ni meta.

Parto, pues, de la idea de la forma para explicar —tratar de explicar— cómo Federico conseguía el auténtico *Gestalt* que cautivaba a los que lo presenciaban, aunque fueran rudos labradores o enemigos declarados de la labor que realizábamos; ya fueran intelectuales de campanillas, actores profesionales o directores de teatro, todos quedaban arrobados, mejor dicho, arrebatados, por los *Gestalten* de Federico en materia de Teatro.

¿Qué es, en qué consiste, la formación de un actor que merezca el nombre de tal? Puede pensarse, en primer lugar, y de modo superficial, en una serie de posibilidades vitales como *conditio sine qua non* —sobre las que tiene que trabajar la función directriz, la norma (unción por la gracia teatral, diría yo, por el santo óleo de la representación escénica). Y también, y muy importante, la capacidad de estudio encarnizado, la paciencia, el dominio de sí mismo, la fuerza de carácter, la elegancia de sentimientos y, por supuesto, la suerte, no pequeña, de encontrar un director que sepa aprovechar todas estas cualidades, una cultura que no necesita ser amplia, incluso un buen director puede conseguir que un animal haga un Hamlet como una rosa o un Segismundo como un geranio. Y es porque, a veces, la cara no es el espejo del alma y se pueden tener cuerdas vocales capaces de todos los registros posibles, se pueden tener ademanes y movimientos convincentes y flexibles, se puede ser un magnífico histrión —a menudo inflado de vanidad—, y ser un perfecto imbécil. El material, para un director, no consiste tanto en el manejo de la inteligencia del actor, cuanto de otras cualidades —algunas de las que he dicho—, que forman *sensu estricto* al actor. Por otra parte hay modos y modos de formar actores.

Cuando Federico García Lorca puso en escena *Bodas de Sangre,* la protagonista era, me parece, Josefina Díaz Artigas, damita encantadora de aspecto y muy guapa; ocurría, sin embargo, que estaba acostumbrada a otro tipo de teatro, al de los Quintero, por ejemplo, y no entraba en el de Federico. Jamás vi a éste dar voces a un actor de la Barraca, aunque recitara como un leopardo. Federico era la paciencia en persona cuando trataba de mover los hilos que conducirían a los personajes a la acción teatral perfecta. Sin embargo, parece ser que con Josefina Díaz Artigas las cosas transcurrieron de otra manera:

—¡¡No!!, eso no es recitar; cualquiera de mis actrices de la Barraca lo haría mucho mejor.

Josefina se puso a llorar como una Magdalena; seguramente, y a lo largo de su vida teatral, no le había ocurrido una cosa semejante.

—Pero si yo... —sollozaba.

—Llorar es muy fácil —apostilló implacable Federico—; cualquier mujer podría hacerlo mejor que tú.

Más o menos, así empezó la lidia en serio de Federico con el teatro profesional, pero con nosotros no era lidia, sino *ludus* (aunque tal vez lidia venga de *ludus),* algo así como juego; con nosotros podía imaginar lo que se le ocurriera en tal o cual momento; con nosotros estaban abiertas las puertas de todos los campos.

Es cierto que ha habido, hay, excelentes directores de teatro, capaces de hacer hablar a la madera de los árboles y al pequeño cobre de los cables eléctricos: Stanislavski, Rouché, Antoine, Copeau, los Pitoef, Max Reinhardt, Hans Rothe, Luis Escobar, los Quince, etc. Pero no puedo ocuparme de ellos ni tampoco tendría interés que hablara, por ejemplo, de Erwin Piscator al tratar de la Barraca. Por otra parte, no estoy muy seguro de que Federico, aún leyendo y leyendo sin cesar, se inspirase en los directores aludidos.

Federico exigía que nos aprendiéramos no nuestros papeles, sino la obra entera; no se trataba de posibles substituciones en un momento dado —cosa que podía suceder—, sino que, para él, no podía salir bien una pieza teatral si no era conocida en todos sus pelos y señales por los que la representaban; sólo podía establecerse la melodía cuando todas las notas estaban en el pentagrama.

Como consecuencia nos hacía estudiar; repetir los ensayos una y otra vez no representaba fatiga ninguna para él; sin embargo sabía que no era bueno insistir demasiado —sin cesar y sin medida—, sobre lo ya sabido, sobre lo que se ha convertido, a fuerza de ensayos, en algo familiar, en algo que parece que forma parte de uno; sabía de la conveniencia de olvidar ciertas cosas —olvidar un poco, solamente—, para que cuando volvieran a salir al aire del escenario —que es otro aire—, aparecieran como recién nacidas, espontáneas —no *naives*— Federico quería frescura de primavera, actores lúcidos que bailaran las obras con ágiles pies.

Seguramente, pero esto no puedo afirmarlo sin reservas, Federico dirigía de manera diferente a unos y otros actores, según las posibilidades de cada cual, pero no lo hacía intuitivamente, sino con profunda seguridad; si nos hacía aprender la obra entera, era, precisamente, porque sabía que de este modo se crearían en nosotros estados automáticos y que estos estados, precisamente, nos impedirían la menor vacilación cuando ésta pudiera producirse; hay momentos, en cualquier representación, en los que no es válida la menor vacilación; un titubeo de décimas de segundo, un estar un metro más a la derecha o a la izquierda que lo que la acción requiere, pueden *per se,* dar al traste con la escena más ensayada. Y, por otra parte, los titubeos, las vacilaciones, pueden ser contagiosos y desorientar al personaje *partner,* con lo que puede originarse el derrumbamiento de la representación.

¿Que cómo sabía todo esto Federico? Simplemente porque lo aprendió paso a paso a través de una experiencia que seguramente se inició cuando, niño de pocos años, representaba ante las muchachas de servicio el Sacrificio de la misa; porque asistía al teatro y estudiaba las representaciones que veía, advirtiendo tantos fallos como virtudes y, desde luego y en primer término, porque tenía un talento genial que le permitía percibir el susurro de la brisa y discriminar la pisada del insecto. Y, la verdad sea dicha, esto no se adquiere sino que se nace con ello; puede, eso sí, mejorarse, y a esa labor de perfección progresivamente creciente, dedicó Federico las mejores horas de su corta vida.

Había un director extranjero, Salvini, que aseguraba que sólo se es gran actor cuando uno se deja arrastrar, digamos, por su papel, esto es, cuando involuntariamente vive su personaje, sin saber incluso lo que le sucede, sin pensar en lo que hace, ya que la intuición le guía automáticamente. Salvini añadía que el personaje debe ser lleno, habitado por sus propios sentimientos —los del personaje, quiero decir—; de este modo puede vivir sus emociones no solamente una o dos veces, sino las miles que pueda representar una obra.

Es evidente que hay que obrar con el personaje, esto es, de acuerdo con él, pero no hay que olvidar que el trabajo del actor, y eso lo sabía muy bien Federico, es puramente interpretatorio; lo de la sediciente creación del personaje, de un personaje dado, por el actor, es puro cuento en el que sólo los endiosados creen; lo que ocurre es que hay actores mejor dotados, excepcionalmente dotados, así como hay otros, los desdichados, que más les valía quedarse en la cama que pisar un escenario.

Bien, Federico procuraba que el juego del actor fuera lógico y estuviera dotado de coherencia interna; de este modo encajaba profundamente con el juego de los demás actores en no importa qué situación o circunstancia; no estoy muy seguro de que creyera que el actor debe volcarse, por así decirlo, en el personaje que representa, esto es, adaptarse a sus propias cualidades humanas, —vivirlas, en una palabra— y poner en ellas la propia alma; Federico pensaba que la interpretación, si ha de ser buena, ha de estar por encima de la auténtica emoción; la emoción debe fingirse a sangre fría, sabiendo en todo momento lo que se hace y dando, también en todo momento, la impresión de que la emoción se adueña del personaje que uno representa. De esta manera, se puede crear una vida más profunda en lo representado, dotarla de esas pequeñas esquinitas que se clavan en los ojos abiertos del espectador sorprendido. Pero no se olvide nunca que creación no es interpretación; ambos conceptos pertenecen a distintas categorías de la mente.

Hay, cómo no, quien aconseja que se ensaye en la intimidad de la alcoba, delante del espejo; parece ser que eso tiene un peligro grande, ya que se observa lo exterior de lo representado y lo que hay que tener en cuenta es la interioridad de lo que se juega; para nosotros, y siempre fue así, el espejo era, en todo caso Federico, quien nos decía que tal o cual gesto no debía hacerse, que las interrogaciones no tenían que acusarse (por ejemplo: —¿Quién lo dirá como yo, siendo mis ojos testigos?) (En la vida real, en una conversación, como se comprende, la interrogación no tiene signos gráficos que la marquen, de manera que el que interroga: —¿dónde estuvo Vd. esta tarde?, por ejemplo, ha de dar una entonación especial a la frase para que se sepa lo que quiere decir). Pues bien, esa interrogante recargada sobre la última o últimas palabras de la frase, había que suprimirla en el teatro porque producía impresión de amaneramiento. Teníamos entonces que conseguir la intención valorando cada palabra con exquisitez y, de este modo, la interrogación, aún siéndolo, quedaba sin su acento cantarín.

No obstante, Federico no acostumbraba a corregirnos a menos que cometiéramos errores profundos; nos indicaba, previamente, cómo habíamos de decir y hacer, dejando a nuestra espontaneidad el resto; de este modo conseguía siempre la impresión de frescura —poco frecuente, por otra parte, en los teatros profesionales— tan grata al espectador.

Ya he dicho antes que si Federico tuviera que montar en la actualidad las obras de entonces, pudiera suceder, en primer lugar, que las obras fueran otras y, en segundo, de ser las mismas, el montaje sería completamente diferente; no mejor ni peor, sino distinto, debido a los estímulos de la circunstancia; no se olvide, por otra parte, aunque esto duela en el fondo de las raíces, que entre el teatro que montó, que ideó, pensó, imaginó y llevó a cabo Federico hace cuarenta años y el que en la actualidad se hace, hay un encrespado mar de sangre, cuyas olas baten todos los acantilados posibles, los ensoñados y los reales. Y ese mar duro, doloroso, a las veces corrosivo como el más feroz de los ácidos, tal vez hiciera que las cosas del primer término se disolvieran en las brumas de las lejanías; nuevos aspectos han aparecido, han hecho irrupción, en el mundo de la plástica y, por ende, en el del teatro, que también es plástica; ¿qué haría, cómo haría, para quién haría, desde dónde haría, ante qué haría teatro Federico?

He hablado del repertorio de la Barraca; salvo la escenificación de *La Tierra de Alvargonzález* —en romance—, en general nuestro teatro, descartados los Entremeses y el Paso de Lope de Rueda, se decía en verso (por supuesto, *La Tierra de Alvargonzález* también); ahora bien, el verso no es un modo natural de hablar entre la gente; para que las conversaciones y los recitados de los personajes resultaran naturales, a la vez que se respetara el verso en el que fueran escritos, había que dar a la acción un ritmo —a veces hasta una rima— que contrapesara lo antinatural de decir en verso lo que en la vida es pura prosa. El teatro, para nuestros clásicos, era mera ficción y a la ficción se la podía vestir con octosílabos o con alejandrinos sin merma de los efectos, tal vez acentuando esos efectos. Pero se puede vestir al modo moderno *Fuenteovejuna,* por ejemplo; ya es más difícil ponerla en prosa si se quiere respetar la intención de Lope; como quiera que no tengo a mano ningún libro de Vossler o de Montesinos, dejaré sin tocar esta cuestión; lo que sí quiero hacer constar es que, hasta el año 1936, por lo menos, se podía llevar a la escena toda la obra del llamado siglo de oro sin que la gente se aburriera —por lo menos sin que se aburriera mucho—; de hacerlo hoy, y la empresa no es faena mollar, habría que dar a la obra carácter de espectáculo, al modo de una ópera —o bien aprovechar una intención determinada que hiciera vibrar al pueblo.

Hay que reconocer que nosotros hacíamos teatro de aficionados, esto es, no conocíamos todos los resortes del oficio, la cocina que un profesional debe poseer; el mismo Federico andaba, seguramente, horro de ciertos aspectos de la profesión (por ejemplo, nunca nos explicó el modo de impostar la voz); estábamos desencajados del armazón, de la compleja mecánica que, *velis nolis,* acompaña a todo proceso profesional, sea éste creador o interpretatorio —o las dos cosas—; pero también hay que decir que, para nosotros, los actores de la Barraca, el teatro, nuestra misión —que misión era— constituía algo fascinante y suplíamos, con las leves indicaciones de Federico y de Ugarte, aquello que los profesionales tardaban, tal vez, años en aprender.

Recuerdo, hace años, cuando se ponía el *Don Juan Tenorio* de Zorrilla, en no sé qué día señalado, el de los Difuntos o algo así, la gente iba a ver cómo lo interpretaba Borrás, o Guillermo Marín o Armando Calvo, o no importa quién. Pues resultaba que para algunos el mejor

Don Juan era el de Borrás, en tanto que para otros era el de Díaz de Mendoza, etc. Lo mismo podía ocurrir con el Hamlet, o con el Segismundo: la gente comparaba como podía hacerlo —y aún lo hace— entre un matador de toros y un matador de toros y un matador de toros. Evidentemente, el encargado de llevar a cabo la farsa —ya fuera antigua o moderna—, era el farsante; se trataba, pues, de saber quién era el mayor farsante —no sé filología, pero falsa, ¿no tendrá la misma raíz que farsa?— quiero decir que aquel que falseaba en mayor medida su propia autenticidad resultaba ser el farsante número uno; eso constituía un mérito, claro está, pero, al mismo tiempo, nos hace ver cómo el teatro es pura ficción, puro mundo aparencial en el que aquel que mejor daba gato por liebre, resultaba ser el mejor actor.

Federico nunca nos reunió para darnos lecciones de buen hacer teatro; seguramente consideraba que la labor interpretatoria es de segundo rango dentro del contexto del espectáculo, aunque sea lo que sobresale del mismo; Federico no nos habló nunca de los contenidos o signos convencionales que representan moldes preparados, recetas que para todos sirven; lo único que hacía Federico y eso creo yo que sin proponérselo, era comunicarnos una pequeña parte de la hipersensibilidad que le rodeaba, que le llenaba.

No hay duda, pienso, de que la obra de arte es producto de la imaginación; los mecanismos en virtud de los cuales la imaginación produce una obra de arte son harina de otro costal y, por supuesto, no me ocuparé de ellos. Pero si el arte es producto de la imaginación, el fin, la meta del actor, consistirá en servirse de una técnica dada, definida, para transformar la obra en una realidad dramática; para ello el actor tiene, por supuesto, que poseer también, aunque sea en grado mínimo, una imaginación dada y definida, ya que cada uno de sus movimientos sobre el escenario, hijos de aquella, tiene que transmitirse, pleno de sentido, al espectador.

Federico nos enseñaba a concentrarnos sobre lo que hacíamos; sin una concentración suficiente es difícil que el personaje «resulte». Pero Federico nos enseñaba a concentrarnos no por la concentración misma, sino porque sabía hacernos ver las bellezas de las obras a interpretar, bellezas que tal vez, sin el subrayado del poeta, nos hubieran pasado desapercibidas; nos concentrábamos, pues, para realzar lo bello, para que el espectador gozara con lo que goce era para nosotros.

He dicho cómo Federico, que había suprimido la concha del apuntador, nos obligaba a aprendernos las obras enteras, no sólo para que no falláramos en nada, sino para que percibiéramos la belleza de la obra en toda su integridad; con ello, además, conseguíamos un grado suficiente de relajación que nos permitía fingir todos los estados de ánimo a representar. Es cierto que en los estrenos había un claro grado de tensión, debido a la ignorancia en la que todos estábamos sobre el éxito o el fracaso —el porvenir, en una palabra— de la obra montada; disipada la incertidumbre, la relajación sobre el escenario nos permitía la correcta soltura del juego escénico.

Stanislavski, creador del teatro de arte de Moscú, uno de los grandes nombres del teatro contemporáneo, propone nueve objetivos como norma; en ellos recalca cuál debe ser, en qué debe consistir, la actividad del actor. Digamos:

1.º Permanecer en los límites de la escena; dirigirse a los demás actores, jamás al público.

Ciertamente, los límites de la escena son los límites del actor; la clasificación que hace Ortega sobre las personas que se encuentran en el teatro durante una representación en activos, los actores, y pasivos o recipiendarios de información, el público, es absolutamente acertada; sin embargo, ocurre, en ciertas obras, en las que es necesaria la colaboración, incluso directa, del ser pasivo, del espectador, del que, con mejor o peor fortuna, se dedica meramente a contemplar y a oír. En realidad, la relación actor-espectador exige un cierto grado de *feed-back,* como diría un cibernético, una corriente afectiva de ida y vuelta, entre la persona pasiva y la activa, corriente que es *conditio sine qua non* para que la obra tenga éxito. Pero, en líneas generales, el actor está en un sitio bien definido sobre el que convergen luz y miradas y el público en otro, no menos definido, hacia el que llega la voz, el gesto y el ademán del que se encuentra en el otro lado. Con la Barraca ocurría esto; Federico nos definía: colocaba lindes y lindes bien precisos, al papel de cada actor. Y, sin embargo, más que a los demás actores, nos dirigíamos al público; queríamos que se riera o que llorara, que participara, en una palabra, de nuestra aventura escénica; para todo ello, y Federico lo sabía aunque no lo definiera por su nombre, era necesario el establecimiento del *feed-back,* esto es, de la retroinformación que parte, en todo caso, del espectador, del ser calificado como pasivo por Ortega. El actor-activo se mueve en virtud de las directrices que su papel le marca; cómo ponga de plano esas directrices, corresponde a la faena interpretatoria y, por ende, a la dotación, mayor o menor del actor; pero si la retroinformación que el actor percibe como ser espectador-pasivo es negativa, puede ocurrir que todo el tono de la obra baje hasta el punto de hundirse. No me refiero a los casos extremos —pateos o aplausos excesivos—, sino al desarrollo normal de los actos de una obra teatral. De no existir un *feed-back,* una retroinformación positiva, en virtud de la cual el actor ajuste su conducta de intérprete a un a veces no bien definido sentir del público, la obra mejor montada se hundirá en el fracaso. Ello no nos ocurrió nunca a nosotros.

2.º Ser absolutamente personales pero, sin embargo, adecuar nuestras características a las del personaje a representar.

Eran Federico y Ugarte los que montaban las obras; evidentemente los personajes que ellos imaginaban al escoger el repertorio no coincidían, seguramente, con los que los propios autores del siglo de oro pensaran.

Lo que Federico y Ugarte nos transmitían era la idea que ellos tenían de un personaje —personaje no creado por ellos— y lo que nosotros trasladábamos a la escena era la imagen de la imagen, esto es, lo transmitido, pero, a su vez, transformado por nosotros mismos. Se trataba, pues, de una triple elaboración: la prístina del autor, la recreada por Federico y por Ugarte y, finalmente, la que nosotros llevábamos a la escena. Adecuar, como Stanislavski piensa, nuestras características a la del personaje a representar, cuando éste camina por tres canales —y todo canal en informática es portador de ruido— no es posible de ninguna manera, cuando se trabaja con personajes de otra altura y tono —que diría Ortega— de tiempo, de nivel vital.

3.º Ser creadores: crear un personaje vivo, pero expresado bajo una forma artística.

Sobre esto, creo que Federico no se equivocó jamás; sus personajes eran vivos, aunque, en algunos casos resultaran figuras de ballet. Las marionetas, los muñecos de guiñol, son también personajes vivos que se manifiestan siempre bajo una forma artística, lo que no tienen las marionetas es sangre ni pequeños huesos que se proyectan en el futuro. Y si el arte, *a fortiori,* es una manifestación de vida, la vida no es, seguramente, en todo caso, manifestación artística. El punto tercero de Stanislavski es, por lo mismo, controvertible.

4.º Ser reales, vivos y humanos, no muertos, convencionales ni teatrales.

Pienso que sobre esto Federico discutiría ampliamente, sobre todo si se toma en consideración, y hay que tomarlo, el teatro surrealista, lleno de simbolismos de Federico. En todo caso, ¿qué es ser real en teatro?, ¿qué es ser humano? Sobre todo hay veces en las que es conveniente pasar al reino de la fantasía si se quiere de verdad transmitir correctamente la información de la obra. En cuanto al convencionalismo y al teatralismo que Stanislavski parece abominar, creo, y estoy seguro de que Federico lo creía igualmente, son cosas que forman parte de la «cocina», de la subtécnica teatral que resultan, a veces, imprescindibles.

5.º Ser capaces de dejarnos seducir y emocionarnos.

No hay nada que oponer a este punto; quien carezca de sensibilidad, difícil es que pueda representar con éxito; de todos modos insisto en que no hay que confundir la sensibilidad con la inteligencia.

6.º Ser verdaderos, pero de tal manera que vosotros, los *partners* y el público, crean de verdad que sois verdaderos.

Me imagino que Federico no tomó nunca en cuenta esta regla teatral de conducta, porque el teatro es ficción; la «verdad» que un buen actor tiene que transmitir es la verdad de la ficción que está representando y ésa tal vez no sea la verdad real; el término «verdadero» parece poco

Por los secos y pardos caminos de España. La «Bella Aurelia».
(Cortesía de la Galería Multitud).

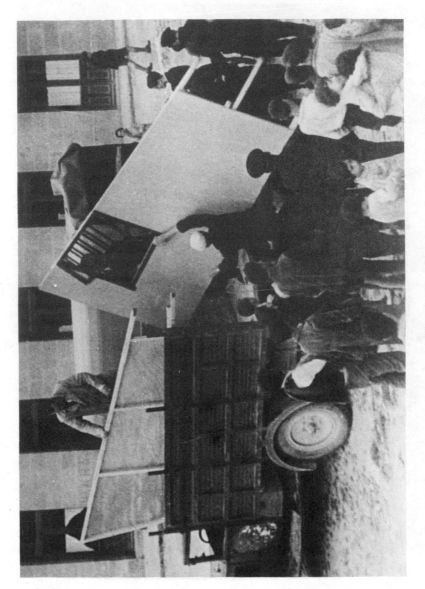

Descargando el decorado.
(Cortesía de la Galería Multitud).

Todo dispuesto para *La Cueva de Salamanca*. Federico en segundo término, arriba. (Cortesía de la Galería Multitud).

Asistentes del elenco al almuerzo ofrecido a Federico por sus triunfos en Buenos Aires. Merendero Biarritz. Pagó el homenajeado. (Cortesía de la Galería Multitud).

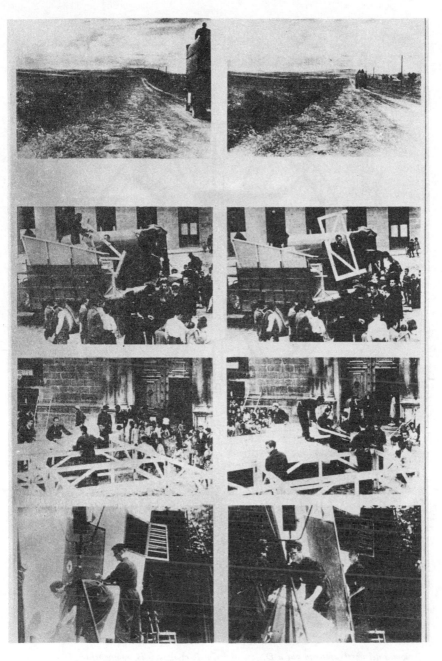

Montando el tablado en el pueblo de turno.
(Cortesía de la Galería Multitud).

Xerocopia del nombramiento que a D. José M.ª Cossío otorgamos los componentes del elenco. En su virtud, pasó a ser «barraquito honorario». Año de 1933.

definido por Stanislavski; es posible que quiera decir consecuente con la
ficción que el actor representa, sea esta ficción verdadera —verosímil—
o no.

7.º Discriminación y adaptación al papel encomendado. No tolerar
ninguna imprecisión, de manera que la figura del personaje y la trama
que representan puedan adivinarse.

Con esto Federico sí estaba de acuerdo; definir es poner límites; los
límites, para Federico, eran los de la correcta adaptación al papel, de
manera que éste quedara claro y sin sombras. Por otra parte, hay modos
y modos de adaptación: Federico buscaba siempre la idónea.

8.º Que el contenido del papel a representar no lo sea en superficie,
sino en profundidad, esto es, la verdad del contenido del papel, etc.

Como quiera que Federico nunca tuvo bajo su dirección a tipos
vulgares, sino a gente que, como estudiantes universitarios, poseían un
grado de cultura suficiente, no tuvo jamás que adentrarse en esa normativa;
los papeles se representaban siempre en profundidad, si bien el actor se
daba cuenta de que estaba representando un papel.

9.º Ser activos, con el fin de estimular el propio juego escénico.

Bien, nada tengo que decir sobre esa norma. Pienso, no obstante, que
Stanislavski no define claramente lo que entiende por actividad; en teatro
—ya he comentado la división de Ortega— el actor, por esencia, ha de
ser activo; lo que no está claro es la medida de tal acción, el grado en el
que uno deba moverse; en el teatro hay escenas muy movidas
que contrastan con otras en las que los personajes se convierten
casi en estatuas, sin que ello añada o reste dramatismo al evento
escénico.

Si me he referido a Stanislavski —lo mismo hubiera podido referirme
a otro gran director—, ha sido, simplemente, para contrastar dos norma-
tivas y acentuar, sobre todo, la de Federico; bajo la de él nos movimos en
cuanto actores de la Barraca y, como es natural, para nosotros resulta la
válida; no es que yo quiera poner en duda el genio teatral de otros
muchos directores, pero bajo la batuta de Federico, todos nosotros, el
equipo —que equipo éramos— de la Barraca, consiguió sus estupendos
triunfos allí donde actuó. Si yo fuera filósofo podría hacer una medita-
ción sobre el aplauso; con el aplauso el ser activo del teatro cambia de
actitud, del mismo modo que lo hace el ser pasivo; la información pasa
de unas manos a otras y se convierte en pura inermidad —no hay
tomates, por ejemplo para tirar al actor—, pura inermidad en movimiento, puesta en acción por la gracia de lo presenciado.

No puedo hablar de cómo dirigía Federico los ensayos de sus propias
obras —obras que, naturalmente, le habían brotado de su propia sangre—, ni las del Club Anfistora. Federico poseía una enorme sabiduría
teatral que había aprendido viendo y pensando; trabajando, y duramente,
en esa trayectoria artística; nada le había sido regalado salvo la autenticidad de su arte —que nació con ella— pero aun esa misma autenticidad

tuvo que someterla a revisión cuantas veces se le plantearon problemas escénicos.

Federico, al parecer por lo menos, no poseía una normativa determinada, un sistema artístico teatral, tal como lo poseen muchos grandes directores de teatro, para los cuales la obra escénica ha de atenerse *nolens volens* a unas reglas que la elevarán a la categoría de obra artística. Federico improvisaba, o parecía improvisar. ¡Ay del pintor que no sepa borrar, que no borra nunca! —decía un gran pintor cuyo nombre no se encuentra en mi memoria. Tal vez nadie lo dijo, ni grande ni pequeño pintor. Federico borraba; independientemente del estudio que hiciese en soledad de la obra, ocurría que algunas escenas las modificaba, otras las improvisaba en el momento, en tanto que otras las dejaba en suspenso para mejor ocasión. Me estoy refiriendo a los ensayos de la Barraca. Imagino que no sería para él lo mismo dirigir una obra gestada por él, que otra ideada por Tirso o por Lope; tal vez, aunque no lo sé, con su propia obra no se permitiera ninguna licencia y la ensayara tal como la había pensado, exactamente del modo como fuera germinando en su interior, pero Lope o Calderón eran otra cosa y ahí sí cabían licencias; y cabían simplemente porque para que Calderón Lope o Cervantes tuvieran vigencia, había que recrear a Cervantes, a Lope o a Calderón; y ahí es donde Federico borraba a veces; ahí es donde improvisaba y ahí es donde paraba la acción para ver más tarde lo que haría.

En todo caso, Federico contó siempre con actores que no solamente le querían como al hermano mayor, sino que le admiraban profundamente; nadie en la Barraca se molestó si Federico corrigió algún modo de hacer que no le gustaba; por el contrario, ese personaje corregido se esforzaba siempre en llegar a la altura de lo que de él se esperaba y se deseaba. Trabajar con Federico constituía un deleite del que nosotros, tal vez por ser estudiantes y estar dotados de cierta cultura —incipiente por entonces— gozábamos plenamente; amábamos también el arte en sus distintas manifestaciones y amábamos también la vida —vida entendida como ascenso a más altos niveles vitales—. Aún proviniendo casi todos los actores de la Institución Libre de Enseñanza, no compartíamos la tesis de Zulueta de que la vida debe constituirse en obra de arte; distinguíamos entre ambas cosas y querer mezclarlas nos parecía una sofisticación falsa e, incluso, peligrosa.

Cuando hablo de Federico, debo añadir, en todo momento, el nombre de Ugarte; Ugarte fue su más entrañable colaborador y su talento teatral era extraordinario; ambos llevaron a cabo la empresa que culminó en la aventura de la Barraca y no se puede desligar al uno del otro; pero Federico era el poeta, era la gracia, era el duende, lo que confería, en una palabra, carácter de aventura, de rica aventura a lo que hacíamos, que fue bastante, aunque se haya disuelto en el aire de la Nada.

Desearía pensar si la Barraca, como teatro en cierto modo independiente, dejó el terreno sembrado para futuras —hoy incluso pasadas— acciones teatrales. No me es fácil hablar con precisión en ese terreno, como tampoco lo ha sido para mí hablar en otros; nada más difícil que decir las cosas como son, en su pura esencia, en su amable «quididad», que diría D. Xavier Zubiri; el caso es que me atosiga el hecho de saber si la Barraca, además de ser amiga de los pobres, de los que jamás tuvieron ocasión de oír a Lope o a Cervantes, de ver a los cómicos instalarse en sus plazas, de admirar decorados sintéticos y de oír versos lustrales, además de todo eso, digo, fue simiente, semilla de lo que después, muchos años después, haría eclosión en la escena española.

Misiones Pedagógicas marcó un hito que recogió la llamada Sección Femenina de la Falange para seguir una tarea que estaba marcada de antemano; quiero decir que, previamente, Torner, de la Residencia de Estudiantes, Benedito, del Instituto-Escuela, el mismo Federico, ya habían recogido, al lado de otros musicólogos etnólogos, la riqueza de nuestro folklore; la Sección Femenina no hizo sino continuar las directrices marcadas, pero con mayor riqueza de medios. A Alejandro Casona y a sus huestes le son debidas muchas, muchísimas cosas, pero ésas, como la labor de la Barraca, se cubrirán con el polvo del olvido; polvo y polvo que sin cesar cae, que nos atenaza, que nos cubre y del que nadie se librará, porque la misión del polvo no es recordarnos nuestro origen —en realidad somos un poco de agua y un poco de limo— sino cubrirnos, como la capa pluvial cubre al obispo de Valdés Leal.

¿Raíces? La Barraca, la labor de la Barraca, ¿constituyó raíces de las que brotaran posteriormente los grupos teatrales que hicieron emersión en nuestra península?

Ya he dicho que José Caballero, uno de los mejores pintores que yo he conocido, recogió la antorcha de la Barraca y, con el Teatro la Tarumba, siguió la senda que Federico había trazado; José Caballero entregó el relevo a Luis Escobar, hombre excepcionalmente sensible, que montó autos sacramentales en los atrios de las catedrales españolas.

El ejemplo, pues, estaba ahí; no había sino seguirlo, ya que innovar cuesta mucho más aún, en el supuesto de que uno sea capaz de innovar, esto es, de torsionar la mente en determinado ángulo.

Nombraré, sin detenerme en su labor, ya que éste no es mi propósito, los grupos teatrales que me son más o menos conocidos después de que la guerra marcara una sima entre dos épocas: T.E.U., siglas del Teatro Español Universitario; empezó siendo un teatro del Movimiento, pero acabó poniendo obras de Bertold Brecht y algunas adaptaciones de Ray Bradbury; éstas fueron dirigidas, si mi información es cierta, por Miguel Pizarro en 1965-68. Creo que, en estos momentos no existe ya.

En Cataluña surgió, inicialmente especializado en mimo, el grupo llamado Els Joglars. Tal vez nació, pero no puedo asegurarlo con certeza, en 1969.

He de hablar de Los Goliardos, grupo que ha representado con una dignidad extraordinaria, obras difíciles en difíciles momentos.

Menciono al T.E.I., actores profesionales que trabajan duramente en el Pequeño Teatro de la calle Magallanes; buscan un sentido de liberación de viejas fórmulas, denuncian, atacan, no descansan, elaborando penosamente obras de vanguardia. La` obras de vanguardia permitidas en nuestro país, se entiende.

Bajo el sentido de aclarar los orígenes de nuestra existencia actual, tratando de —en planos sobre planos— que el espectador tome conciencia de lo que el Teatro es, y haciendo de la farsa algo gesticulante —rítmico—, todo ello dotado de fantasía y dentro digamos, de un «nicho ecológico», acompañado de una música *ad hoc,* surge en Sevilla el Teatro de la Joven Cultura —A.M.J.— teatro del mediodía; que el mediodía no se haga crepúsculo es lo que le deseo.

Tábano: nombre de insecto que, como él, trata de dejar la huella de su paso por la piel de España. Trabajan duramente, independientemente, buscan obras, hacen refundiciones, acoplan música a las obras y todos los actores, absolutamente todos, están vocados a ese teatro libre que rompe normas si normas ha que romper, pero que trata de dar información viva y sangrante al pueblo que de ella necesita.

Además de todos estos grupos, oficiales o no, muchos de los llamados Colegios Mayores han organizado teatro o grupos teatrales (Cisneros, por ejemplo, dirigido por Garrido, que montó poemas de Rafael Alberti, el *Retablillo de Don Cristóbal,* de Federico —hacía de Rosita mi hija Marta—, *El Extraño Jinete;* en este grupo trabajaron mis hijas Alicia, Marta y Margarita.

Vi *El Proceso a Lúculo,* de Bertold Brecht en la Universidad de Madrid en el Paraninfo; en dicha obra, tras cuya representación Nuria Espert recitó magistralmente escalofriantes poemas de dicho autor, trabajaron mis hijas Marta y Alicia; no puedo recordar qué agrupación universitaria se encargó del trabajo; sí sé que tal vez el grupo Cisneros, en el concurso-convención teatral de Nancy, que tuvo lugar con motivo de la anexión de Lorena y de Barrois a Francia, este grupo —formado por universitarios—, obtuvo el segundo premio en dicha competición —año de 1966.

En el año 1968, Juan Antonio Hormigón, de Zaragoza, creó un grupo, al estilo de la Barraca con el que recorrió varios pueblos de distintas provincias. Representaban Entremeses de Cervantes, pero he perdido su pista tiempo ha.

En el año 1971 surgió un nuevo grupo experimental, el teatro llamado Canon que montó varias poesías de Quevedo de forma muy original; tampocó sé lo qué ha podido ser de este grupo, pero me alegraría saber que siguen trabajando con la fe que hay que tener cuando se trata de elevar no importa qué nivel.

Debo citar también a los grupos Bululú, Ditirambo y Caterva que luchan denodadamente por conseguir auténticos y vigentes modos de expresión. Si mi información es correcta, se ha formado una nueva agrupación teatral con elementos pertenecientes a los grupos Els Joglars, Los Goliardos, Tábano y T.E.I., figuras todas ellas relevantes con un gran sentido de la escena que tratan de aupar, en lo posible, la sensibilidad, no sólo del espectador, sino, asimismo, la del crítico.

En León, y mucho más modestamente, desarrolla esporádicamente sus actividades el grupo llamado con el poco sonoroso nombre de Grutelipo (Grupo teatral libre popular); lucha con dificultades inmensas, pero, contra viento y marea, deja de vez en cuando oír su voz, que ya es bastante.

Seguramente existen varios teatros más que, al modo de la Barraca, pero dentro de nuestro contexto socio-político-económico quieren elevar la dignidad teatral hasta donde sus fuerzas se lo permitan; la Barraca, hay que decirlo, quería no sólo romper un orden social teatral convencional establecido, sino llevar el teatro a los que jamás gozaron de un espectáculo semejante, pero llevándoles un teatro vivo, palpitante entre los dedos, como el pájaro que se sujeta, como lo que quiere, en definitiva, volar con las alas desplegadas.

Francisco Rabal, el famoso actor español, pensó en crear, en 1968 un teatro para el pueblo inspirado en la Barraca. Por lo menos el Diario de Barcelona, del día 8 de marzo de 1968, decía lo siguiente: —«Rabal piensa en la Barraca de García Lorca, en el Teatro ambulante de Alejandro Casona y también... en la ultramoderna carpa de Vittorio Gasman...»

Para terminar, aunque mi información es muy escasa sobre este particular, no puedo dejar de hablar de lo que puede llamarse teatro de «barriada» o teatro comarcal. En tal teatro no hay autor, sólo problemas; no es tal o cual señor el que escribe la obra, sino todos los actores que se plantean un problema que afecta sangrantemente al barrio o a la comarca; se trata de un trabajo puramente de equipo que quiere poner, con tremenda hipersensibilidad, en la llaga el dedo, precisamente donde duele el aire y sangra la luz.

Los *undergrounds* de todo el mundo, bajo las ideas iniciales de Cage, Mac Low y Brown, tratan, más allá de Stanislavski, Salvini, Piscator y otros, no de re-vivir emociones, sino de sentirse posesos de ellas, incendiados por ellas, espontaneizados por ellas, puesto que éstas han de surgir, como Palas de la cabeza de Zeus, del contexto planteado en escena (camino de ida y vuelta Beck-Malina ⇆ Cohen Bendit).

Se trata del llamado «*Living Theater*» —que se extiende por todo el mundo— esto es, una especie de retorno a la mesencefalización, a ese alvéolo duro, rígido, sin expansión —donde sólo cuenta la emoción y la sangre—, dentro del cual ha vivido y ha muerto —se ha quemado— el hombre, a lo largo de milenios. Volver al principio, tal vez a la magia salvaje, puede obligar a replantear desde sus orígenes, aportando nuevas soluciones, los problemas de la escena actual.

La Barraca en su tiempo marcó el camino.

«Forse altri canterà con miglior plettro.»

CAPITULO 5

Actuaciones e itinerarios

Inicio este capítulo con la «traducción» de las xerocopias que a continuación se publican y que no son sino los papeles que Federico leía antes de que la representación tuviera lugar. Es posible que alguna hoja se haya perdido, pero ello no quita sentido a lo que a continuación transcribo. Federico prefería leer a improvisar un *speech;* en el bolso llevaba siempre su cuartilla, si bien es verdad que, algunas cosas, a fuerza de repetirlas, no necesitaba leerlas; pero si pretendía explicar el sentido de lo que iba a representar, entonces echaba mano de su papel y, tranquilamente, a la luz de los focos, leía, sin una sola equivocación, esos sus escritos con sus letras de araña vacilante, amplias tachaduras y continuas rectificaciones.

«Pueblo de Almazán: Los estudiantes de la Universidad de Madrid, ayudados por el Gobierno de la República y especialmente por el ministro Don Fernando de los Ríos, hacen por vez primera en España un teatro con el calor creativo de un núcleo de jóvenes artistas destacados ya con luminoso perfil en la actual vida de la nación.

Este grupo hace ahora su temporada preliminar, una temporada de ensayo para que los actores vayan formándose al contacto del público y adquiriendo una cierta soltura precisa siempre aun para las técnicas dramáticas de más rígida interpretación.

Así pues, estas representaciones no son todavía perfectas, pero sí se puede notar en ellas un criterio nuevo de plasticidad y ritmo que serán superados y vencidos con el natural tiempo.

Nosotros queremos representar y vulgarizar nuestro olvidado y gran repertorio clásico, ya que se da el caso vergonzoso de que teniendo los españoles el teatro más rico y hondo de toda Europa, esté para todos oculto; y tener encerradas prodigiosas voces poéticas es lo mismo que cegar la fuente de los ríos o poner toldo al cielo para no ver el estaño duro de las estrellas...»

Otras veces se alargaba: daba así una perfecta, si bien poética lección de Historia y crítica literaria que nos encantaba, no sólo a los que la escuchábamos, sino, y de eso estoy seguro, al mismo Federico que la pronunciaba; su imaginación salía de lo profundo como el delfín saltando sobre las aguas.

«Señoras y señores: Ayer hablábamos del teatro popular del tabladillo del puente sobre el río lleno de historia y del villancico tierno donde España ha puesto su diálogo desde el clavel perfecto de Góngora a la tajada de melón de Murillo y de Juan de la Encina.

Hoy el teatro universitario presenta el auto de *La Vida es Sueño* de Don Pedro Calderón de la Barca. El péndulo teatral español oscila de modo violento entre estos dos mundos antagónicos, Calderón y Cervantes (?), pasando por el drama de Lope de Vega, donde el mal llamado realismo ibérico adquiere tonos misteriosos e insospechados de fresca poesía [*tachado en el original*]. Tonos de vidrio antiguo que se llenan de pronto con yedras de luz y lejanías de nebulosa.

Es el mismo péndulo eterno del arte de España que va de Murillo a Goya pasando por Zurbarán y llegando a Picasso cumbre del arte andaluz universal. El péndulo que va de Cristóbal de Castillejo, Góngora, pasando por Herrera, la melodía entrañable que nace del órgano de Vitoria, gime llena de escarcha y estambres de azucena en la vihuela de Salinas y se rompe como una granada nocturna y azul en las manos de Manuel de Falla.

Pero donde se acusa con rasgos más definidos la curva de ese péndulo, verdadero racimo barroco de uvas y sirenas, es en el teatro. De los colores costumbristas de Cervantes, donde recoge ironizada y asimilada toda la picante sexualidad de la época, hasta el auto de Calderón, está todo el ámbito de la escena y todas las posibilidades teatrales habidas y por haber.

Por el teatro de Cervantes se llega a la farsa más esquemática; él mismo tiene rasgos que hoy se pueden encontrar realizados en Pirandello. Por el teatro de Calderón se llega al Fausto, y yo creo que él mismo ya llegó con El Mágico Prodigioso, y se llega al gran drama, al mejor drama que se representa miles de veces todos los días, a la mejor tragedia teatral que existe en el mundo: me refiero al Santo Sacrificio de la Misa.

Por el teatro popular de Cervantes está el camino humano de la escena; por el teatro de Calderón se llega a la evasión espiritual de todos los valores. Tierra y Cielo.

Tierra Cervantes, tierra pura llena de jugos y raíces y olores y de ansia dramática de vuelo. Cielo Calderón y su teatro, cabeza inteligentísima donde sabemos que hay una paloma encerrada que algún día saldrá por la boca y se perderá por el aire, un aire gris sin matices, antagónico de la pulpa de su poesía, toda columnas salomónicas.

Por eso el teatro universitario, al comenzar sus tareas, todavía modestas y reducidas y, desde luego, imperfectas, porque en ocho meses no se puede hacer otra cosa con muchachos que no son profesionales, ha elegido a estos dos autores, Norte y Sur del teatro, con objeto de subir a lo alto de la escalera donde están los símbolos, desde la primera

Pueblos de Almazán   y especialmente por el nuestro ~~~~ de los Ríos

Los estudiantes de la
Universidad de Madrid ~~~~ apuntados por el Gobierno de la República
crean por ver primera en España un teatro ~~~~ con ~~ el calor creativo
de un ~~~~ de jóvenes artistas destacados y ~~ un luminoso perfil
en la actual ~~ vida de la nación.
Este grupo ~~ hace ahora su temporada preliminar, una temporada
de ensayos, para que los actores vayan ~~~~ ~~ ~~~~ al
contacto del público y adquiriendo una cierta cultura precisa siempre
aun para las técnicas dramáticas de ~~ más rígida interpretación.
Así pues estas representaciones no son todavía perfectas, pero sí se
puede notar en ellas un criterio nuevo de ~ plasticidad y ritmo
que serán superados y vencidos con el natural tiempo.

Nosotros queremos repetirlas y vulgarizar, muerto olvidado y gran repertorio
clásico, ya ~~~ se da el caso vergonzoso de que teniendo los españoles
el teatro más rico y ~~~~ de toda Europa esté ~~~ todo oculto;
y tener encerradas ~~ ~~~~ voces poéticas es lo mismo que ~~~
los fuentes de los ríos ~~ poner ~~ ~~~ toldos al cielo para no ver
el ~~~~ duro de las estrellas.

Hay ~~~~ ~~ ~~. ~~~~ El poco teatro clásico ~~~~
~~~~ visto, ~~~~ bajo una absurda sentimental visión
romántica que ~~~~ a Lope y a Tirso y Calderón y a Velarde
y ~~~~ y a todos, su ~~~~ y su ~~~~ para ~~~~ ~~ al
~~~~ ~~~~ de un dicho

Señoras y Señores: Ayer hablábamos del teatro popular, del tabladillo, del puente sobre el río lleno de historia y del villancico tierno donde España ha puesto un diálogo, desde el clavel perfecto de Góngora a la tajada de melón de Murillo y Tirso de la Cruz.

Hoy el teatro universitario presenta ~~exactamente del~~ auto de la Vida es sueño de Don Pedro Calderón de la Barca. ~~Aquí~~ ~~instituto teatral~~ ~~vida~~ español oscila de modo violento entre estos dos mundos antagónicos, pasando por el drama de Lope de Vega donde el mal llamado realismo ibérico adquiere tonos misteriosos e inesperados, ~~de Toros y~~ vidrios antiguos que se llenan de pronto con gestos de luz y lejanías de nebulosa.

Es el mismo péndulo eterno del arte de España que va del ~~Murillo a~~ Goya pasando por Zurbarán y el péndulo que va de ~~Greco~~ ~~Góngora pasando por~~ Herrera, la melodía entrañable que sube del órgano de Victoria, gime llena de escarcha y entusiasmo se arrecia en la guitarrada de salmos y se sorprende como una granada nocturna en las manos del ~~señor~~ Manuel de Falla.

Pero donde se acusa más... más definida la curva de este péndulo, verdadero raíno barroco de aves y sirenes es en el teatro. De los colores costumbristas de Cervantes, donde recoge ironizado y asimilado toda la picaresca sensualidad de la época hasta el auto de Calderón está todo el ámbito de la escena y todas las posibilidades teatrales hábiles y por hacer.

Por el teatro de Cervantes se llega la prosa más esquemática, el mismo tiene amigos que hoy se pueden encontrar realizados en Pirandello ~~o en Strindberg~~ Shaw.

~~en Strindberg~~. Por el ~~auto~~ de Calderón se llega al Fausto, y yo creo que

el mismo ya llegó ~~por otro tiempo~~ con el Mágico Prodigioso, y se llega

al gran drama, al mejor drama ~~teatro~~ que se representa miles de veces todos los

días, a la mejor tragedia teatral que existe del mundo; ~~todo~~ me refiero

al Santo sacrificio de la misa.

Por el teatro popular de Cervantes está el camino humano de la escena, por

el teatro de Calderón se llega a la evasión espiritual de todos los valores!

Tierra y Cielo.

Tierra Cervantes tierra pura, llena de jugos y de raíces y de olores y de savia

dramática de vuelo. Cielo Calderón, (y su teatro, ~~cielo~~) cabeza inteligentísima

donde sabemos que hay una paloma encerrada que algún día saldrá por la

boca y se perderá por el aire, un aire gris, sin matices, antagónico de la

pulpa de mi poesía, toda columnas salomónicas

~~Esto es~~ Por eso en el teatro universitario, al comenzar sus tareas, todavía

modestas y reducidas y desde luego imperfectas, porque en estos casos no se

puede hacer otra cosa con muchachos que no son profesionales, he elegido estos

dos autores raíz y ... del teatro, con objeto de subir a lo alto de la

escalera ~~desde la misma~~ barandilla donde están los símbolos, desde la primera

barandilla; barandilla donde están los ~~tapices~~ ~~símbolos~~ y las imágenes y las

mujercillas indecentes de San Miguel, ~~barandilla~~ la ~~más~~ ~~baja~~ ~~barandilla~~

muy por bajas digna de estas altas, pues ya ... la puso en el cielo

al pincel del escultor de San ... de la ...

debido a su aguda objetividad, a que era, eso, un poeta dramático y un loco de la forma.

Y por esta razón puede tratar con esta caliente frialdad temas peligrosos y
dificiles tranquilo. Porque todo lo que hay en la Tempestad
y en la segunda parte del Fausto es magia pura. Goethe y Shakespeare son dos magos, dos aprendices de brujo que se ahogan en
el agua del cielo como el muñequillo del poema de Dukas. Calderón
es un angel que se deja mandar por el agua y el agua le regala
dos calabazas en forma de estrella para guardarse sobre el peligro.

Goethe y Shakespeare buscan la ciencia, anhelan la ciencia
y este Don Pedro, busca el amor y se lleva el premio por humilde.

El fragmento que han representado de "la vida es sueño" puedo proclamar
a su fantasía antes de aclararse de este poeta. Es el poema de la creación del mundo y del hombre
por tan elevada y profunda que en
realidad salta por encima de todas las creencias positivas.

La lucha de los cuatro elementos de la Naturaleza por dominar al mundo
el terror del hombre recien nacido todavia temblando arcilla
y los planetas y la escena de la Sombra en el público principe de
las tinieblas son momentos dramáticos de dificil superación en ningun
teatro.

El, por tener en cuenta para la dicción de los actores han de la enfática declamación romántica sin olvidar el acento barroco del poema.

~~En otras veces no hemos tenido tiempo~~

La interpretación plástica ha sido realizada por el pintor Benjamín Palencia uno de los valores más puros y más firmes de la actual juventud española. Esta versión no es la definitiva sino la que se dió en las plazas públicas pues la verdadera interpretación de la obra requiere escenario y es la que se dará próximamente para que los tonos y los ritmos queden en dos planos y en sus propios valores. La parte musical irá a cargo de la Orquesta Filarmónica Nacionalmente toda esta modesta obra la hacemos con absoluto desinterés y por la alegría de poder colaborar en la medida de nuestras fuerzas en esta hermosa hora de la nueva España.

— Salud a todos —

quel niño y aquel angel con reloj y cadena y pañuelo en el bolsillo y eran inaguantables del teatro evadido de técnica y espléndida frescura ~~como la~~ ~~aquello tan~~ ~~es como todo~~ como un romancillo anónimo y lo mas grande ^convivía^ ~~este~~, que cuando resultaba mejor era cuando se equivocaban echando la ~~palabra~~ belleza y se quedaba como un caracol minúsculo en los labios. Yo mismo la bella que cuando el gran poeta — ¿qué poeta? "cualquiera" Fray Luis, ~~~~ ~~intenta~~ escribe un ripio a conciencia, ripio luminoso por llena de gracia humana a la poesía.

Nosotros queremos representar y vulgarizar nuestro olvidado y gran repertorio clasico, ya que se da el caso vergonzoso de que teniendo los españoles ^el teatro^ mas rico de toda Europa esté para todos oculto; y tener estos prodigiosos voces poéticas encerradas, es lo mismo que cegar las fuentes de los rios o poner ^toldos al cielo^ para no ver el estrellado duro de las estrellas.

Hay mucho que hacer, pero nosotros iremos poniendo con verdadera modestia nuestro grano. El poco teatro clasico que ustedes han visto ~~ha sido~~ ha sido bajo una absurda y sentimental vision romantica que quitó a Lope y a Tirso y a Calderon y a Velez de Guevara y a todos, su eternidad y su verdor para dar lugar al ridiculo lucimiento de un divo.

El teatro Universitario no solo se dedicará a los clasicos sino tambien a los modernos universales de todas tendencias y ademas porque ~~es~~ con las mismas pedagógicas la creacion de una ^nueva^ ~~casa~~ ~~de~~ moderna puramente popular y exclusiva del color y el aire ~~de~~ de estas hermosas tierras

barandilla; barandilla donde están los zapateros y las fregonas y las mujercillas indecentes de Don Miguel, barandilla no por baja digna de estar alta, pues ya Goya la puso en el cielo al pintarla en la Cúpula de San Antonio de la Florida.»

En las xerocopias que reproduzco debe, sin duda, faltar alguna cuartilla, ya que no me sale la transcripción con el sentido pleno que Federico daba a sus cosas. Ruego, pues, al lector, que supla con la imaginación bien lo que pueda faltar en el texto, ya lo que debido a mi pequeña capacidad, resulte poco inteligible.

«... debido a su aguda objetividad, a que era eso, un poeta dramático y un loco de la forma.

Y por esta razón puede tratar con esta caliente frialdad temas peligrosos y salir tranquilo. Porque todo lo que hay en la Tempestad y en la segunda parte del Fausto es magia pura. Goethe y Shakespeare son dos magos, dos aprendices de brujos que se abrazan en el agua del cielo como el muchachito del poema de Dukas. Calderón es un ángel que se deja manchar por el agua y el agua le regala dos calabazas en forma de estrella para que nade sobre el peligro. Goethe y Shakespeare buscan la ciencia, anhelan la ciencia y este Don Pedro busca el amor y se lleva el premio por humilde..., a mi juicio el auto da la altura de este poeta. Es el poema de la creación del mundo y del hombre, pero tan elevada y profunda que, en realidad, salta por encima de todas las creencias positivas.

La lucha de los cuatro elementos de la Naturaleza por dominar el mundo, el terror del hombre recién nacido, todavía tembloroso de arcilla y luz planetaria y la escena de la Sombra con el pálido príncipe de las tinieblas, son momentos dramáticos de difícil superación en ningún teatro.

Hemos tenido en cuenta para la dicción de los actores huir de la enfática declamación romántica, sin olvidar el acento barroco del poema.

La interpretación plástica ha sido realizada por el pintor Benjamín Palencia, uno de los valores más puros y más firmes de la actual juventud española. Esta versión no es la definitiva, sino la que se da en las plazas públicas pues la verdadera interpretación de la obra requiere escenario y es la que se dará próximamente para que los trajes y los ritmos queden en tres planos y con sus propios valores. La parte musical corre a cargo de la Orquesta Universitaria dirigida por Benedito.

Naturalmente, toda esta modesta obra la hacemos con absoluto desinterés y por la alegría de poder colaborar en la medida de nuestras fuerzas con esta hermosa hora de la nueva España.

Salud a todos.»

«Traduzco» a continuación otra cuartilla, que no sé exactamente si corresponde a una parte del discurso anterior, o bien se integraba en alguna otra presentación; en ella se repite, como podrá verse, alguna frase pronunciada en Almazán:

«Aquel niño y aquel ángel con reloj y cadena y pañuelo en el bolsillo, eran imágenes del teatro evadido de técnica y con plena frescura como un romancillo anónimo y lo más grande consistía en que, cuando resultaba mejor, era cuando se equivocaban, cuando la palabra balbucía y se quedaba como un caracol muerto en los labios. Lo mismo de bella que cuando el gran poeta... ¿qué poeta?, ¡cualquiera!, Fray Luis escribe un ripio a conciencia, ripio luminoso que llena de gracia humana a la poesía.

Nosotros queremos representar y vulgarizar nuestro olvidado y gran repertorio clásico, ya que se da el caso vergonzoso de que, teniendo los españoles el teatro más rico de toda Europa, esté para todos oculto; y tener estas prodigiosas voces poéticas encerradas es lo mismo que secar las fuentes de los ríos o poner toldos al cielo para no ver el estaño duro de las estrellas.

Hay mucho que hacer, pero nosotros iremos poniendo con verdadera modestia nuestro grano. El poco teatro clásico que ustedes han visto ha sido bajo una absurda y sentimental visión romántica que quitó a Lope, a Tirso y a Calderón y a Vélez de Guevara y a todos, su eternidad y su verdor para dar lugar al ridículo lucimiento de un divo.

El Teatro Universitario no sólo se dedicará a los clásicos sino también a los modernos universales de todas tendencias y además persigue, con las misiones pedagógicas, la creación de una escena moderna puramente popular y exclusiva del color y el aire de estas hermosas tierras...»

Hasta aquí estas cuartillas; con ellas se demuestra, fehacientemente, que Federico no improvisaba, que seguramente en cada sitio donde actuábamos llevaba su cuartilla correspondiente que leía con su clara voz de granadino maduro. En la representación de *Fuenteovejuna* que llevamos a cabo en León perdió la cuartilla; cuando estaba en el escenario, pensando que la tenía en el bolsillo y no la encontró, se llevó un susto mayúsculo; era muy bonito lo que en ella decía, pero como tantas cosas, tantísimas, se ha perdido para siempre y pertenece ya a la parte irrecuperable de lo que Teilhard de Chardin llamaría la noosfera.

Estas cuartillas transcritas se hallan en poder de Aurelio Romeo, quien se las prestó a Julita Rodríguez Mata para que hiciera las xerocopias que he tratado de traducir. Para los dos, para Julita y para Aurelio, —allá en México— mi más hondo reconocimiento.

Y ahora hablemos de las excursiones y de las actuaciones de nuestro teatro por los viejos pueblos de España.

La Barraca representó las obras de su repertorio en muchos lugares, lugarejos y en bastantes ciudades; posiblemente, y de no haberse producido una sangrienta guerra en España, hubiera continuado a cuestas con su labor por los distintos pueblos y aun pueblecillos del territorio español; porque dos eran, fundamentalmente, los cometidos de la Barraca: llevar, desempolvar, nuestro acervo cultural por todos los caminos para que las gentes, las pobres gentes sobre todo, pudieran sentirse más a sí mismas y, en segundo lugar, lugar insidente en el primero, promover (llevar a) una renovación del teatro que se hacía en España, ofrecer primaveras escénicas y no manidas y obsoletas representaciones.

En *El Sol* de Madrid del 5 de abril de 1933, decía Federico, explicaba sencillamente lo que la Barraca se proponía hacer, en qué consistía la experiencia a realizar:

«Hacer arte. Pero arte al alcance de todo el mundo. Vamos, principalmente, contra esas sociedades meramente recreativas, donde el baile o la cachupinada teatral son la principal razón de su existencia... Lo importante es que comiencen estos clubs teatrales a actuar y representar obras que no admiten las empresas... Si sólo se representan obras ya caducadas, fáciles, sin interés ninguno, no pueden surgir buenos actores, buenos intérpretes ni menos autores... Hay que crear muchos clubs teatrales en España.»

Hay que consignar que la Barraca no pudo conseguir plenamente todo lo que se propuso; en gran parte logró lo primero; no se hicieron todos los caminos, no se visitaron todos los pueblos españoles, porque los caminos se cerraron y nuestras camionetas fueron tal vez, que no lo sé, a servir para otros menesteres; decorados y figurines, todo el haber de la Barraca, en suma, quedaron recogidos en el estudio de Vázquez Díaz —calle de María de Molina— y, de allí, terminada la contienda, los recuperó posteriormente Luis Escobar, a la sazón director del Teatro María Guerrero. No sé, ni soy capaz de imaginar lo que ha podido ser de ellos, pero todavía alcancé a ver algunos de los trajes que me había puesto durante las representaciones de la Barraca. Estaban ajados y, en pocos años, representaban algo así como piezas de museo.

No se hicieron, pues, todos los caminos de la península ni ninguno de la España insular; aparte de que hay limitaciones humanas, los aconteceres cuentan en no importa qué desarrollo; en cambio sí se renovó el teatro en gran medida; a la distancia que me encuentro de las representaciones de la Barraca, creo que puedo opinar con toda objetividad, aunque todavía sople en mis oídos aquel viento de luz.

Hablaré, en este capítulo, de las excursiones, de los itinerarios que, por tierras de España, llevó a cabo la Barraca; también de las actuaciones que tuvieron lugar en Madrid; es posible que se me olvide algo de bulto, pero ello no quitará ni un ápice a la labor de la Barraca; debo advertir que, aunque trate de ser fiel a un orden cronológico, puedo cometer algún fallo habida cuenta la inmensidad, no tanto de años pasados, cuanto de los acontecimientos habidos en esos años; por otra parte, y creo haberlo dicho ya, las notas que Rapún tenía y guardaba sobre itinerarios, representaciones y gastos, recortes de prensa, etc., se perdieron tal vez entre cascotes humeantes, quizás devorados por las llamas. Pero algo queda, sin embargo, y lo que queda es suficiente para saber cómo nos manejábamos en vistas a un buen fin, a una meta propuesta.

Así como Mª. del Carmen Gª. Lasgoity estuvo desde el principio hasta el fin en las filas de la Barraca —por fin entiendo el rojo estallido de la guerra, aunque la Barraca continuó con sus actuaciones, como ya tendré ocasión de contar— yo sólo milité, por así decirlo, a partir de la primavera del año 1933; estaban ya montados los Entremeses y el auto sacramental de Calderón. Tengo, pues, que apoyarme para escribir los primordios escénicos de la Barraca, en la memoria, por lo demás magnífica, de Mª. del Carmen.

La primera excursión se hizo, según mis noticias, por tierras de Soria: San Leonardo, Vinuesa, Agreda, Almazán, Burgo de Osma y la propia Soria. Patrocinada como estaba la Barraca por el entonces ministro de Instrucción Pública, Don Fernando de los Ríos (no Lampérez, como doña Blanca, en realidad Nostench de Lampérez), ministro socialista, ciertos enemigos de la República trataron de boicotear la *tournée* mediante la agitación sistemática. En el ábside de San Juan del Duero, en Soria, se puso, —se trató de poner— *La Vida es Sueño,* he de remitirme a lo que me contaron: los espectadores, o parte de ellos animados por los boicoteadores, —que tal vez prefirieran otro tipo de espectáculo—, trataron no sólo de interrumpir la representación, sino de arremeter también contra los actores. No sé quién se ocupaba a la sazón de los focos y de las baterías pero, gracias a él, se salvó una situación que pudo haberse convertido en tragedia. Gritó con voz estentórea: —¡Cuidado con los focos! ¡Si se cruzan las baterías hay peligro de electrocución!—. Estas palabras y el tono con que fueron dichas, bastaron para que un sector del público no se atreviera a cruzar el escenario. En la confusión se apagaron las luces, se hizo todo oscuro y hubo tiempo de llamar a las fuerzas del orden; tanto los actores, como el resto del grupo de la Barraca, pudieron, tras haber recogido todo, volver al hotel sin novedad.

En Almazán, por el contrario, ocurrió un episodio análogo al relatado de la lluvia; actores y público se mojaron, pero la representación llegó a su final sin un solo bache, sin ninguna interrupción; el público no permitió a los previsores abrir los paraguas que habían llevado en la idea de una posible lluvia.

El resumen de lo que fue aquella primera salida de la Barraca, es expuesto fielmente por el diario *La Libertad* del 17 de julio de 1932:

«Burgo de Osma... La farándula quedó instalada en la plaza pública, una plaza castellana con todos los elementos: los soportales, la Casa Consistorial, el palacio de la nobleza convertido en hospital y las magníficas fuentes en el centro...»

Habla dicho diario de la decidida vocación de apostolado pedagógico de los estudiantes universitarios y del íntimo regocijo con que fueron recibidos por los habitantes de Burgo de Osma; la plaza llena de gente, como en las mejores fiestas de San Roque y Santa Catalina. Se montaron los Entremeses.

«Con grato deleite, termina el articulista, hemos admirado la obra de los estudiantes universitarios y les alentamos en su nobilísima labor de educación al pueblo.»

Melchor Fernández Almagro, crítico de *La Voz*, diario madrileño, se refiere, asimismo, a la labor de la Barraca en un artículo públicado en dicho periódico, con fecha de 29 de octubre de 1932:

«¿Cómo no alentar, desde un principio, designios que persiguen nada menos que un teatro distinto al usado... y abusado?»

El mencionado crítico de *La voz* se refiere fundamentalmente a las representaciones ofrecidas por la Barraca en la Universidad Central:

«No es que el público realice un esfuerzo por aproximarse a los grandes autores del siglo XVI y del XVII. Es que las obras, girando sobre sí mismas por la gracia de la inteligencia y gusto de hoy, ofrecen el flanco no gastado, persistente y virginal que toda pieza artística conserva si lo es de veras... véase cómo dos literatos han sabido llevar a cabo lo que otros no han hecho: elegir obras y montarlas; elegir intérpretes y conjuntarlos. Más harán todavía: persistir en el empeño hasta organizarlo en institución estable.»

Creo que fue M.ª del Carmen García Lasgoity la que, en el papel de Tierra, del auto sacramental de *La Vida es Sueño,* habló por primera vez sobre el tablado de nuestro teatro universitario; a ella el honor de haber estrenado su cálido verbo; pero no puedo decir quién habló por última vez: ¿Carmen Galán, Manolo Puga, Jacinto Higueras? Siempre que hablo de la última vez, insisto, me refiero a la época previa a nuestra guerra civil. El 14 de abril de 1936, final aniversario de la segunda República, representamos en Barcelona; es muy posible que la última obra que se pusiera en escena fuese *El Caballero de Olmedo,* en cuyo caso también es posible que fuera Jacinto Higueras quien pronunció la última palabra, aun sin saber que lo hacía; si fue *Fuenteovejuna,* esa última palabra la diría Carmen Galán, pero nada de eso puedo saberlo en estos momentos; de este modo me quedaré ignorando en qué garganta se levantó, como una pequeña ola muerta, la vibración final de la última palabra, de nuestra última palabra.

En la primera época de la Barraca, cuando yo no formaba todavía parte del elenco, las cosas no debieron marchar a la medida de los deseos de Federico, seguramente a causa de cierta desidia por parte de la Junta administrativa, la que, seguramente, funcionó con desgana; en aquella época formaban parte del Comité administrativo, creo haberlo dicho ya, Alberto Quijano, Emilio Garrigues, Enrique Díez Canedo y Luis Meana entre otros; en el elenco de primera hora alternaban los nombres de Isabelita y Francisco García Lorca, Arturo Sáenz de la Calzada, Congosto, Alvaro Custodio, Enriqueta y Pilar Aguado, Joaquín Sánchez Covisa, Carmen Galán, Julita Rodríguez Mata, Laura de los Ríos, M.ª del

Carmen García Lasgoity, Mercedes Ontañón, Cacho, los hermanos Higueras, Alberto Quijano, Diego Marín, José Obradors, José M.ª Navaz y Ormaechea.

No fueron demasiados los que acudieron a la llamada, pero sí los precisos; en los ficheros que, al inicio de la labor selectiva de actores llevaban Federico y Ugarte, se podía leer: Fulano, primer actor; Mengano, galán; Perengano, monstruo; tal muchacha, muchachita, enorme sensibilidad, etc. Es cierto que tales ficheros sólo fueron necesarios en la primera convocatoria para conseguir actores; después, muy correctamente, con muy buenas palabras, diplomáticamente si se quiere, se eliminaba al que no servía.

Lo que sí es evidente es que en los inicios no se tomó demasiado en serio la labor de la Barraca —más por los miembros de la Junta que no por los actores, los cuales creían, como Federico y Ugarte, que había que hacer algo importante— En una carta que Federico le escribe a Miguel Quijano se queja de que ni Puga ni Congosto puedan ir a la gira por Galicia, cuando ya estaba todo ultimado. En otra carta, tal vez algo más dura, Benjamín Palencia, el autor de los figurines y decorado de *La Vida es Sueño,* dirigida también a González Quijano, se queja del tono evasivo de éste, así como de la falta de interés que demuestra por la Barraca. Para Benjamín Palencia, la empresa del teatro universitario exige energía, fecundidad, así como gran tenacidad, todo ello canalizado por cauces correctos; de otro modo resultaría imposible modificar la idea que de nosotros se tiene —indiferencia proverbial—. Hay que vivir, pues, en un plano de continua autoexigencia en pro de una idea de la más alta perfección en nuestras realizaciones; para ello hay que trabajar y trabajar y volver a trabajar, si es cierto que queremos acabar con los moldes tradicionales de hacer teatro —moldes de viejos y para viejos.

En todo caso, y me parece que en febrero de 1933, Miguel Quijano abandona su puesto de secretario y se lo traspasa a Rafael Rodríguez Rapún; Marcelle Auclair habla de cómo las primeras representaciones de la Barraca resultaron medianas —tal vez la falta de ensayos, la poca confianza en la labor a realizar, escepticismo frente a la posible comprensión del espectador campesino, etc. Cuando yo entré a formar parte en el equipo, el acoplamiento era perfecto y, salvo *El Retablo de las Maravillas,* ya estrenado, pero insuficientemente ensayado, no había el más mínimo bache ni por parte de los actores ni por parte de la dirección artística.

Sesenta y cuatro pueblos y ciudades españolas presenciaron las representaciones de la Barraca; la mayor parte de las funciones fueron representadas sobre el tablado portátil; éste era de madera, de seis metros por ocho, seis de profundidad y ocho de embocadura; carecía de pendiente, de la pendiente que suelen tener los escenarios de los teatros, pendiente tendente a evitar que los pies de los actores que trabajan en segundo término, sean comidos por la altura de las baterías. Como quiera que, en general, nuestro público presenciaba las actuaciones a pie firme, no era fácil que con un metro veinte que el tablado tenía de altura, ocurriese tal cosa.

Nuestro tablado se apoyaba sobre caballetes cruzados perpendicularmente que le conferían gran estabilidad; sobre él se podía bailar sin temor a que vacilase o se derrumbase; la vista de los caballetes se ocultaba con una cinta de cortina negra que corría de un lateral a otro, pasando por el centro. Al fondo del tablado, y a cada lado, había unas escalerillas de cuatro peldaños; tapando las mismas se alzaban unas cortinas negras colgadas de un tubo en forma de T, de tres metros de altura, verticalmente colocado. Dichas cortinas, a modo de rompimientos que se adentraban algo más de un metro en el escenario, y a otro tanto del fondo, permitían la salida del actor, puesto que también cubrían las escalerillas de bajada, ya que rebasaban, por su parte anterior o externa, el telón o cortina del fondo; detrás de tales cortinas laterales, cuando se necesitaba un recitado en *off* o cantar sin ser visto, también se podía colocar el personaje invisible. Y, finalmente, al fondo, cerrando el ámbito de la escena, una amplia cortina negra de cuatro metros de altura sobre el escenario, se sujetaba a un cable de acero, tirante entre dos tubos de hierro verticales los que, a su vez, para no destensar la cortina del fondo, se afirmaban fuertemente con cables o vencejos —vientos, también de acero trenzado—. Sobre el tablado, que carecía de embocadura *sensu estricto,* se colocaban los decorados convenientes.

En el auto sacramental de *La Vida es Sueño,* el decorado tenía el mismo tamaño que el telón de fondo y se sujetaba al mismo cable; igualmente sucedía con los cinco de *Fuenteovejuna;* de éstos, cuando representábamos la obra en los pueblos, —en general sobre el tablado— sólo se empleaba un decorado, el del campo o el de la plaza; únicamente se utilizaban los cinco cuando actuábamos en teatro.

No puedo recordar cuántos tableros formaban el tablado, ni cuantos caballetes lo sustentaban, pero eran suficientes para que, aunque todo el grupo, incluso Ugarte —Federico no estaba hecho para trabajos físicos— realizara las tareas de montar y desmontar la escena, el acabado de las mismas nos llevara más de una hora. Mientras nosotros montábamos, Aurelio Romeo hacía la toma de corriente para nuestras baterías, baterías que se colocaban en primer término, cubriendo la corbata del escenario; aparte de ellas, poseíamos dos focos grandes y dos pequeños, con talcos de colores, para cambiar los matices de las escenas.

Teníamos cuatro baúles-cestas para los trajes y otro para los atrezzos; la jefa de todo ello, esto es, la encargada de que se vaciasen y se llenasen en orden era M.ª del Carmen García Lasgoity, que asumía tal papel magníficamente, ya que cada actor tenía lo suyo sin que le faltase nunca nada ni que tuviera que andar pidiéndolo a gritos; el maquillaje, una vez aprobado por Federico y Ugarte lo llevábamos a cabo cada uno de nosotros aprovechando la escasa luz que solía haber en las habitaciones de los pueblos en los que representábamos; podía ocurrir que Ugarte y

Federico dieran los últimos toques, pero tanto las pelucas como las pinturas, —éstas comunes para todos— formaban parte del bagaje que cada cual usaba por cuenta suya; para evitar que la luz de las baterías nos comiese el color y nos hiciera aparecer como anémicos en escena, nos dábamos sobre la cara un tono de fondo oscuro, atezado, sobre el cual podíamos ya, y de acuerdo con el personaje, caracterizar nuestras caras. Vaselina y toallas de papel absorbente nos eliminaban, después de la función, los colores y los chafarrinones. Nos lavábamos luego con agua y jabón y ya estábamos dispuestos para el recogido de trajes, decorados y tablado; las mujeres se encargaban de llenar los baúles-cestas y los hombres de desmontar el tablado, las luces y los decorados, juntamente con las cortinas; solíamos llegar cansados a tal faena, pero la ejecutábamos de buen grado. Había, eso sí, que llevarla a cabo cuidadosamente —cada cosa en su sitio y un sitio para cada cosa— ya que, si por acaso se alteraba el orden, nos encontrábamos con que las cosas no cabían en las camionetas; teníamos entonces que vaciar éstas y volver a empezar; por supuesto, tanto los tableros como los caballetes estaban marcados y numerados para facilitar la labor de montaje, desmontaje y carga.

Aunque todo iba muy justo, todo cabía; luego nos íbamos a dormir, generalmente con sueño profundo, hasta el día siguiente a tal hora, hora convenida de antemano, en la que se harían los preparativos para ir a otro pueblo a repetir análogo trabajo; no lo he dicho antes, porque me pareció que sobraba: ni Federico, ni Ugarte, ni Rapún, ni ninguno de los actores cobraba un solo céntimo por su trabajo; la Barraca pagaba, eso sí, los hoteles, fondas o pensiones en los que nos alojábamos, pero si alguien deseaba tomar una cerveza, por ejemplo, era asunto exclusivamente suyo.

Durante el verano principalmente y, como es natural, tenían lugar las excursiones largas; solían llevarse dos a cabo, una de ellas casi necesariamente recalando en Santander, sede de la Universidad Internacional, a la que asistían las grandes figuras intelectuales de la época: Ortega, Unamuno, Gaos, Guillén, Guillermo de Torre, Salinas, Salaverría, Cernuda, Américo Castro, Vossler, Montesinos, Bataillon, etc, etc. El señor de Tudanca y hoy miembro de número de la Real Academia de la Lengua, D. José María Cossío, había publicado ya algún tomo de su ingente obra sobre los toros; era de los habituales en Santander y con él —aunque él no se recuerde—, hemos tomado alguna cerveza en cualquier bar de la capital montañesa; por supuesto, Gerardo de Diego, con el ciprés del monasterio de Silos, estaba siempre allí; recuerdo una vez que fuimos a su casa Ugarte, Rapún, Federico y yo; tenía —Gerardo de Diego— un magnífico piano de cola en el que nos interpretó algunas fugas de Bach; tocaba muy bien y era un melómano inveterado; cuando terminó de tocar, Federico se puso al piano y tocó, con todo el duende del mundo, sus cosas, esto es, la pura raíz del pueblo; ladeaba un poco la cabeza como si quisiera oír mejor por un oído determinado, en tanto que por el otro percibiera el sonido negro de la inspiración; a veces cantaba con voz ligeramente áspera y ceceante, pero entonadísima; daba la impresión de que sus manos, sobre el teclado, estaban tejiendo la pura gracia.

Unamuno solía llevar cera de velas en forma de bola en una mano y la malaxaba continuamente; quizás de este modo tascaba el freno a su agresividad o tal vez gratificase su líbido (esto lo diría un psicoanalista). El caso es que la cera, manoseada y vuelta a manosear, blanda con el calor de la mano, estaba negruzca, más bien sucia; D. Miguel seguía apretándola en su mano derecha, mientras charlaba con unos y con otros.

A Ortega le recuerdo una vez en un café, creo que en Piquío; tengo idea de que se encontraban presentes, además de Federico, Ugarte, Rapún, el señor de Tudanca y yo; Ortega, apoyada la cabeza en su mano —dedo índice sobre la mejilla, pulgar debajo del mentón, y los tres restantes dedos blandamente doblados sobre los labios—, no dijo ni mú en todo el rato; seguramente Federico intentó que dijera algo, pero D. José tal vez pensara, que hasta los filósofos tienen derecho a pensar.

También iba a Santander el que se autotitulaba Sumo Pontífice del Naturismo Integral, cuya tarea consistía en tratar de convencer a los asistentes a la Universidad, que América era un nombre impropiamente impuesto y que, por lo mismo, debería substituirse por Cristobalia, ya que fue, al parecer, Don Cristóbal Colón quien había llevado a cabo el descubrimiento de América y no Américo Vespucio. No creo, sin embargo, que tal pobre diablo, en cierto modo pintoresco, con preocupaciones semánticas, fuera un predecesor de Noam Chomsky.

Antes de entrar yo en la Barraca, y además de la excursión a que he hecho referencia, sé que el grupo recorrió Galicia, y Asturias, con el itinerario siguiente: —Vigo, Bayona, Pontevedra, Santiago de Compostela, Coruña, donde se actuó en teatro y en la plaza de María Pita, Ribadeo, Grado, Avilés y Oviedo. Recuerdo todavía con claridad cómo Federico me contaba que, en un pueblecito costero en el que habían bajado a la playa, él, que no tenía constitución de atleta, pensaba que iba a caerse y que las afiladas rocas le iban a cortar sus «partes». (Es curioso cómo las «partes» por antonomasia del organismo, son las «partes»; lo demás parece que no es parte, que es un mero añadido o, por lo menos, parte en singular.) Lo que ignoro es precisamente donde tuvo lugar este episodio del que Federico guardaba un recuerdo terrorífico, recuerdo que un psicoanalista calificaría como de complejo de castración.

También estuvieron, que yo sepa, en Arévalo y pueblos próximos, así como en Granada, capital esta en la que las representaciones tuvieron y alcanzaron un gran éxito.

He leído en algún libro —siento no poder precisar— que ciertos periódicos arremetieron contra la Barraca y sus componentes porque se decía que el grupo solía ir a Toledo a comer perdices estofadas en la Venta de Aires; evidentemente, si éramos el teatro del pueblo, deberíamos comer como el pueblo, esto es, pan y cebolla; aunque el argumento resultara harto controvertible, la realidad es que nunca la Barraca se paró especialmente en Toledo para comer perdices estofadas; éramos tan felices que nos sobraban las perdices; por otra parte y *sensu estricto,* no éramos teatro del pueblo, sino de la Universidad y, finalmente, lo importante no era que nosotros *per accidens* pudiéramos comer algún día perdices, sino que las comiera el pueblo, y que las comiera de modo tan regular como pudiera hacerlo cualquier burgués o no importa qué capitalista.

Federico, ante un mapa de España, se detenía con la imaginación ante los pueblos de sonoro nombre: Motilla del Palancar, Madrigal de las Altas Torres, Villamartín de Don Sancho...; recuerdo cómo, inesperadamente, su atención se fijó de repente en Agoncillo, pueblo con nombre que, al parecer, reunía las características de sonoridad requeridas, como para ser un pueblo con derecho a representación teatral. Resultó que Agoncillo, pueblecito de la Rioja, muy próximo a Logroño, viene en los mapas como pueblo importante —independientemente de su tamaño o de su validez sonora o como población— porque es donde está enclavado el aeródromo militar. Que yo sepa, no se representó en ninguno de los pueblos mencionados en este párrafo.

España, por otra parte, se caracteriza por lo bello de su toponimia; ya es más difícil saber de dónde procede tal toponimia, aunque, en algunos casos su origen sea obvio. De cualquier manera, esa afición de Federico por los nombres sonoros —o sonorosos— estaba, sin duda, entroncada con su manía de recoger nombres rimbombantes, de los que tenía una buena cosecha: D. Ubrilibordo Pope, por ejemplo, D. Críspulo Tentor, D. Carnavalio Gómez, entre otros. Todo ello formaba parte de la chorpatelia y de la ronronquelia: educsiaro, espite caneló, opolio, jopanca, epistrompa, chartelí de eumenia etc. También es difícil saber de dónde le provenía a Federico esa afición por ciertas discordancias de lo habitual, afición que se reflejaba, a no dudar, en la elección de determinados pueblos, los que, muchas veces, no coincidían exactamente con los itinerarios de la Barraca, simplemente porque ir a representar a ellos suponía dar una vuelta enorme; las carreteras, a la sazón, estaban, generalmente, en muy mal estado. Pero Federico, sin duda, pensaba que la sonoridad del nombre de un pueblo —la mayor o menor sonoridad—, podía constituir un índice de la mentalidad de sus moradores; teóricamente, al menos, la cosa tiene visos de verosimilitud.

La confección del itinerario de la excursión se llevaba a cabo sobre el mapa de carreteras; se marcaba una meta y se estudiaban los pueblos que había que atravesar para llegar al objetivo; así como los de regreso a la capital; a veces, por algún motivo que la Junta o Federico considerasen importante, podía hacerse algún desvío de la línea directa; tales desvíos solían merecer la pena.

En el periódico *Luz,* correspondiente al 8 de abril de 1933, decía lo siguiente Juan Chabás, crítico teatral: —«La agrupación de estudiantes, la

Barraca, hace constantes excursiones por las ciudades y por los pueblos españoles, donde da representaciones de las obras más floridas de nuestro teatro clásico... Esta noche sale la agrupación para Arévalo, desde donde se trasladará a Valladolid, Zamora, Salamanca y León.» La excursión, tal como Chabás la anuncia, no se llevó a cabo, pero sí se representó en las ciudades que cita.

Solamente puedo dar noticia de que, antes de que yo entrara en la Barraca, ésta había representado en el Teatro Español y en función de gala, *El Retablo de las Maravillas;* sólo puedo decir que era la primavera, el inicio de la primavera, cuando tal acontecimiento tuvo lugar.

La primera excursión que yo realicé con el elenco fue por tierras de Levante; los exámenes habían terminado y ante nosotros se abrían días de rico ocio a rellenar; llevábamos un estreno importante que tuvo lugar en el Teatro Principal de Valencia: *Fuenteovejuna,* nada menos que *Fuenteovejuna.* La primera parada fue en Utiel, donde se representaron los Entremeses de Cervantes; por primera vez en mi vida ayudé, colaboré en el montaje del tablado, cortinas y baterías; por primera vez, también, advertí lo profundamente que interesaba a la gente nuestro teatro, ya que yo, no teniendo papel ninguno en los Entremeses, pude entremezclarme con la gente y espiar sus reacciones.

Sí recuerdo que, precisamente en el tiempo que duró nuestra excursión, Julita Rodríguez Mata se lanzó a realizar un crucero por el Mediterráneo, bajo la égida de Palas Atenea; sus papeles entonces fueron interpretados unos por Conchita Polo —la doncellica Cristinica, limpia de polvo y de paja, y la no tan limpia Cristinica de la Cueva de Salamanca— y otros por Carmen Galán, quien hizo de Inés en Los Habladores. El Agua del auto sacramental se fue con Julita y no se llevó la obra de Calderón.

Pasamos por Almansa después de haber representado en Játiva admirando su castillo por amabilidad de la castellana. Y en Almansa, el secretario del Ayuntamiento, hombre dado a las letras, o algo así, cuando se enteró de la presencia de Federico, como nos ocurría en todos los sitios donde sabían que existía un llamado Federico García Lorca, cuando se enteró, digo, acudió como una mosca a la miel, estuvo con nosotros y nos dijo que modestamente había hecho o compuesto un poema a lo que la Barraca representaba. Versos alejandrinos o algo así, porque entonces, en la época del gongorismo, no estaban mal vistos. El poema decía así:

La Farándula pasa bulliciosa y triunfante
es la misma de antaño, la de Lope burlón
transplantada a este siglo de locura tonante
es el carro de Tespis con motor de explosión.

Confieso que bendigo el recuerdo del hombre que, a lo mejor, pasó alguna hora sin dormir buscando consonante a triunfante; el caso es que luego —tonante—, la locura tonó en España y los hermanos se volvieron contra los hermanos; las explosiones, no de motor, precisamente, llenaron de cadáveres olivares, rastrojos y parameras.

A Federico le hizo mucha gracia la poesía: farándula, Lope y Tespis era una divina trinidad de tópicos y, por lo mismo, Federico imaginó una música, un poco retonera, para ilustrar tal poesía. De allí salió nuestro himno que tantas veces cantábamos a lo largo de nuestros viajes; las carreteras por las que transitábamos no solían ser de dulce, pero como éramos jóvenes, hacíamos el camino cantando.

El himno tuvo una ligera reforma un día como otro cualquiera; seguramente, aunque yo no puedo asegurarlo, alguno de los componentes de la Barraca ni Rapún, ni yo, ni Romeo ni Simarro, tuvo un desahogo, cierto desahogo; el carro de Tespis se transformó en el carro de Pestis, si bien el motor de explosión subsistió, aunque con otro significado. Cuando en no recuerdo qué pueblo, se montó *Fuenteovejuna,* en la escena en la que se reúnen los corregidores para decidir lo que han de hacer frente a las bestialidades que comete sistemáticamente el Comendador, pues hubo otro desahogo, con lo que los que entraban en el escenario ponían una cara muy a tono con las odorantes circunstancias. La culpa se la echaron a Julián Risoto, pero Julián negó rotundamente.

El carro de Pestis era el autobús donde viajaba el elenco y, también, Federico y Ugarte; en los camiones íbamos Romeo y Simarro, a veces también Modesto Higueras, y en la furgoneta de los decorados, el policía Eduardo, hombre muy afable y cariñoso que también echaba una mano cuando las circunstancias lo requerían, Rapún y yo.

No recuerdo el hotel donde nos alojamos en Valencia; la representación —*Fuenteovejuna* y *El Retablo de las Maravillas*—, tuvo lugar en el Teatro Principal donde, por cierto, se llevó a cabo el ensayo con trajes y decorados de la obra de Lope; gracias a tal ensayo, que realizábamos por primera vez, pudimos ajustar tiempos, momentos y distancias que no estaban afinados, pero que nosotros creíamos que sí; por eso sabemos que un ensayo general es imprescindible para que la primera representación, el estreno, sea un éxito y no un fracaso.

Después de Almansa fuimos a Albacete; allí, seguramente, representamos en teatro; representar en teatro siempre constituía un descanso, ya que no había que montar y desmontar el tablado. Pusimos en escena *Fuenteovejuna* y un Entremés, no recuerdo cuál.

En Alcaraz, más adelante, la tierra es roja, color siena tostada claro mezclado con blanco; es tierra seca que, a trechos, parece de ceniza; el ocre alterna con el gris y con el rojo, todo ello a manchas tremendamente secas. Ortega, sin duda, hacía literatura, cuando dijo que en Castilla no había curvas; Alcaraz es pura curva, curva arada, con algún olivo y retamas esparcidas. Y todos los de la Barraca reconocimos en el paisaje roído, erosionado, de amplios círculos rotos, tristes, con tierras blancas, ocres y rojas, el paisaje desolado estremecedor, de la pintura de Alberto, de la que había ideado para *Fuenteovejuna*.

Habíamos pasado por Balazote —ya sin bicha—, y por Robledo; pasaríamos por Infante, que quedó atrás, camino de la Mancha; ya en plena Mancha, Manzanares —a nuestras espaldas quedó Valdepeñas— hasta alcanzar, a través de Puerto Lápice, el pueblo de Madridejos, la pequeña sierra de Valdehierro había quedado atrás; por oriente descansaba su milenario sueño, entre molinos, el campo de Criptana; por occidente Orgaz.

En Madridejos representamos; montamos el tablado y pusimos en escena los Entremeses de Cervantes; por entonces yo no tenía papel en esa representación; me mezclaba con la gente y oía sus comentarios; les veía reír o ponerse serios, pero penetrando siempre en el meollo de lo que veían.

Más adelante, cuando Marín y Ródenas nos abandonaron, sí tuve que hacer papeles en los Entremeses; por ejemplo, el marido de doña Beatriz en *Los Habladores,* el Soldado de *La Guarda Cuidadosa,* y el atildado y pedante secretario del Ayuntamiento en *El Retablo de las Maravillas;* que también Alberto Quijano nos abandonaría. Pero, en tanto todo eso llegó, podía permitirme el lujo de presenciar la representación o pasear por las solitarias calles a la luz de la luna. No necesito decir cuánto gustaban las obras de nuestro repertorio; la elección de las mismas constituía el extraordinario acierto de Federico y de Ugarte; un profundo conocimiento, en suma, de todo aquello que gustaba al pueblo, sobre todo al campesinado. Y si Federico sabía todo eso, no era porque procediera por intuiciones, sino, porque, desde su infancia, había estado con los campesinos y se había hecho problema de sus problemas y problemas y problemas, porque conocía su sistema de repugnancias y de preferencias; por eso acertaba siempre, no sólo con la obra que agradaría, sino también con el modo de presentarla. Hoy, ya lo he dicho, los montajes, con toda seguridad, hubieran sido diferentes; estos cuarenta años transcurridos representan, ciertamente, una cicatriz que, a las veces, es capaz de abrirse y sangrar. En todo caso Federico poseía, y en grado sumo, aquello que diferencia a un gran poeta del que no lo es: unas conexiones nerviosas ya «facilitadas» —por emplear un lenguaje neurofisiológico— dispuestas hasta el punto de que parecía como si estuviera en condiciones de anticipar el futuro, además de establecer nexos, fuertemente aglutinados, entre eventos que, al parecer, no se dan nunca juntos en la realidad objetiva. De ahí brotaba su tremendo éxito de carácter universal.

De Madridejos fuimos a Tembleque a representar, nuevamente, los Entremeses de Cervantes; la excursión tocaba a su fin, la primera excursión del verano de 1933; no había sido larga, pero sí fructífera; además de los éxitos alcanzados, de la perfecta orquestación de las obras, llevábamos con nosotros el flamante himno de la Barraca. La de Tembleque, pueblo que, efectivamente, parece temblar a la luz de la luna, fue la última representación de nuestra salida a Valencia; al día siguiente comeríamos en el restaurante La Rana Verde, en Aranjuez, dispuestos ya a rendir viaje. La luna siempre con su polisón de nardos.

La impedimenta la descargábamos en un semisótano de la calle Espalter; tablado, decorados, así como los cestos de los vestuarios y atrezzos; fuertes abrazos de despedida, y retorno final a los propios lares en los que la vida recobraba la normalidad.

En nuestra segunda excursión, bastante más dilatada que la primera, llevábamos ya un repertorio más amplio porque, además de *La Vida es Sueño,* los Entremeses de Cervantes y *Fuenteovejuna,* pusimos en escena, con gran éxito, la llamada Fiesta del Romance y el Paso de Lope de Rueda *La tierra de Jauja.* Todo ello quiere decir que durante el verano y después de la excursión a Valencia, no habíamos permanecido inactivos; además de reponer lo que se había agotado —colores de maquillaje, vaselina, toallas de papel, etc, de revisar lo que pudiera estar roto o fuera de uso, trajes, sombreros, zapatos, pelucas, etc —se estudiaban papeles para nuevas obras.

En el periódico *Ahora,* de Madrid, correspondiente al 9 de septiembre de 1933, se da la siguiente noticia: —«La Barraca (Unión Federal de Estudiantes Hispanos), siguiendo su itinerario que comprendía León, Mieres, Santander, Pamplona, Jaca, Canfranc, Ayerbe, Huesca, Tudela, Estella, Logroño, Burgos y Valladolid, dio fin a su excursión en Madrid en el pasado día cinco del corriente mes...»

La excursión era, pues, ambiciosa; todo en ella resultó bien, salvo que no pudimos representar en Jaca ni en Huesca —cosa que comenta el periódico a que me he referido y de lo que diré más adelante algún decir.

La gira dio principio en agosto, si bien no puedo precisar el día. Tengo ante mí una de esas revistas de poesía provincianas que —salvo *Espadaña*— duran lo que duran las rosas, pero a las que yo me suscribo siempre; en su segundo y último número, para mí de un interés enorme, un periodista leonés, Francisco Pérez Herrero, poeta local, hizo una interwiew a Federico, que, retrospectivamente, la revista a que me refiero —*Altano*— copia íntegra; la interview fue hecha en el diario de León *La Mañana* y en el año 1933. De dicha entrevista en lo referente a la opinión que a Federico le merecía el teatro que por entonces se hacía en España, así como el nivel artístico de Azorín y Valle Inclán, creo haber dicho algo ya; pero el interrogatorio tocaba otros puntos, los siguientes:

Periodista: —¿Son disciplinados estos muchachos de la Barraca?

Federico: —¡Oh, sí! Lo mismo a Ugarte que a mí nos respetan y nos quieren. Además, de no ser así se les eliminaría.

Periodista: —¿Seleccionáis al personal antes de admitirlo en vuestra agrupación?

Federico: —Muy rigurosamente. Los sometemos a diversas pruebas y se elimina a todos aquellos que no sirven, aunque sea muy fuerte su vocación.

Periodista: —La Barraca, ¿tiene también como obligación dar a conocer nuestro teatro por los pueblos y ciudades de España?
Federico: —No. Si lo hacemos es espontáneamente. La Barraca fue creada exclusivamente para Madrid, para la Universidad y los estudiantes de Madrid. Esa otra labor está encomendada al Teatro de Misiones Pedagógicas, dirigido, como sabes, por Casona, y que es totalmente independiente de nuestra agrupación.

El periodista no desea saber nada más de la Barraca, pero sí de la opinión de Federico sobre la poesía española; en este sentido recaba su parecer como poeta.

Federico: —Que el grupo de poetas jóvenes en España, integrado por Aleixandre, Alberti, Guillén, Altolaguirre y otros, es grande, muy grande.

Periodista: —¿Debe, a tu juicio, el artista, vivir emancipado del morbo político?

Federico: —Totalmente. Igual en poesía que en todo... El artista debe ser única y exclusivamente artista.

A continuación Federico critica a Alberti por haberse hecho comunista, cosa que le impide hacer poesía: —«sólo hace mala literatura de periódico. ¡Arte proletario! ¿Qué es eso? El artista es el que oye la VOZ, las tres VOCES: la de la muerte, con todos sus presagios, la voz del amor y la voz del arte».

Con esta opinión de Federico en el año 1933 se puede, naturalmente estar de acuerdo o no en los momentos actuales, sobre todo cuando hoy se trata de hacer un tipo de poesía —algo replicativo-generativo, una especie de «chomskismo»— como pudo ser el cubismo en su momento; pero hay, sin embargo, un punto que sí me interesa comentar: Federico contesta paladinamente al periodista que la Barraca no está hecha para llevar teatro clásico por pueblos y ciudades; recalca, por el contrario, que, puesto que es teatro universitario, su misión es pura y simplemente la de servir a la Universidad; en otras palabras, la Universidad lo ha hecho posible, la Barraca es un producto claro de la Universidad y, por tanto, puesto que ya existe otra agrupación con el objeto de transportar información cultural por pueblos y por aldeas, Misiones Pedagógicas, la Barraca no tiene por qué salir de Madrid (quizás en esto, como ocurre en otras muchas cosas, hay algo que se tergiversa o se dice con otro sentido al que uno pretende). Estoy seguro de que Federico no quiso decir tanto Madrid cuanto Uni-versidad; la Barraca era un teatro de universitarios para universitarios: Uni-versidad frente a Di-versidad. Sin embargo, y espontáneamente, no teníamos reparo que oponer a que en los lugares, incluso los más periféricos y aislados de nuestro territorio, la Barraca descargara su rico contenido frente a un pueblo que, sorprendentemente, siempre estaba dispuesto a recibirlo y a gozar con él. Dentro del clasismo que la Universidad suponía —y aún supone—, pensábamos, en el fondo, que éramos, constituíamos un teatro del pueblo para el pueblo.

En León, como he dicho, representamos *Fuenteovejuna* y *La Tierra de Alvargonzález*. Todavía no he contado cómo a Federico se le olvidó la cuartilla que leía ante el público antes de la representación, explicando el objeto de nuestra misión y el resumen de lo que iban a presenciar; cómo tal olvido le disgustó tremendamente y cómo, finalmente, se desquitó recitando prodigiosamente a Machado.

En León nos alojamos en el Hotel París; era, sigue siendo, un palacio antiguo, posiblemente de fábrica de fines del XVII, habilitado, con mejor o peor fortuna, para alojar huéspedes. Recuerdo que en la misma habitación dormimos Federico, Rapún y yo. (Habitualmente dormíamos varios en la misma habitación, sobre todo cuando teníamos que hacerlo por los pueblos; España, por otra parte, no andaba muy allá de hoteles; el turismo no había afeado todavía su prístino auroral paisaje.)

Recuerdo cómo, por la mañana, tras haber representado la noche anterior, recogido la impedimenta y dormido como troncos, llamó con el timbre Federico a la doncella; ésta acudió solícita y nos preguntó que qué queríamos desayunar.

—Un chocolate chorpatélico, con un poco de ronronquelia —ordenó muy serio Federico.

La muchacha se le quedó mirando asombrada: —¡Ahí va! —exclamó— ¡está loco!

Tras lo cual salió sin más comentarios, mientras Federico y nosotros nos reíamos a carcajadas, aunque sin saber lo que pasaría. Lo curioso del caso es que la doncella nos trajo sendos chocolates con churros.

—¿Dónde los pongo, señorito? —le preguntó, sonriente, a Federico.

—Póngalos ahí, en la concla —contestó éste con displicencia.

Bien, no nos imaginamos entonces, creo que jamás podríamos imaginarnos, yo, desde luego me considero incapaz de hacerlo, que la palabra «concla», recién inventada por Federico, tuviera un sentido inconfesable, ofensivo o, tal vez, deshonesto; algo así como si Federico le hubiera hecho una proposición turbia a la doncella. Esta reaccionó como si le hubiera picado una avispa:

—¡¡Sinvergüenza, cochino!!, ¿qué se ha creído Vd.?

Conque nos dejó los desayunos sobre la consola (tal vez concla quiera decir consola o cómoda o algo así) y se marchó dando un portazo, dejándonos estupefactos. El lenguaje chorpatélico tiene, a veces, sus pequeños fallos.

En el Puerto de Pajares se nos fundieron las cuatro bielas del camión; en Mieres orbayaba; lluvia menuda y triste que contrastaba con el cielo purísimo de León; fueron tres o cuatro días los que permanecimos en ese polo industrial asturiano; veíamos llover sobre los prados verdes y veíamos verdear la yerba bajo la lluvia; de allí, arreglada la avería, pasamos a la Universidad Internacional de la Magdalena, en la que íbamos a actuar por primera vez; llevábamos, completo, el repertorio que hasta entonces habíamos montado.

La Universidad Internacional tenía su sede en el Palacio de la Magdalena, sobre la bahía; disponía de su pequeña playa, prácticamente utilizada sólo por los estudiantes, al otro lado de la cual estaba el pueblecito de Somo. En Somo veraneaban los Morla, Carlos y su mujer Bebé; Carlos, estupenda persona, diplomático acreditado en Madrid, buen amigo de sus amigos, profundamente amigo de Federico al que admiraba sin reservas, componía música; ponía música, más bien, a ciertos poemas de sus amigos los poetas: Federico, Alberti, Guillén, Juan Ramón, etc. Bebé cantaba, cantaba con una voz dulce, afinadísima, no sólo lo que su marido escribía, sino también cuecas chilenas deliciosas; Bebé murió, al parecer, víctima del color de los pétalos de los claveles —era alérgica a la pintura de los labios, me dijo Marcelle Auclair—. Murió en París un triste día; Carlos había de dejar este mundo más tarde y en Madrid; supongo que murió de pena, pena que se le fue afilando con los años, hasta que, delgadísima, le apretó el corazón como un hilo de acero; tenían un hijo, Carlos, médico establecido en Madrid y dos nietas, que ya serán mujeres.

Carlos Morla tuvo gran empeño en que la Barraca se desplazara a Somo para dar una representación a los pescadores del pueblecito.

—¿Cuándo vendrán los títeres? —le preguntaban a Carlos. Los títeres no fueron a Somo porque nos sujetaba en la Universidad el compromiso de representar todo el repertorio y no podíamos montar y desmontar el tablado para una única representación a la luz del día. Pero algunos sí fuimos a Somo, pueblo en el que también veraneaban el escritor Prevost y su mujer, Marcelle Auclair.

Aunque en Santander representábamos a diario, la estancia en la capital montañesa constituía un descanso para nosotros, ya que no teníamos que montar y desmontar todos los días el tablado; no disponíamos, *sensu estricto* de camerinos, pero sí de amplias habitaciones en las que vestirnos y maquillarnos sin ser molestados; por otra parte podíamos ensayar sobre el tablado cuantas veces Ugarte o Federico lo considerasen necesario.

Allí, como he dicho, se representaba todo el repertorio; el primer año, correspondiendo a mi segunda excursión, se pusieron en escena el auto sacramental de *La Vida es Sueño*, la obra completa, los Entremeses de Cervantes, *Fuenteovejuna y,* finalmente, rematando la labor, la llamada Fiesta del Romance.

El diario *El Cantábrico* de la capital montañesa dio una breve referencia de cómo serían nuestras actuaciones. Con fecha 25 de agosto de 1933, decía lo siguiente: «Esta noche comenzará su actuación la Barraca en el campo de polo de la Magdalena, a las diez y media de la noche, continuando los días miércoles, jueves y viernes a la misma hora.»

«Las obras que se representarán en esos días son las siguientes: *La Cueva de Salamanca, La Guarda Cuidadosa, Los Dos Habladores,* y *El Retablo de la Maravillas* de Cervantes; *El Bobo de la Olla* y *Fuenteovejuna* de Lope (claramente se advierte el error de confundir, por parte del cronista, a Lope de Vega con Lope de Rueda), *La Vida es Sueño,* Auto Sacramental de Calderón y *La Tierra de Alvargonzález* de Antonio Machado. Las invitaciones se han repartido en centros de cultura y obreros.»

Las representaciones, que tuvieron un éxito rotundo, fueron presenciadas no sólo por los estudiantes de la Universidad, españoles y extranjeros; en éstos, sobre todo, la representación de nuestros clásicos, realizada por estudiantes, causó asombro y marcó impacto—, sino también por todo el profesorado y el mundo intelectual de Santander, amén de los numerososo obreros que acudieron a presenciar nuestras actuaciones.

El diario *Luz,* de Madrid, con la firma de Juan Comas, hacía un breve balance de la actividad de la Barraca en Santander ,—7. IX. 1933—

«De un modo más especial las cuatro representaciones del teatro universitario la Barraca... despertaron el mayor interés de todos, más especialmente en los extranjeros. Ugarte, García Lorca y demás estudiantes-artistas, nos ofrecieron lo mejor de su repertorio clásico.»

Es sabido que el Presidente de los cursos que organizaba la Universidad Internacional de Santander, era D. Ramón Menéndez Pidal; como director actuaba Pedro Salinas, el gran poeta, hoy desaparecido, y como Secretario José Antonio Rubio Sacristán.

Aquel año se celebró en Madrid un Congreso Mundial sobre la Cultura; Ortega, que estaba invitado, no participó porque, según dijo, no tenía nada preparado, pero Unamuno lo hizo y, en su intervención, vino a decir que la cultura era aquello que se fabricaba en los cafés y que lo demás eran garambainas; sus manifestaciones fueron acogidas con benevolencia, por supuesto, dada la altura intelectual de D. Miguel, pero, pienso, sin ser tomadas en serio. Recuerdo que en Santander una profesora francesa, que había asistido a aquel Congreso, que por cierto tuvo como escenario el Auditorium de la Residencia de Estudiantes, una francesa, digo, cuando veía a D. Miguel en la Universidad de Santander, y recordando lo de las mesas de café, exclamaba entre sonriente y comprensiva: ¡Oh Monsieur Unamuno! —acentuando la o y repitiéndolo dos o tres veces.

El señor de Tudanca, D. José María Cossío, sabía mucho de toros; por lo que resultaba de sus conversaciones, había visto morir a Joselito en Talavera de la Reina, bajo los pitones del toro Bailaor o Bailador —un buen nombre para morir—. Sin embargo, nunca le oí hablar de toros con Federico; sus comentarios eran, principalmente sobre teatro y, más que nada, sobre poesía, aspecto cultural este sobre el que estaba tan enterado o más que sobre toros y toreros. La verdad es que no estoy muy seguro de que fuera el conde de Villamediana —quien también murió trágicamente— el que estableciera conexión poética entre un perfil y una azucena, pero el hecho fue descubierto por D. José María, quien se mostraba muy satisfecho del perfil de la azucena. Siempre que he estado en Santander, años más tarde, muchos años más tarde, he recordado que las azucenas tienen su perfil aunque no sé si todos los perfiles buscarán su azucena para posarse en ella.

D. José María Cossío fue solemnemente nombrado «barraquito» honorario, título este conferido por Federico y refrendado por el resto del elenco, como puede verse en la xerocopia adjunta, que recoge las firmas de todos los, a la sazón, componentes de la Barraca.

Solíamos pasear por Santander, por el viejo Santander de antes de la guerra; nos bañábamos en la playa de la Magdalena, aunque algunas veces íbamos al Sardinero o a Castañeda; de todos modos, los cuatro o cinco días de estancia en Santander se pasaban en un soplo, y la *tournée* había que continuarla.

De Santander dimos el salto hasta Pamplona; no montamos tablado en la capital navarra, ya que trabajamos en el Teatro Gayarre, donde pusimos en escena *Fuenteovejuna* y un entremés de Cervantes, posiblemente *El Retablo de las Maravillas*.

Como me ocurre con todas las excursiones que hicimos, me es imposible hacer un meticuloso orden cronológico de las mismas; lamento por ello que mi información personal, en este aspecto deje bastante que desear (para mejorar dicha información incluyo los recuerdos de M.ª del Carmen García Lasgoity y el resumen de todos los itinerarios; con todo ello se puede llegar a una idea bastante clara). El caso es que los archivos que Rapún llevaba y que me hubieran prestado una ayuda preciosa, han desaparecido para siempre; no contamos pues, como Misiones Pedagógicas, con notas precisas y exactas; a pesar de ello y de las malas jugadas que a veces le hace a uno la memoria, todavía puedo dar alguna idea de nuestros viajes.

De Pamplona pasamos a Jaca; Jaca tenía para nosotros un triple interés: en primer lugar, eran las fiestas de la villa, lo que hubiera congregado en torno a nuestro tablado a numerosísima gente, ávida de vernos actuar, en segundo, representaba el lugar en el que Galán y García Hernández se habían alzado contra un orden que ellos estimaban injusto (la República les elevó a la categoría de héroes) y, en tercero, que había también Universidad para extranjeros a los que también pensábamos que podíamos enseñarles algo de lo que en España se hacía. Pero no pudo ser.

Teníamos el tablado ya montado; íbamos a representar *Fuenteovejuna*, cuando una orden terminante de las autoridades nos hizo desmontar todo, prohibiéndonos la actuación; ignoro si hubo gestiones para revocar la orden, orden sin ningún sentido en nuestra opinión, pero algo debió pasar por las mentes de los que la emitieron pues, tercas, nos hicieron desmontar el tablado, recoger toda la impedimenta, cargarla en los camiones y pensar en otra cosa.

La otra cosa consistió en ir a Canfranc; de todos modos, y en el recinto de la Universidad de Jaca, Federico dio un recital estupendo de sus poesías; el éxito fue extraordinario y, aunque personal de Federico, nos compensó en parte del hecho de no poder actuar. Canfranc está en plenos Pirineos; si se sigue la carretera que los atraviesa, se llegará a Olorón Ste. Marie, pueblo francés, próximo a Pau. Nosotros nos detuvimos en Canfranc. (Hubo proyectos más amplios para la Barraca que aquellos que limitaban sus actuaciones a la propia península; incluso el mismo Federico habló de ello en más de una ocasión indicando que el escenario de nuestro teatro no se limitaría a España. Jean Prevost nos había, por su parte, invitado a ir a París, donde podríamos, asimismo, representar en el Colegio Universitario Español. Ya José M.ª Salaverría y con el título de «El Carro de la Farándula», había publicado un artículo en *La Vanguardia* de Barcelona el 1 de diciembre de 1932, recogiendo las palabras de Federico: —«Es posible que vayamos a París y que de París pasemos a Londres... Haremos lo posible para que los públicos ilustrados del extranjero reciban una buena impresión del espíritu de la juventud de la España nueva.» No se llegaron, por desgracia, a cumplir estos propósitos). Estábamos en Canfranc.

No podemos decir que los Pirineos nos fueran propicios, teatralmente hablando; ni en Jaca ni en Huesca pudimos representar y, en Canfranc, presenciamos una de las tormentas más impresionantes de mi vida —gran aparato eléctrico y truenos terroríficos—. Tampoco allí pudimos montar el tablado, debido, precisamente a la tormenta, de manera que tuvimos que trabajar en un local que mi recuerdo no adscribe a nada; tal vez el teatrillo de una escuela, con un pequeño escenario en el que montamos los Entremeses y *El Bobo de la Olla* o *La Tierra de Jauja,* como se quiera. Los Entremeses estaban sabidos y archisabidos, de manera que, pese a lo reducido del escenario, salieron perfectos, pero no puedo decir lo mismo del Paso delicioso de Lope de Rueda porque a Navaz, en un momento dado, se le olvidó el papel y salió por peteneras, aunque el público no lo notara.

De Canfranc fuimos a Ayerbe; mi memoria es una laguna en blanco; no sé lo que representamos, pero si mi recuerdo no emite información es, seguramente porque en Ayerbe nos salieron bien las cosas. Y de Ayerbe nos desplazamos a Huesca, ciudad en la que tampoco nos dejaron representar; nos limitamos, pues, a descansar de tanto ajetreo; los ánimos, por otra parte estaban un poco tensos.

De Huesca, finalmente, saltamos a Tudela, pueblo al que nos siguió la tormenta que empezó en Canfranc; en Tudela vi caer el rayo más hermoso —grueso como el tronco de un chopo— de mi vida, a una distancia de cincuenta metros; retemblaron las casas inmediatas, mientras Rapún y yo, que salíamos del hotel, quedamos deslumbrados unos minutos; pero parece como si con aquel rayo el tiempo empezara a apaciguarse: pudimos montar nuestro tablado, representamos, y al día siguiente hicimos nuestros pinitos en turismo: fuimos a Olite a ver el castillo-palacio que sirvió de residencia a los Reyes de Navarra. Y de Tudela, fuimos a Estella.

Estella merece párrafo aparte. Estella es un maravilloso pueblo de la ribera navarra, lo cual no obstaba para que allí no se vieran con demasiado buenos ojos las obras de la República; la Barraca era una de esas obras. Estella tiene una preciosa plaza, la Plaza de los Fueros, pero no nos fue posible actuar en ella, ya que no obtuvimos el necesario permiso; a cambio de ello, nos mandaron a la plaza de toros; la plaza de toros de Estella no es muy grande, pero suficiente; al igual que los pamplonicas, los estelleses acostumbran a correr delante de las reses que van a ser toreadas durante las fiestas, espectáculo este que a algunos, a Navaz, por ejemplo, por citar a uno de los componentes de la Barraca y a Hemingway, por referirme a un extranjero, les parece emocionante; en Estella suelen correrse las vacas, no los toros.

Bien, nos mandaron a la plaza de toros, aunque no corrieron delante de nosotros; tampoco corrieron detrás, que todo hay que decirlo; los toriles fueron nuestros camerinos, los toriles oliendo a rumia, a hierba segada y descompuesta, a toro de Guisando «mitad sueño y mitad piedra». La luna nos iluminó para vestirnos y maquillarnos, una espléndida luna que «finge cuando niña doliente res inmóvil», pero que era adulta en aquellos momentos y reflejaba, plena, nuestra plaza blanca y encalada. El tablado lo montamos con toda tranquilidad, ya que los chiquillos y aun los no chiquillos, que, en las plazas públicas nos incordiaban, no habían podido entrar en el coso.

Tengo la casi segura idea de que en escena se pusieron los Entremeses de Cervantes, *La Cueva, El Retablo* y *Los Habladores*. Como siempre, Federico, con unas palabras previas, anunciaba al público qué era lo que se pretendía con las representaciones de la Barraca, esto es, llevar nuestros clásicos por los caminos de España, a cuyo fin el Gobierno de la República subvencionaba nuestras salidas, etc. Cuando apareció sobre el tablado, se oyó un murmullo como el que hacen los enjambres de abejas volando y acercándose a uno, un bordoneo que iba *in crescendo* y que no se sabía de qué sitio partía, porque partía de todos.

—El Gobierno de la República... —empezó diciendo Federico, armándose de valor, al notarse cercado de malas voluntades. Nuestros semáforos psíquicos pusieron luz roja, anunciando el peligro. Solo ante el peligro.

Y el susto al verse ante un público hostil, le hizo cometer una equivocación grave (que, por otra parte era graciosa).

—¡Noble pueblo de Segovia...

—¡Payaso! —gritó alguien del público, haciendo que Federico perdiera el hilo de su discurso. Tal vez pensó en el ábside de San Juan del Duero.

—¡Botarate! —le apostrofaron. Sin embargo Federico no perdió la calma. Tal vez tampoco perdió la calma en un terrible día del verano de 1936.

—Desinteresadamente —dijo alzando la voz, para que ésta se percibiera a través del bordoneo, que se estaba transformando en un mugido lento, pero amenazador, cada vez más amenazador—, los muchachos que vais a ver en escena vienen a ofreceros las riquezas de nuestro teatro, riquezas desconocidas para la mayoría de los españoles. Estos muchachos, sin cobrar un solo céntimo, abandonan sus cosas y sus casas para ir por los pueblos a brindar cultura y arte a los que deseen arte y cultura. A nadie obligamos a presenciar nuestro espectáculo, pero sí pedimos respeto y comprensión, porque tampoco debemos nada a nadie.

El mugido se hizo bordoneo, el bordoneo murmullo y el murmullo, al fin, silencio; los insultos se disolvieron en el aire de la noche. El público procuró acomodarse en las gradas, dispuesto a ver lo que sucediera, si es que algo tenía que suceder. En todo caso, estaba predispuesto a lo peor. Nosotros también.

Se iluminaron las baterías y los focos sobre el tablado; el marido de doña Leonarda, Joaquín Sánchez Covisa, en La Cueva de Salamanca, inicia la escena despidiéndose de su mujer. Las voces del público se acallan y todos empiezan a escuchar con respeto; la gente sigue atentamente las incidencias de la obra y, cuando el entremés termina, una ovación, absolutamente espontánea, brota de todo el graderío. Con El Retablo de las Maravillas, a renglón seguido, la gente entra ya de lleno y sin reservas, en la presentación, riéndose a carcajadas y aplaudiendo fervorosamente al final. Los Habladores, y ya de modo definitivo, rompieron todo posible recelo por parte del público de Estella, si es que le quedaba alguno, y tras la cancioncilla «Vete, vete pícaro hablador», que remata la obra, los aplausos fueron clamorosos, seguramente más nutridos que en cualquier otro pueblo. La tranquilidad se aposentó en, digamos, aunque suene tontamente, nuestros corazones, y, alegremente, nos pusimos los monos, recogimos y nos fuimos a dormir.

Nada de consignar de importancia en el resto de la excursión, salvo tal vez el comentario que al crítico de La Rioja, sugirió el parlamento de Laurencia en el Ayuntamiento de Fuenteovejuna. Parece que no le gustó que una muchacha llamase maricones a unos señores respetables. Hizo, creo, hincapié sobre la educación que habíamos recibido.

De Logroño pasamos a Burgos (Hotel París Londres y Cuatro Naciones), donde Federico tocó el piano. Pienso que de Burgos fuimos a Riaza, pueblo este donde representamos por última vez. En todo caso, nuestro reposo en Madrid fue breve, porque Juan Chabás, en un artículo del periódico Luz, correspondiendo al 4 de septiembre de 1933, habla de que, tras la excursión comentada, y tras un breve reposo, fuimos a Valladolid, donde representamos los Entremeses y Fuenteovejuna; el artículo lo titula «Hacia un nuevo teatro».

Se produce, por entonces, el primer hiato en la dirección; se trataba de montar El Burlador de Sevilla, de Tirso de Molina; se repartieron los papeles y se iniciaron los ensayos; pero el éxito clamoroso que Federico había logrado en Buenos Aires con Bodas de Sangre, obra que protagonizaba Lola Membrives, hizo que nos quedáramos con los ensayos a medias; el 13 de octubre Federico marcha a la Argentina donde permanece, de triunfo en triunfo, hasta el 24 de marzo de 1934.

Pero ello, naturalmente, no impide que sigamos ensayando y que, incluso, demos alguna representación en el Teatro María Guerrero, con *Fuenteovejuna* y *El Retablo de las Maravillas.* De la primera de esas representaciones, comentada por Chabás en el diario *Luz* del 6 de noviembre de 1933, entresaco los siguientes párrafos que demuestran, por lo menos, lo orquestadas que ambas obras se hallaban, lo maduras para que pudiera degustarlas no importa qué público: —«La obra que la Barraca ha realizado en un año no puede ser más fecunda. Por pueblos y lugares chicos de España, unos cuantos estudiantes aficionados a nuestro teatro, han ido divulgándolo y esparciéndolo...»

Hace el autor alguna consideración sobre el porqué no llevar en el repertorio alguna obra moderna de franco sentido revolucionario, y, después de deplorar las condiciones de iluminación y escenografía con las que, por aquel entonces, contaba el Teatro María Guerrero, absolutamente deficientes, termina diciendo: —«Los estudiantes y amigos de la Barraca que representaron la difícil obra de Lope y el gracioso entremés de Cervantes, no son actores profesionales. Son, eso sí, muchachos inteligentes, cultos, llenos de interés y devoción por el teatro.»

De la segunda representación, y en el mismo diario *Luz,* con fecha 8 de diciembre, Chabás añadiría: —«Viendo ayer noche la representación de estos devotos y abnegados estudiantes, pensábamos en lo que pudiera hacerse con un equipo de actores seleccionados, unos directores competentes y una mínima ayuda del Estado... ¡Gran fiesta la de anoche!¡Ojalá la Barraca pueda ser ejemplo y guía!»

Naturalmente, estas opiniones halagüeñas para todos nosotros, no eran compartidas por todo el mundo. *El Debate,* periódico absolutamente antirrepublicano, dirigido por Herrera Oria, había publicado el 6 de noviembre un editorial en contra de las actividades de la Barraca, ya que éstas suponían una competencia no lícita con los actores profesionales, cuyos puestos ocupaban unos estudiantes sin preparación artística ninguna.

Federico seguía en Buenos Aires; escribía cartas cariñosas a todos en las que dejaba ver su satisfacción por el éxito conseguido; además de *Bodas de Sangre,* había puesto en escena *Mariana Pineda* y *La Zapatera Prodigiosa;* también *La Dama Boba* de Lope.

Con motivo del aniversario de la República —14 de abril— fuimos a la Zona del Protectorado. Ugarte nos llevó, seguramente a requerimiento de las autoridades de dicha Zona. Representamos *Fuenteovejuna* en teatro —Ceuta—, pero también trabajamos en Tetuán y en Tánger; como quiera que en esta ciudad no encontramos plaza *ad hoc,* montamos el tablado en la playa; el ruido incesante de las olas nos obligó a levantar la voz más de lo debido, lo que se tradujo, sin duda, en algunas imperfecciones en el tono general de las representaciones. Por aquella época nos había abandonado ya Ródenas; lo recuerdo muy bien porque tuve yo que hacer su papel en *La Guarda Cuidadosa.*

Todas las excursiones las realizábamos en el autobús de viajeros que amablemente nos prestaba la Dirección General de Seguridad; eran policías los que siempre conducían los camiones, salvo «La bella Aurelia»; sin embargo a Africa, aunque las furgonetas que llevaban decorados, atrezzos y tablado hicieron el viaje, nosotros fuimos en tren; en Algeciras nos embarcamos y, al otro lado del estrecho, fuimos recibidos por un judío —Ben Tata, se llamaba— el cual, tras las representaciones que le encantaron, nos hizo saber que la palabra árabe «baracalaufi», que en la Zona del Protectorado español quería decir gracias, se transformaría, por obra y gracia nuestra y pasaría a ser Barracalaufi. Ben Tata se admiraba de la buena amistad que teníamos Manolo Puga y yo, después de odiarnos violentamente en *Fuenteovejuna;* ello indica la pasión que sabíamos poner en nuestras actuaciones. En realidad, y en contra del parecer de *El Debate,* llegamos a ser buenos actores, teníamos tablas y éramos capaces de resolver situaciones escénicas de emergencia.

También, por supuesto, nos recibió en tierras marroquíes el Ministro destacado en la Zona; hombre amable, un tanto untuoso, que puso a nuestra disposición todo lo que pudiéramos necesitar. En Tánger, Manolo Puga quiso comprar un instrumento musical, algo así como un laúd tosquísimo de una sola cuerda.

—Me parece —le dijo al vendedor, un moro viejo, mugriento, raído y roído por los años y tal vez, seguro, por la miseria— que esa guitarra no suena.

—¿Dice usted que no suena esta guitarra? —y el moro se puso a tocar—: Tin tipitintin tipitipitintin...

Manolo Puga no compró la guitarra, pero nos dio luego, en el viaje de regreso, una buena lata con el tin tipitintin. Como quiera que, como ya he dicho, nos recibió el Ministro de la Zona, Manolo Puga, que estaba en vena, se inventó una canción: —Han venido a recibirnos el Ministro y la Ministra, el Ministro, la Ministra... etc. Lo cantaba a voz en cuello en el departamento del tren que nos llevaba a Madrid. Fue una hermosa excursión.

He vuelto, con el paso de los años, a Ceuta, Tetuán y Tanger. No pensaba hallar huellas en sus calles moras, en sus zocos, y tampoco las hallé; ni una «triste brisa» que recordara la limpia y dulce carroña ya, del paso de la Barraca. Paso y peso de los años idos; viejo mar de viejas olas, es ya otro mar, porque todo fluye y el mar ante el que representamos —que arrulló la escena, con Poseidón al fondo y Tetis, adornada con algas aurorales—, el mar, aquel mar, ya es fósil, pura y salina putrefacción de lo que fue. Los millones de peces que surcaban entonces sus aguas —primeros o segundos bajeles vivos o penúltimos tal vez—, han muerto todos ya, absolutamente todos, y el arisco crustáceo y el plancton que sobrenadaba y las algas verdes, rojas y marrones y el agua evaporada, todo ha muerto. Todo ha muerto ya y nada dejó huella, ¿cómo la dejaríamos nosotros? Tal vez en alguna hemeroteca local el erudito pueda leer, en forma de noticia, el paso de la Barraca por aquellos lugares —el éxito, lo que nuestro teatro representaba, la labor llevada a cabo—, pero, ¿a quién puede importar todo ese montón de polvo sin destino? A mí sí, desde luego y a los que conmigo colocamos, uno a uno, nuestros pequeñísimos granos de pasado, que es olvido.

En el periódico *El Telegrama del Rif,* Melilla, con fecha del 17 de abril de 1934, puede, no obstante, leerse: —«Las fiestas del 14 de abril.»

«De entre los festejos que en conmemoración del tercer aniversario de la República se han verificado los días 14 y 15 del actual, merece destacarse la actuación de la Agrupación Universitaria la Barraca, que dio dos representaciones.»

Tengo ante mí, una vieja fotografía tomada en el barco que nos transportó de Ceuta a Algeciras, quizás de Algeciras a Ceuta; gracias a ella puedo decir quiénes llevamos a Lope y a Cervantes, como volando, casi por el agua, y por el aire (tal vez Cervantes pensara que retornaba a Argelia). Son los siguientes:

Castedo, hijo del que fue Ministro con la Dictadura, Joaquín Sánchez Covisa, Modesto Higueras, cuando aún tenía abundante pelo y se espigaba sobre su propio torso, Mª. del Carmen García Lasgoity, siempre risueña (tal vez alguna sonrisa vuele todavía por el estrecho de Gibraltar), Navaz, el biólogo ictiólogo, Emilio García Ruiz, delegado a la sazón de la U.F.E.H., Carbonero, actor modesto que, un buen día nos abandonó, Carmen Galán, la Laurencia de *Fuenteovejuna,* Julita Rodríguez Mata, la Cristinica de todas las Cristinicas; en ella, saltando sobre los siglos, se inspiró Cervantes para crear una doncellica limpia de polvo y de paja; Eduardo Ugarte, en ausencia de Federico sumo director, sumo mandamás y también, afectuosamente, sumo mandamenos. También vinieron a los cielos marroquíes, Aurelio Romeo que había llevado el camión hasta Algeciras, Diego Marín, Simarro, heredero directo de Temujín, el gran Khan de todas las Asias, que quizo pegar a un «canco», a un «sarasa», a un «marica», que se le insinuó en las calles de Tetuán; Jacinto Higueras, antes de que la escultura le hubiera cincelado el pensamiento; Rafael Rapún, del que escribe Carlos Morla: —«Los muchachos con mono azul, entre los que se mueve más que ninguno Rafael Rodríguez Rapún...», Manolo Puga, que tenía no sé qué en aquella excursión que le había afectado los párpados del ojo izquierdo, y Obradors.

A igual que Manuel Machado:

Y *Sevilla.*

Porque no sé si antes o después —pienso que antes—, de la excursión a Africa, estuvimos en Sevilla donde montamos *Fuenteovejuna* y *El Retablo de las Maravillas;* era el mes de marzo y hacía frío. Frío en Sevilla, puñetero frío en Sevilla, porque no hay modo de librarse de él; frío de

Giralda y de Torre del Oro, con un Guadalquivir helado; alguien propuso que, para combatir el frío, fuéramos por los colmados a tomar chatos de manzanilla. Fuimos, pero yo, al segundo, estaba que no veía y tuve que marchar al hotel a dormir la media papalina. Así pues, y Sevilla.

En mayo de 1934, retorna Federico de Argentina; vuelve luciendo un traje de fresco, casi blanco, de los que todavía no se llevaban en España (nuestra España formal del primer tercio de siglo); un traje, «pálida tez del caos». Con su vuelta se colmaron los vacíos que había dejado por cafés, tertulias, reuniones. Los ensayos de *El Burlador* adquirieron un ritmo más rápido; muerta Conchita Polo, el papel de la Duquesa Isabela quedó incorporado a Julita Rodríguez Mata, aunque acabó haciéndolo Gloria Morales. Con el montaje de *El Burlador* y de la Egloga, y aún dentro del zénit de la Barraca, se iniciaba, lento y solapado, el derrumbamiento de nuestro teatro universitario.

Por entonces, y asimismo coincidiendo con el regreso de Federico, ofrecimos a éste una comida homenaje —que luego, siempre generoso, pagaría él— en algún merendero de la Bombilla; no fue la única comida que celebramos, pero, en aquella fecha, la ocasión del triunfo personalísimo de Federico, por tierras americanas, fue la que nos reunió. La fotografía de los asistentes a la comida, se adjunta en el presente libro, fotografía en la que se reconocen, a pesar del tiempo —millones de segundos— transcurrido: en primera fila y sentados (algunos sonrientes, otros serios, según el talante de cada cual en esa pequeña hora de la digestión que empezaba —todos habíamos comido lo mismo y nuestros estómagos trabajan con sus diminutos jugos corrosivos—), y de izquierda a derecha, a Julián Risoto, Mª. del Carmen García Lasgoity, Federico, Carmen Galán, Julita Rodríguez Mata, Ugarte; en la segunda fila y en el mismo orden, Aurelio Romeo, Rafael Rodríguez Rapún, José Obradors, yo, Joaquín Sánchez Covisa, Navaz, Ambrosio Fernández Llamazares, y Emilio García Ruiz; en tercera fila Simarro, Marín, Jacinto Higueras, José García García, Alberto Quijano, Castedo y Manolo Puga.

Perdóneseme esta reiterada relación de nombres; quizás constituya una compensación a que jamás se nos nombrara en la prensa con motivo de nuestras actuaciones; el anonimato era algo de lo que Federico hizo rígida norma; lo que contaba era el conjunto, la labor de equipo, no el actor aislado, por lucida que fuese su actuación; y esta introducción del conjunto como clave esencial en la interpretación de una obra teatral, fue, quiérase o no, ideada por Federico García Lorca.

A Federico le gustaron los figurines de Ponce de León que éste dibujara para *El Burlador;* tal vez retocó alguno de ellos y, seguramente, pensó en los decorados; es muy posible que quisiera que Ponce dibujara algo florentino del siglo XV o principios del XVI, pero la capacidad de las furgonetas, —la capacidad de almacenaje, quiero decir—, no daba para más de lo que se llevaba, de manera que Federico imaginó la *mise en scène* de *El Burlador* con cortinas negras.

Por otra parte, los decorados de Alberto en *Fuenteovejuna,* ya nos habían dado un susto en Santander; no recuerdo si fue en la primera o en la segunda excursión a la capital montañesa, cuando uno de los decorados, ya colocado sobre el tablado, seguramente a impulsos del viento (aunque éste no fuera fuerte actuaba sobre una superficie de treinta y dos metros cuadrados), se nos vino abajo. Cayó lentamente, como si estuviera borracho, como si hubiera recibido un golpe en la mandíbula y se le doblaran las piernas; hubo que retirarlo a toda prisa y curar después sus heridas —unas rasgaduras en la parte central.

Y ahora quiero referir una cosa que la gente que habla de ella la trastrueca; no forma, *sensu estricto,* parte de las giras que la Barraca efectuara, pero sí supone una representación y, por ende, una representación que suponía dos tipos de experiencias para el elenco: por un lado consistía en mover muñecos de guiñol y, por otro, no menos importante, montar una obra del propio Federico.

Fue al regreso de la Argentina; tras su apoteósico triunfo, los intelectuales le ofrecieron un homenaje en el Hotel Florida; no recuerdo si hubo discursos, aunque puede que los hubiera; a cierta gente le gusta hablar con solemnidad y prosopopeya, porque para eso están la solemnidad y la prosopopeya; pero si no recuerdo si se habló o no, es porque nosotros estábamos ocupados en otra cosa: en preparar los muñecos para dar una representación de guiñol, una simple y mera representación de guiñol. El frontispicio para el mismo, lo había hecho Fontanals, los decorados Miguel Prieto y José Caballero y los muñecos el escultor Angel Ferrant.

Pues bien, en aquella ocasión, y de modo excepcional, montamos en escena y para corresponder al homenaje ofrecido a Federico, un Entremés de Cervantes y *El Retablillo de Don Cristóbal.* Es bien sabido que Federico nunca quiso utilizar a la Barraca como vector o vehículo de su propia obra; no obstante, y habida cuenta la ocasión del homenaje, y seguramente habida cuenta también de que a Federico le apeteció ver su propia obra montada por nosotros, se puso en escena *El Retablillo.* No me gusta hacer elogios de nuestras propias obras, pero justo es que diga que *El Retablillo* constituyó una verdadera delicia, como si todo el comedor se hubiera llenado de pétalos. Pues bien, resulta que en los libros que he leído y que hacen referencia a este homenaje, sólo mencionan los Entremeses de Cervantes como piezas representadas en guiñol, pero no dicen nada de *El Retablillo,* que, a mi juicio, representaba la máxima atracción. Ni siquiera Carlos Morla, que llevaba un diario «diario» con meticulosidad, se refiere a él. Como sólo se representó una vez, no recuerdo exactamente quiénes intervenían en el reparto. Puedo decir, no obstante, que Julita Rodríguez Mata interpretó a doña Rosita, Mª. del Carmen García Lasgoity a su madre, es posible que Modesto Higueras hiciera el Don Cristóbal; en cuanto a mí, recuerdo perfectamente que hice el poeta que prefiere las monedas de plata a las de oro

—la noche al día, la luna al sol— y, también, el enfermo que saca cuello hasta más allá de la carótida.

Curiosamente, y aunque esto no tenga nada que ver *sensu estricto* con la Barraca, sí lo tiene, y mucho, con su entorno, algo parecido ocurre con *El Amor Brujo* que montó Federico en el Teatro Español, interpretado por la Argentinita, Rafael Ortega, Pilar, y los gitanos extraordinarios que Federico trajo de lo más profundo de las raíces de la tierra: la Malena, la Fernanda y la Macarrona. Pues bien, aquellos que hacen referencia al acto, aseguran que se montó en la Residencia de Estudiantes y en la primavera de 1933. Yo no niego tal cosa, puesto que todo el mundo parece afirmarlo, pero donde realmente se representó y no una sola vez, sino muchas, ya que estuvo bastante tiempo en el cartel, en el que se anunciaban, además de *El Amor Brujo,* tanguillos y alegrías de Cádiz, fue en el Teatro Español. (Ortega y Gasset, cuando hablaba en tono humorístico de Ortega «el bueno», se refería, seguramente al gitano, aunque puede que fuera a Domingo Ortega.) Recuerdo una noche, después de la función —el escenario era de fondo oscuro sobre el que destacaba una columna roja luminosa a la izquierda del espectador— Ortega, en un bar de la Plaza de Santa Ana, donde nos hallábamos comentando incidentes y charlando de las cosas que pasaban por el aire, Ortega, digo, se fue al W.C. —a los servicios— cantando y bailando por alegrías: —Me voy al guate, me voy al guate; que también, en lugar de cantar «lo mismo que el fuego fátuo lo mismito es el querer», él decía: «lo mizmo quer fuego «fauto» paza en laz grandez paziones». Pues bien, nada de esto he visto consignado en ningún libro; justo es que lo haga yo.

Por aquella época de la primavera del 1934, ya se habían incorporado al elenco Gloria Morales, Leyva, Carmelo Mota, Mario Etcheverri, Julián Orgaz, me parece que también Manresa y alguno más cuyo nombre no se me hace presente en el momento de redactar estas cuartillas; *El Burlador de Sevilla* y la *Egloga de Plácida y Victoriano,* eran las novedades que se iban a llevar en la próxima excursión.

Fuimos a Santander, donde se dio completo, el repertorio. *El Burlador* salió perfecto, sin un solo fallo; Unamuno que lo vio, seguramente por primera vez en su vida, quedó tan impresionado, que cuando lo repetimos en Palencia, acudió nuevamente a verlo. Aquellas representaciones pudieron abrirnos de par en par las puertas del extranjero. Jean Prevost, que ya nos había visto actuar en más de una ocasión (Jean Prevost era eminente escritor y crítico francés) escribió lo que sigue: —«*Jamais je n'ai vu en Europe un meilleur thêatre universitaire; venez à Paris*». Y en cuanto a Ezio Levy, profesor de la Universidad de Nápoles, hizo personalmente una invitación para que la Barraca fuera a Italia. En la revista *Scenario,* de Roma, octubre de 1934, escribió lo siguiente:

«García Lorca, vestito con la tuta da operaio, in un canto del tavolato, scandisce i tragici versi del poema di Machado; e l'amara poesia penetra nel cuore e lo attanaglia e lo tortura con una infinita tristezza.

I «romances», la poesía di Machado, gli «entremeses» di Cervantes e le commedie di Lope sono inframezzate da musiche... García Lorca non soltanto ha scelto le poesie ma ha ritrovato le musiche antiche...»

De Santander fuimos a Ampuero; Ampuero pertenece al partido judicial de Laredo, pero situado tierra adentro; la brisa marina nos abandonaría ya en aquella excursión. Ampuero es un pueblo típico montañés de unos 4.000 habitantes que cuenta, naturalmente, con una plaza apta para montar el tablado. Es curioso que todos los pueblos hayan sentido la necesidad de una plaza; habitualmente dicha plaza está presidida por la iglesia o por la catedral, fábricas arquitectónicas que aglutinan, posteriormente, a las demás casas del pueblo. De cualquier forma, todavía, que yo sepa, no está bien explicado, —permanece oscuro para la equística—, el porqué de que la iglesia se ubique en un sitio y no en otro; yo creo que la ubicación, así como la forma de la plaza, no son en modo alguno arbitrarias, sino determinadas por oscuras leyes; pero como esto no tiene que ver con la Barraca, si no es desde el supuesto de que la Barraca necesitaba siempre una plaza, trataré de recordar qué fue lo que representamos a lo largo de aquella excursión de 1934.

En Ampuero montamos los Entremeses de Cervantes, con el éxito de siempre; de Ampuero bajamos a Medina de Pomar, pasando por Ramales de la Victoria, pueblo este en el que no nos detuvimos; Medina de Pomar, verde, con nombre de manzana y de ciudad, le había gustado a Federico; no puedo recordar lo que pusimos en escena antes de ir a Villarcayo. Habíamos dejado las praderas húmedas de la montaña santanderina, para adentrarnos en la Castilla de los largos ríos.

Villarcayo era una villa pequeña de unos mil habitantes, muy próxima a Medina de Pomar; de allí pasaríamos a Villadiego, pueblo donde se fabrican las alforjas; sobre él caía un sol de justicia; de allí nos dirigimos a Palencia, atravesando Carrión de los Condes.

En Palencia mi memoria, por lo menos en parte, es clara, ya que recuerdo, tengo nítida en la imagen que, en la sacristía de la catedral, había un Greco, un San Sebastián asaeteado, cuya existencia ignoraba y tampoco la presumía. Me subí, para verlo mejor, sobre una especie de cómoda que allí había, y nadie me lo prohibió; lo estuve tocando —acariciando— me refiero al cuadro, que es el primero y único de un maestro con el que me permití semejante familiaridad, para darme bien cuenta de cómo estaba pintado, para penetrar en el secreto de la técnica del maestro candiota; lo toqué, claro está con todo el respeto del mundo.

En Palencia y en teatro, volvimos a poner *El Burlador* y lo complementamos con *Las Almenas de Toro;* luego nos dirigimos a Peñafiel; Peñafiel es un pueblo netamente castellano, con un castillo en lo alto de un alcor, desde el que puede verse, no sólo el pueblo, sino también el Duero que lo atraviesa. Como allí vivió el Conde Lucanor, sus manes nos acompañaron en la representación: *Fuenteovejuna* y un Entremés.

De Peñafiel bajamos a Cuéllar; la llanura va cediendo paso al plegamiento y las primeras piedras berroqueñas empiezan a hacer su aparición en el paisaje; fue en Cuéllar donde presenciamos, desde el balcón del Ayuntamiento, una capea pueblerina, salvaje, primaria. Con carros habían cerrado la plaza y, como los mozos de Monleón, los de Cuéllar demostraban, durante la fiesta, su regresión al Paleolítico; eran por otra parte, los festejos del lugar, pero no recuerdo qué santo o santa Virgen veneraban en Cuéllar.

De allí nos acercamos a la ciudad siempre caliente, viva, dorada, que es Segovia, con su acueducto del Azoguejo, monumento elevado por la esclavitud; no montamos, sin embargo tablado en ninguna plaza segoviana, y eso que las hay de maravilla. Finalmente, Madrid.

Parece ser que Dámaso Alonso, el Iltmo. Sr. Presidente de la Academia de la Lengua, presenció las actuaciones de la Barraca en Santander; le gustó, según creo, la Egloga; quizás fuera por ese regusto o por otra razón, el caso es que quiso interesar a Federico para que éste estableciera en Barcelona un teatro semejante a la Barraca; la idea pareció encantar a Federico, pero lo cierto es que no se llevó a cabo.

Por su parte, y en el diario *Ahora* de Madrid, correspondiendo al 19 de septiembre de 1934, Don Miguel de Unamuno, en un artículo que titulaba «Hablemos de teatro», decía, entre otras cosas, lo que sigue:

«Y ahora esperamos que la experiencia que del verdadero pueblo, de la prole de verdad, están adquiriendo los de la Barraca y los de Misiones Pedagógicas, pueda redundar al teatro de empresa artística y de ahí al teatro todo, comprendido, ¡claro está!, el político.»

Tales fueron las notas favorables de nuestro viaje a Santander en el año 1934; naturalmente, también contaban en el balance los éxitos locales conseguidos, que se repetían con cada actuación; la nota triste, en cambio, tanto que Federico nos dejó unos días —aunque se reintegró después a la excursión— fue la muerte, por un toro de la ganadería de Ayala —«trompa de lirio por las verdes ingles»—, y en la plaza de Manzanares, de Ignacio Sánchez Mejías; ello sembró luto en el corazón de Federico; no sé si fue ese luto el que le hizo escoger para el repertorio de la Barraca, *El Caballero de Olmedo,* la obra número trece.

La consignación de la Barraca disminuiría en un cincuenta por ciento; Federico trabajaba —ya terminada— en su obra *Yerma,* que le estrenaría Margarita Xirgu en el Teatro Español el día 29 de diciembre. Estábamos a las puertas del año 1935, año en el que se haría ostensible el declive, la declinación en la que, lentamente, casi sin sentirlo, se adentraba la Barraca. El año 1935 era, ni más ni menos, que el de la conmemoración del tricentenario de la muerte de Lope de Vega, el llamado hasta la saciedad —manido tópico— Fénix de los Ingenios. Ello, aunque parezca no guardar relación con la Barraca o con la suerte que ésta pudiera correr, sí la guardaba y muy estrecha, por añadidura; tal vez *El Caballero de Olmedo* se montó por esa razón y, excusado es decirlo, sí *La Dama Boba,* que dirigiría Federico para la Xirgu y Borrás.

Ya le había dicho Federico a Juan Chabás: «He aprendido mucho con mi experiencia en la Barraca. Ahora me siento verdadero director.»

Dámaso Alonso, hablando recientemente —mes de mayo de 1975— sobre «La generación del 27», al referirse a Federico, dice más o menos lo que sigue: —Federico era la pura gracia que arrebataba todo cuanto pasaba delante de él y, sin esfuero alguno también lo abandonaba a su destino.

Federico se sentía verdadero director, *voilá;* era normal, pues, que su labor se volcara íntegra sobre aquello que le apasionaba en aquellos momentos: su obra poética y su total realización como autor dramático. En estas condiciones la Barraca, tablado itinerante —por caminos y posadas— quedaría totalmente a la intemperie.

Ya he dicho cómo la consignación de la Barraca experimentaría una substancial merma, por obra y gracia de Gil Robles, abogado, director o jefe de la C.E.D.A. (Confederación Española de Derechas Autónomas); consecuentemente el número de obras a montar tenía, también, que reducirse, así como las excursiones a llevar a cabo. De esta manera, consagrado Federico a su propia obra, solicitado por el Club Anfistora —dirigido por Pura Ucelay y Fontanals— y con un presupuesto bastante más reducido, las espaldas de la Barraca se abrieron hasta el punto de que de ellas brotaría, casi a torrentes, la sangre del Caballero de Olmedo.

Fuimos a Santander; no llevamos *El Burlador,* pero sí —era el tricentenario— *El Caballero de Olmedo.* La Barraca había mandado imprimir, en colores, cuadernillos semejantes a los que ya hiciera con motivo de *La Tierra de Alvargonzález;* colores verde pálido, amarillo, azul y rosa: Estos cuadernillos tenían un dibujo de Alberto: una campesina castellana cerniendo trigo. —«Trébole de la casada / que a su esposo quiere bien / de la doncella también / entre paredes guardada / que fácilmente engañada / sigue su primer amor / Trébole, ay Jesús cómo huele / Trébole, ay Jesús qué olor / Trébole de la soltera / que tantos amores muda / Trébole de la viuda / que otra vez casarse espera / tocas blancas por de fuera / y faldellín de color / Trébole, ay Jesús cómo huele / Trébole, ay Jesús qué olor.» También aquellas otras de: —«No corráis vientecillos / con tanta prisa / porque al son de las aguas / duerme mi niña / no corráis vientecillos.» Canciones estas a las que Federico había puesto música o las había rescatado de los arcanos donde el sonido se almacena; también se repartieron profusamente por los pueblos donde actuámos; también puede que algún campesino, ya viejo, tenga guardado un cuadernillo con las canciones y las recite o las cante.

Mientras tanto *Yerma, Doña Rosita de soltera,* su propia obra poética, los ensayos de *La Dama Boba, La Casa de Bernarda Alba,* la preocupación por *Así que pasen cinco años,* el dar carácter definitivo a *El Público* y también, y no en último término, *La Destrucción de Sodoma,* maniataron la actividad universitaria de Federico y le impidieron, como no al principio, dedicarse íntegramente o casi íntegramente a la Barraca.

No está claro si *La Destrucción de Sodoma,* que también titulara accidentalmente *Las Hijas de Lot,* formaría parte de la trilogía que había iniciado con *Bodas de Sangre* y de la que *Yerma* formaría la segunda parte (cf. Monleón: *García Lorca; vida y obra de un poeta);* personalmente yo creo que no. *La Destrucción de Sodoma* formaba parte de la trilogía extraña, alucinante que se inicia con *Así que pasen cinco años,* y continúa con *El Público.* La primera tendría su punto final con *La Casa de Bernarda Alba* y la segunda con *La Destrucción de Sodoma*[1].

De *El Público* ha llevado a cabo un estudio minucioso, buido y preciso, Rafael Martínez Nadal. *Así que pasen cinco años* la leyó el propio Federico en el Club Anfistora, en la terraza del Capitol; la obra no llegó a montarse nunca, en España por lo menos; finalmente, un acto de *La Destrucción de Sodoma* nos lo leyó a Rapún y a mí en mi cuarto de la Residencia de Estudiantes; es muy posible que sea yo la única persona viva en estos momentos que lo oyera y que percibiera el sentido oculto de su contenido. El lenguaje era, digamos, surrealista, de un simbolismo desgarrado; narra la escena de los ángeles que llegan a Sodoma y cómo los habitantes de dicha ciudad quieren conocerles, a lo que se opone Lot, quien como es sabido, les ofrece, a cambio, sus propias hijas vírgenes. El decorado sería mitad Giotto, mitad Piero della Francesca: planos descansando sobre columnas renacentistas, planos a distintas alturas, en los que se moverían Lot y los ángeles; abajo, el pueblo, enfebrecido por el deseo; los personajes aparecen recortados como con buril y hablan por símbolos terribles de no fácil comprensión; Lot y su familia huyen entre las llamas pero, en la huida, Lot comete incesto con una de sus hijas; es sabido que el incesto es una de las primeras prohibiciones en cualquier tipo de cultura; así, por lo menos, lo asegura Levi-Strauss, para quien, en dicha prohibición se hallan, brotan, las raíces del arte; si exceptuamos a los diadocos Ptolomeos que finalizan en Cleopatra, es evidente que el incesto se produce, y no necesariamente, en lo que los antropólogos denominan isolatas, esto es, zonas muy aisladas de población sin comunicación con otras poblaciones; el incesto en sí, pues que tiende a poner de plano todos los genes recesivos, que pueden ser nocivos, es, biológicamente dañino y, en líneas generales es nefasto; pues bien, Federico, en la obra, lo que hace es oponer el incesto a la sodomía, aunque no veo claras las razones que le movieron a proponer dilema semejante. En todo caso, al final del acto, y eso sí lo recuerdo muy bien, se produce un gran tumulto, voces, llamas, gemidos, entre lo que destaca como un alarido,

---

[1] De todos modos, Rafael Martínez Nadal, hace la observación de que tanto *El Público* como *Así que pasen cinco años,* no formaron parte de ninguna trilogía; Federico pensaba en una trilogía bíblica, en la que *La Destrucción de Sodoma* ocupara una posición central; otra de las obras de esta trilogía bíblica sería *Caín* y *Abel,* pieza ésta de la que creo que Federico no escribió jamás ni una sola línea. Federico jugaba hermosísimos sueños con su imaginación; y labor es de estudiosos, que no mía, saber lo que había de real, qué de simbólico y qué de posible en su quehacer onírico despierto.

como el arañazo sobre el cristal o el yeso, la afirmación de Lot, gritando:
—«¡¡La hice mía!!»

No sé lo que habrá sido del manuscrito; no era raro que Federico
dejara sus escritos a los amigos, aunque a mí jamás me pidió una cosa
semejante; pero sí pudo dárselo a Rapún para que lo guardara, hasta que
viera claro lo que podía ocurrir con los otros actos que pensaba escribir;
no he vuelto a saber más de *La Destrucción de Sodoma,* pero estoy seguro
de que ocupó vastas regiones de la mente, del pensar y del tiempo de
Federico.

Todas estas solicitaciones, a las que someramente me he referido,
llenaban áreas importantes de su trabajo; en estas condiciones no es
extraño que Federico poco a poco, de modo paulatino, pensando tal vez
que Ugarte podría seguir él solo con la misión de la Barraca (a mí, por
otra parte, me había nombrado *regisseur,* digamos, segundo de a bordo),
fuera, lentamente, desentendiéndose de lo que nosotros hacíamos y
volcara, íntegra, su atención sobre lo que le apasionaba en aquellos
momentos, que era mucho.

De la escasa, escasísima iconografía que conservo de mis tiempos de
la Barraca, tengo una fotografía, muy mala por cierto en la que puede
verse a Federico, sentado sobre la hierba, vestido de paisano, traje claro
y leyendo el periódico, desentendiéndose de todo lo que le rodea; el
edificio del fondo es el que forma parte de una de las Caballerizas,
precisamente en la que tuvimos que representar, con tremendo fracaso,
El Caballero de Olmedo. Esta, creo, es la última vez que Federico nos
acompañó en nuestros desplazamientos por el territorio hispano. En los
momentos que la fotografía recoge, estaba preocupado por sus propios
problemas; al parecer, le esperaban en Madrid Margarita Xirgu y Enrique Borrás para poner en escena *La Dama Boba* de Lope, también con
motivo de su tricentenario. Así, seguramente, lo leyó Federico en el
periódico *El Liberal,* del 18 de agosto de 1935, periódico que, posiblemente, es el que aparece en la fotografía.

EN EL TRICENTENARIO DE LOPE DE VEGA

«*Será una fiesta inolvidable ver a Margarita Xirgu y a Enrique Borrás interpretar los
personajes principales de* La Dama Boba, *la bellísima comedia del fénix de los ingenios. Federico
García Lorca ha hecho de esta pieza una versión escénica realmente admirable, que lucirá sobre el
fondo magnífico que le ofrecerán las decoraciones de Fontanals.*»

En la fotografía que comento, tal vez Federico esté leyendo lo que
acabo de transcribir. Pensamiento ausente, presencia ausente, ni dramo-
nes ni luz de la gracia; simplemente lee el periódico como cualquier
mortal, desentendiéndose de todo aquello que no fuera su propia entraña. ¡Mírate a ti, Federico! ¡Contémplate, Federico! ¿Dónde el traje
azul, el mono azul de la Barraca? ¿Dónde la sonrisa que jamás te faltó
cuando estabas entre los tuyos? En un periódico como ése que lees,

Federico, hermano, artífice de un teatro que abrió surco en la paramera de las curvas secas de España, y tal vez con una inmensa esquela que los intelectuales y los pobres buenos, como tú decías, harían insertar, saldría tu nombre, con motivo de tu muerte un año más tarde, apenas un año más tarde. ¿Qué hubiera pasado si Margarita Xirgu no te hubiera esperado para la estúpida *Dama Boba,* si Lope hubiera muerto cincuenta años antes del momento en el que lo hizo?

Pero la suerte estaba ya echada para la Barraca en el año 1935 y en Santander, desde donde Cossío, el pintor de marinas y de babosos Felipes segundos, arengaba sobre un caballo a sus muchachos y desde donde salieron, dicen, los foramontanos para desparramarse por Castilla.

Pero era el tricentenario de Fray Félix y eran otras muchas cosas además. ¿A qué puede deberse que se convierta en hartazgo lo que en su inicio, al lado del manantial, fue casi la raíz de la existencia? (La experiencia cien veces vivida, dicen no interesa, lo consuetudinario se hace mostrenco, etc.) El agua pasa bajo los puentes, el agua cae en apretadas nubes, el agua se posa como rocío en los temblorosos jazmines del amanecer, pero es siempre agua —la que «música celebra de las flores la piedad que le da la majestad del campo abierto a su huida»—, pero la Barraca no fue agua para Federico sino en la aurora, cuando Eos, de rosados dedos, descorrió el primer telón. Después, nuevas aventuras reclamaron la atención del poeta —aventuras válidas y legítimas— y las pasadas, aún siendo actuales, quedaron alejadas en tiempo y en distancia, alejadas para siempre. Absolutamente para siempre.

No puedo apenas recordar lo que hicimos después de nuestras actuaciones en Santander; es casi seguro que representamos en algunos pueblos y que tras dichas representaciones rindiéramos viaje en Madrid. Pero todavía nos quedaba lo que los fisiólogos de la respiración llaman aire complementario y aire residual. Nuestra labor continuaba pese a todo.

Trabajamos en el Teatro de la Comedia de Madrid y montamos, patrocinado por el Ateneo, durante el otoño, *El Caballero de Olmedo,* la tremenda obra premonitoria; nos salió bastante mejor que en Santander, pero todavía dejaba algo que desear. También nos desplazamos a Salamanca y a Béjar.

Ramón Fernández Higueras, en *El Heraldo* de Madrid del 6 de abril de 1936, hace una extensa referencia a tal excursión. En Salamanca trabajamos en el aula austera de Fray Luis de León «con sus viejos maderos tallados por muchísimas generaciones de estudiantes» —según decía el cronista. Montamos *Fuenteovejuna* y *El Retablo de las Maravillas.* La crítica local nos acogió muy bien; los estudiantes salmantinos no cesaron de agasajarnos y de darnos muestras de simpatía. Al día siguiente, Béjar, en el fondo de un valle de altísimas laderas nevadas; día gris; mal tiempo que nos impide actuar al aire libre; nos destinan un local no muy amplio pero donde, finalmente, conseguimos poner en escena *Fuenteovejuna.* El éxito, como siempre, nos acompañó, aunque el conjunto inicial de la Barraca ya no fuera el mismo, ya no existiera; poco a poco, la forma dejaba paso a la postforma.

Y también poco a poco, segundo a segundo, llegó el 14 de abril de 1936 (a la vuelta de la esquina estaban Caín y Abel).

Pero antes de nuestras últimas excursiones, cuando se preveía o podía preverse, un final de lo que la Barraca había hasta entonces representado, una época de difícil agonía, J.L.G. escribía en *El Liberal* de Madrid del 21 de junio de 1935: —«Hemos oído de personas informadas indudablemente por seres malintencionados, que la Barraca tropezaba con ciertas dificultades para proseguir su misión...» Efectivamente, aunque la Barraca actuó siempre al margen de toda política, se vio *nolens volens* implicada en turbios juegos. En *El Almanaque Literario* de Madrid, 1935, 275-77, Rafael R. Rapún trató de indicar alguna solución, por lo demás obvia, para quedarnos al margen de cualquier tipo de política:

«Hasta tal punto llega la insensibilidad de los claustros universitarios que, después de actuar la Barraca durante tres años, con la honradez artística que lo ha hecho, no han sido capaces de asegurar la vida de ésta, librándola de la tutela directa del Estado y, por consiguiente, de los vaivenes políticos que la ponen en continuo trance de muerte.»

El 15 de diciembre de 1935 actuábamos en Madrid, en el Teatro Coliseum; la función, *El Caballero de Olmedo* —perfectamente resuelto ya— fue radiada a toda España.

«Las invitaciones —decía *El Liberal* del día 14 de ese mes y año— que, como es sabido son distribuidas entre universitarios y las entidades culturales y obreras, están ya agotadas.»

Todavía llamaradas antes de la extinción. Fuimos a Ciudad Real, también con *El Caballero de Olmedo;* ya habíamos solucionado la *mise en scène* con los tres biombos colocados a la vez en el escenario; lo que no suprimimos, tal vez porque ya teníamos plomo en el ala, fue la concha del apuntador.

El 14 de abril de 1936, finalmente, fuimos a Barcelona; recuerdo claramente que no pudimos conseguir de la Dirección de Seguridad el autobús de siempre y fuimos repartidos en coches; cuatro o cinco coches; estuvimos esperando en el edificio de Correos, porque, a última hora, surgieron dificultades. Finalmente tuvimos los coches, nos repartimos en ellos y nos fuimos a dormir a Zaragoza. De allí pasamos a la zona catalana —nos detuvimos en Montserrat para admirar las redondeadas columnas dolomíticas de su paisaje— y llegamos a Barcelona donde nos alojamos en la Residencia de Estudiantes. Trabajamos en la Plaza del Pueblo Español en la que montamos nuestro tablado; dimos una pequeña vuelta por Tarrasa, ciudad en la que representamos *El Caballero de Olmedo,* que nos salía ya como la seda; fuimos también a Mataró, donde nos enseñaron una fábrica de hilaturas en la que regalaron medias a las muchachas de la Barraca; no estoy muy seguro de que a nosotros nos regalaran calcetines.

Por lo demás, esta visita a la Ciudad Condal, había sido anunciada en *El Heraldo* de Madrid del 6 de abril de 1936:

«El Teatro Universitario la Barraca, actuará en Barcelona.

Deseando el Teatro Universitario de la U.F.E.H. continuar la labor artística que desarrolla desde hace varios años, parte para Barcelona.

Dará en dicha ciudad varias representaciones de teatro clásico, habiendo solicitado permiso para representar en la Plaza del Pueblo Español de Montjuich varios Entremeses de su repertorio.»

De Zaragoza a Barcelona el camino es largo; llegamos cansados y con un sueño que nos doblaba los párpados en cuatro. No obstante, estábamos invitados por las autoridades catalanas al concierto que en el Liceo daba nada menos que Pau Casals, seguramente uno de los últimos que el gran violoncellista celebró en España, antes de recluirse en Prades; aunque me avergüence decirlo, todos los componentes del elenco sentíamos, en mayor o menos medida, una especie de sopor —estábamos realmente cansados del viaje— ante las notas que desgranaba el violoncello del maestro; alguno hubo que se durmió por completo; yo me mantuve firme, pero mi trabajo me costó y eso que el espectáculo, aparte de la audición de Casals, que fue extraordinaria, merecía realmente la pena, ya que estaban presentes todas las autoridades de la Generalitat y los personajes que, en aquella época, eran personajes.

Dentro de nuestra agrupación se habían formado, con el transcurso de los acontecimientos y de los cambios, pequeños grupos; los gallegos andaban por un lado, si se me permite la expresión, otro grupo, que se autodenominaba los Piribarcis, con su himno propio, se separaba de los demás en el autobús y se aislaba para sus cosas; no era todo ello nada grave, por supuesto, ya que la amistad y el afecto siguieron constituyendo la tónica entre los componentes de la Barraca, hombres y mujeres, pero el «gran aglutinante», se había perdido, perdido para siempre.

Porque ya no era la Barraca la que actuaba; faltaba Federico, y éramos como espectros siguiendo el camino de las sombras, sueños de sombras o sombras de sueños. Hacíamos lo mejor que podíamos y hoy, que creo poder enfocar con objetividad nuestra labor, pienso que ésta era buena; buena con y sin Federico, porque Federico nos enseñó y nosotros éramos campo abonado para la enseñanza; pusimos nuestra parte y nuestra parte también resultó importante; éramos un conjunto que funcionaba como tal, pero cuya raíz, cuya savia, se la debíamos íntegra a Federico; cuando éste se marchó, cuando nos dejó solos en un aire enrarecido, pudimos seguir adelante merced a las enseñanzas recibidas y porque habíamos asimilado tales enseñanzas; por eso continuamos.

Vino la guerra civil. Todo se había hundido para la aventura artística, para el legado recibido de manos de Federico y Ugarte; sin embargo, un grupo de muchachos y muchachas, pusieron sus mejores esfuerzos en eliminar el amargo, la amargura, el amargamiento que en su lucha por la vida, por la supervivencia, entabló el Gobierno de la República. De todo

ello sólo puedo hablar por referencias y éstas, aunque incompletas, no me faltan; lo que narro a continuación se lo debo al Dr. Efrén Arias quien, estudiante a la sazón de Bachillerato, colaboró en la labor que la Barraca llevó a cabo durante nuestra guerra. Dice así el Dr. Arias:
«En 1936, Manuel Altolaguirre, fue nombrado director de la Barraca. Por las dramáticas circunstancias que atravesaba nuestro país, no hubo actuación alguna hasta enero de 1937, en que algunos estudiantes de Bachillerato, no incluidos por tanto, en edad y acción militar, nos encargamos de reanudar la labor según acuerdo, coincidente con nuestros deseos, del Consejo de Redacción de *Hora de España,* Consejo formado por Manuel Altolaguirre, Rafael Dieste, Antonio S. Barbudo, Juan Gil Albert y Ramón Gaya Nuño.

La primera actuación de la Barraca, en esta su segunda fase, fue en el Teatro Español de manera regular, aunque no periódica, y con algún desplazamiento a centros de instrucción militar y a fábricas cercanas a Madrid. Las obras escenificadas tenían carácter clásico y político de vanguardia, por lo que parece oportuno señalar que se completó la idea fundacional de la Barraca en cuanto a teatro de vanguardia mundial.

Aun cuando Madrid era frente de guerra, por nuestra costumbre de vivir en él, no lo considerábamos así, por ello puedo decir que la primera salida al frente de combate fue unos días después del 21 de marzo de 1937, a Guadalajara, en que terminó la acción de guerra que detuvo al ejército italiano. El desplazamiento se hizo de la forma clásica acostumbrada: un camión para armar el escenario y la tramoya y equipo, y otro el que íbamos nosotros. Atravesamos Guadalajara y por la carretera, hasta el kilómetro 90, avanzamos en medio de grandes restos de material de guerra y numerosos cadáveres congelados por el intensísimo frío de aquel invierno. Llegamos a Trijueque y Gajanejos en cuya plaza mayor hicimos *Fuenteovejuna* y *El Retablo de las Maravillas.*

Estuvimos dos días, siendo alojados por el 4.º Cuerpo de Ejército, que impuesto de la atención de aquel grupo juvenil y del mensaje que les ofrecimos, nos obsequiaron con todo el auténtico calor humano de todos sus componentes y con la admiración de los extranjeros internacionales, que pudieron ver bien una creación auténtica española del genial Lorca.

Regresamos y continuamos haciendo teatro en el Español, con dos salidas más, muy difusas en el recuerdo, una hacia la zona de Brunete en una tarde de agobiante calor y tenso ambiente.

Posteriormente, hacia noviembre de 1937 fui movilizado y perdí todo contacto.

Los estudiantes que yo recuerdo desde aquella lejana fecha 1937, ya que no les he vuelto a ver a ninguno son:

Hermanos Risoto, Sanz, ¿Granizo?, Jiménez Cacho, Ingeniero de Telecomunicación, y hermano de un Ingeniero de Montes de la F.U.E. y Polo.

De la actuación en el Fontalba de Valencia no tengo ninguna referencia aunque todas las noches iba conduciendo mi ambulancia como soldado de Sanidad, al Hospital Base de la Facultad de Medicina.»

Hasta aquí la carta de Efrén Arias. Por mi parte añadiré que el 29 de agosto de 1937, en los Viveros de Valencia, muerto ya Federico, pero con las directrices que éste marcara, se montaron *La Cueva de Salamanca, El Retablo de las Maravillas* y *Los Habladores. Hora de España,* revista de la República, publicó el siguiente comentario sobre ésta y otras representaciones:

«*Los estudiantes de la Barraca supieron unirse pronto a ese clamor que pedía para la guerra todos los refuerzos. Si hasta entonces, como en alegre gira, habían recorrido los caminos españoles, para despertar la imaginación de nuestros aldeanos o llevaron hasta las ciudades insensibles, lanzando un reto juvenil con su arte delicioso a las compañías de cartel con zafio repertorio, y público endomingado que las aplaudía, ahora su misión adquiere, como todo aquello que hace referencia a nuestra lucha, un carácter emocionado.*»

El comentario a que he hecho referencia terminaba diciendo que las balas enemigas habían silbado alguna vez sobre el tablado:

«*A los dos días de nuestro triunfo sobre el fascismo italiano, he aquí a la Barraca en el campo vencedor de Guadalajara regocijando a los soldados leales.*»

Pero nada de esto lo vieron mis ojos, ni los de Federico, ni los de Rapún; las directrices eran válidas, no obstante ya que, siguiéndolas, se pudo mantener íntegro, el espíritu, la esencia que un día pusiera sobre la escena española Federico García Lorca.

Hasta el colapso final se fueron venciendo las dificultades que surgieron, pero dejadme que os diga que cuando Federico nos dejó abandonados a nosotros mismos, se elevó un pequeño olor a cuerpo muerto sobre el horizonte. Y contra eso, contra circunstancias de otra índole, la Barraca tuvo que morir. Tuvo, tal vez, tres golpes de sangre, pero, como el Amargo, con simetría de negros paños, con cicuta y con ortigas, estaba condenada a no dejar ni un solo recuerdo.

Pasó su estela luminosa por nuestro territorio; nuestros campos con sus mieses amarillas la saludaron en los viejos caminos, el campesino, alborozado, aplaudió sus representaciones, pero demasiados puñales se clavaron en lo que significaba; así no dejó más huella que la que deja la hoja seca caída al pie del árbol al que sustentó, al que pusiera verde limpiando el aire, recogiendo el rocío, sirviendo de sombra, y permitiendo al ave fabricar su nido. Bueno, todo esto puede resultar lacrimoso y hasta cursi, pero así fue y así ocurrió.

Cuando Federico nos abandonó, la U.F.E.H. nos puso un director no artístico, por supuesto: Antonio Román, más metido en los asuntos del cine que no en los propios del teatro.

Antonio Román no modificó ni una sola línea, por así decirlo, de lo que Federico había hecho, no añadió nada a su repertorio —al de la Barraca— y respetó la vieja norma; creo que eso hay que agradecérselo en lo que vale. Alguna excursión se hizo bajo su mandato: la de Ciudad Real y, aunque no estoy muy seguro, la de Barcelona, aunque en ésta creo que vino dirigiéndola Nazario Cuartero. No recuerdo que Tony Román nos acompañara en ninguna de ellas, tal vez porque pensó que los «veteranos» no necesitábamos ayuda de nadie para llevar a buen fin las cosas. Un montón de muchachos y alguna muchacha entró en las filas de la Barraca; tuvimos que enseñarles los papeles correspondientes en la sala de fiestas del cine Barceló, y creo que acoplamos a todos y a cada uno en los sacos vacíos que habían quedado. Con guantes de pequeña hierba fuimos llenando los huecos de todo lo que se había ido. Pero ahora es ya imposible volver a llenarlos:

> *«Demasiada nostalgia de academia y cielo triste*
> *y demasiado brazo de momia florecido.»*

Porque todo se ha ido.

La relación que sigue, corresponde a los recuerdos que María del Carmen García Lasgoity conserva de los itinerarios y actuaciones de la Barraca. Como quiera que ella estuvo más tiempo que yo dentro del elenco que dirigió Federico, su relación es más completa. Lo que no puedo asegurar es que algunos de los recuerdos de mi querida compañera presenten la misma faz que los míos; en la duda, y para el que quiera contrastar cómo pueden diferir dos testimonios sobre el mismo hecho, adjunto ambas relaciones.

El recuerdo posee mimetismos que pueden dar —de hecho lo hacen— lugar a diferentes interpretaciones, si es que, por acaso, se hace aparente el recuerdo en la memoria. De cualquier forma, tanto una interpretación —faz y envés— como la otra, tanto el olvido de un suceso como la patencia del mismo, no constituyen falta grave si, por otro lado, se hace obvia la esencia de lo que se quiere relatar. Tal vez el erudito se enoje, pero debe consolarse pensando que, en frase de Schlegel, el historiador es el profeta del pasado; cuenta suya es, pues, profetizar, si acaso le interesa, la materia sobre la que ejercer sus posibilidades adivinatorias.

RESUMEN DE ACTUACIONES DE LA BARRACA

(Notas de Luis Sáenz de la Calzada)

Tal vez este resumen sobre, puesto que ya he narrado aquellos que yo recuerdo y, para no dejar nada en el aire, he publicado los que se hallan presentes en la memoria de M.ª del Carmen G.ª Lasgoity. De todo modos, el erudito tal vez me agradezca esta fidelidad al acontecer itinerante de la Barraca.

I *Actuación*. Julio de 1932. Itinerario: Burgo de Osma, San Leonardo, Iglesia de San Juan de Duero en Soria, Agreda, Vinuesa, Almazán y Madrid. Las obras que se llevaron fueron los *Entremeses* de Cervantes y el 1ᵉʳ Acto del *Auto Sacramental* de Calderón.

II *Actuación*. Agosto 1932. Itinerario: La Coruña, Santiago de Compostela, Pontevedra, Villagarcía de Arosa, Vigo, Bayona, Ribadeo, Cangas de Onís, Grado, Avilés y Oviedo. Se llevaron solamente los *Entremeses* de Cervantes.

III *Actuación*. Octubre de 1932. Itinerario: Granada. Se montaron los *Entremeses* y por primera vez, el *Auto Sacramental* completo.

IV *Actuación*. Madrid, octubre de 1932. Se pusieron en escena los *Entremeses* y el primer acto del *Auto Sacramental*.

V *Actuación*. Otoño de 1932. Itinerario: Valdemoro. Se llevaron los *Entremeses* y el *Auto Sacramental*.

VI *Actuación*. Madrid, invierno de 1932. Representación de los *Entremeses*.

VII *Actuación*. Diciembre 1932-enero 1933. Itinerario: Alicante, Elche y Murcia. Sólo se llevó *La Vida es Sueño*.

VIII *Actuación*. Marzo de 1933. Itinerario: Toledo. Aquí sí se comieron perdices en Venta de Aires. *Entremeses* y *Auto Sacramental*.

IX *Actuación*. Semana Santa de 1933. Itinerario: se corrió por Valladolid, Zamora y Salamanca.

X *Actuación*. Madrid, primavera de 1933. Se montó por primera vez *El Retablo de las Maravillas*.

XI *Actuación*. Julio de 1933. Itinerario: Valencia, Utiel, Játiva, Almansa, Albacete, Alcaraz, Infantes, Valdepeñas, Madridejos, Tembleque. Se estrenó *Fuenteovejuna* y se llevaron todos los *Entremeses*.

XII *Actuación*. Agosto de 1933. Itinerario: León, Mieres, Santander, Burgos, Logroño, Jaca, Huesca, Ayerbe, Tudela, Canfranc, Pamplona, Estella. Se estrenó la *Fiesta del Romance* y el Paso de Lope de Rueda, *La Tierra de Jauja*. Además se montó *Fuenteovejuna*, los *Entremeses* y el *Auto Sacramental*.

XIII *Actuación*. Itinerario: Valladolid. Se llevó *Fuenteovejuna*.

XIV *Actuación*. Marzo de 1934. Itinerario: Sevilla. *Fuenteovejuna* y los *Entremeses* fueron las obras que se representaron.

XV *Actuación.* Abril de 1934. Itinerario: Ceuta, Tetuán y Tánger. Se montó *Fuenteove-juna* y los *Entremeses* de Cervantes.

XVI *Actuación.* Agosto de 1934. Itinerario: Santander, Ampuero, Villarcayo, Frómista, Villadiego, Palencia, Peñafiel, Cuéllar, Sepúlveda, Riaza, Segovia. Se estrenó la *Egloga de Plácida y Victoriano* y *El Burlador* de Tirso. También se llevó el resto del programa.

XVII *Actuación.* Madrid, 1935. Se montó *Fuenteovejuna.*

XVIII *Actuación.* Agosto de 1935. Itinerario: Santander, Medina de Pomar, Espinosa de los Monteros. Se estrenó *El caballero de Olmedo,* pero no se llevó *El Burlador,* ni la *Fiesta del Romance;* sí el resto del repertorio.

XIX *Actuación.* Madrid. Teatro de la Comedia. Se puso en escena *El Caballero de Olmedo.*

XX *Actuación.* invierno de 1935-36. Itinerario: Madrid, Salamanca, Béjar.

XXI *Actuación.* Itinerario: Ciudad Real. *Fuenteovejuna* y *El Retablo de las Maravillas.*

XXII *Actuación.* Abril de 1936. Itinerario: Sabadell, Barcelona, Tarrasa. *Entremeses,* y *El Caballero de Olmedo.*

Es posible que se me olvide algún pueblo, es seguro de que no recuerdo, sino a retazos, lo que en cada pueblo se montó, pero creo que todo ello, unido a lo dicho antes por mí y por la relación que sigue de M.ª del Carmen G.ª Lasgoity, da una idea bastante clara de nuestras andanzas por las tierras de España. Las carreteras son, hoy día, de asfalto; seguramente en la hora actual hubiéramos andado más deprisa, pero el exceso de circulación tal vez nos hubiera deparado algún accidente. Y, sobre todo, las cosas son como tienen que ser y, sobre todo, se presentan cuando deben presentarse.

ACTUACIONES DE la BARRACA

(Notas de M.ª del Carmen García Lasgoity)

I. 10 de julio, 1932. Debut en Burgo de Osma (Soria) el 10 de julio de 1932 por la noche al aire libre.
San Leonardo, Soria, Vinuesa, Agreda, Almazán.
Antes de salir para la segunda excursión, dimos una representación al aire libre, delante del pabellón social en la Residencia de Estudiantes de la calle Pinar, para el curso de verano para extranjeros.

II. 21 de agosto, 1932. Coruña, Santiago de Compostela, Vigo; hay dudas si trabajamos en Bayona, Pontevedra, Villagarcía, Ribadeo, Grado, Avilés, Cangas de Onís (aquí llegamos invitados por la F.U.E., Federación Universitaria Española) y seguimos a Santillana del Mar, pero fue imposible trabajar por el mal tiempo, y es en el Hotel Pereda de esta villa donde en la noche junto a la chimenea nos leyó Federico *Así que pasen cinco años,* obra que nos causó impacto y asombro. De regreso a Madrid, trabajamos en Riaza (Segovia).

III. Octubre, 1932. Granada: fuimos invitados para tomar parte en la celebración del IV Centenario de la fundación de la Universidad granadina. Actuamos en el teatro Reyes Católicos con *La Vida es Sueño* y un entremés. También representamos en el patio del cuartel de San Francisco, hicimos los entremeses. Fue aquí donde Federico llevó a una antigua criada, Dolores, colocándola en el lugar preferente, pues la adoraba.
—El 25 de octubre de 1932 se hace la presentación oficial de «La Barraca» en el paraninfo de la Universidad Central en la Calle de San Bernardo, siendo rector D. Claudio Sánchez Albornoz, quien dio prestancia al acto con su presencia, y el claustro universitario de Madrid, cuerpo diplomático, prensa y naturalmente los familiares de los actores. Se representó de entrada *La Cueva de Salamanca* de Cervantes y a continuación el auto sacramental *La Vida es Sueño* de Calderón de la Barca. Dimos otras dos representaciones más para los estudiantes.

IV. 19 de diciembre, 1932. Excursión a Valdemoro (Madrid).
El 19 de diciembre del 32, dimos en el Teatro Español una representación, a la que asistió el Presidente de la República D. Niceto Alcalá Zamora, el Presidente de las Cortes y el Gobierno.

V. Excursión en vacaciones de Navidad. Fuimos a Alicante, Elche y Murcia. En Alicante terminamos el año 32, y recibimos el 33, con una animación muy grande, ya que Federico inventó todo lo que se le ocurrió; recuerdo entre otras cosas que en fila, encabezados por Federico, nos metimos por debajo de las mesas del comedor, del entonces llamado Palace (hoy Palas).

Ya en el 1933, hicimos una serie de representaciones dedicadas a la Universidad Popular (de la cual algunos de nosotros éramos profesores, yo di clases a un grupo de obreros analfabetos. Estas clases se daban a las 8 de la tarde en las aulas de la Universidad Central). Otras representaciones se dedicaron a las Escuelas Especiales, y después hubo otras dedicadas a la Universidad, con motivo de la inauguración, en enero de 1933, del nuevo edificio para la Facultad de Filosofía y Letras en la Ciudad Universitaria.

VI. 1933. Excursión en la Semana Santa a Valladolid, Zamora y Salamanca.

VII. Julio 1933. Excursión a Valencia, donde en el Teatro Principal se estrenó *Fuenteovejuna* de Lope de Vega. Seguimos a Utiel, Almansa, Játiva, Albacete, ¿Infantes?, Valdepeñas y Tembleque. Aquí se puso *El bobo de la Olla.*

VIII. Agosto 1933. Jaca, Canfranc, Huesca, Tudela, Estella, Pamplona, Ampuero, Santander, Frómista, Villarcayo, Palencia, León, Segovia. En esta excursión se estrenó *El Burlador de Sevilla* de Tirso de Molina y *La Tierra de Alvargonzález* de D. Antonio Machado.
—Iniciado el curso 33-34, hicimos representaciones para estudiantes en el Teatro de la Princesa (hoy María Guerrero).

IX. En marzo del 34 excursión a Sevilla, para asistir y representar en el congreso de la U.F.E.H. (Unión Federal de Estudiantes Hispanos).
El 4 de abril de 1934 muere Conchita Polo, esa noche teníamos representación, y por duelo la suspendimos. Pocos días después volvió Federico de la Argentina.

X. Abril 1934. En vacaciones de Semana Santa, salimos para Tánger y Tetuán, pero no nos acompañó Federico.

XI. Verano 1934. Santander, Burgos, Logroño, Peñafiel, Sepúlveda, Segovia. Poco antes de salir en agosto de excursión, en la plaza de Manzanares, murió Ignacio Sánchez Mejías, gran amigo de Federico, por lo cual él salió de Madrid dos días después, y no dejó de manifestar su gran pesadumbre durante la excursión.
—A la vuelta del verano del 34, vino el famoso octubre, y como consecuencia estuvimos inactivos. A alguien que le pregunta a Federico por nuestra falta de actuación, contesta: «¡Cómo vamos a representar, cuando hay tantas viudas en España!»
— Tal vez por carnaval fuimos a Salamanca y a Béjar.
— 1935. El 14 de abril actuamos en el Teatro Español de Madrid, para celebrar la fecha, con los Entremeses; también trabajaba Margarita Xirgu, creo que en alguna pieza clásica que no recuerdo.
— También actuamos otro día en el paraninfo de Miguel Angel 8, entonces Residencia de Señoritas dirigida por María de Maeztu.

XII. Verano 1935. En el verano fuimos a Santander, Espinosa de los Monteros, Villarcayo, Medina de Pomar, y fue este verano del 35, cuando se estrenó *El Caballero de Olmedo* para conmemorar el III Centenario de la muerte de Lope de Vega.
También se hicieron *Las Almenas de Toro* de Lope de Vega.
Se estrenó en Santander la *Egloga do Plácida y Victoriano* de Juan de la Encina. Al comenzar el curso 35-36, Federico empezaría a montar el *Romance del Conde Alarcos.*
Esta temporada hicimos representaciones, varios domingos populares, en el Teatro Coliseum.

XIII. 1936. Excursión a Segovia, organizada por la F.U.E. de esta ciudad.

XIV. Excursión a Ciudad Real, organizada por la F.U.E. de esta ciudad, en Carnaval.

XV. Excursión a Barcelona, previamente trabajamos en Tarrasa.

—A petición de la bibliotecaria del Ateneo de Madrid (Juanita Capdevilla) hicimos una representación en dicha casa.

— Después de esta actuación, ya no hubo más, nos preparábamos para asistir a finales de julio a una olimpíada de teatro que se iba a celebrar en Barcelona, y así dio fin «La Barraca».

— Federico se retiró —dijo, temporalmente— a partir del comienzo del 36, para dedicarse a su obra y creo tenía la intención de formar ya una compañía de profesionales que entre otras cosas pensaba llevar a Iberoamérica.

— Estallada la Guerra Civil, en el verano del 36 se hizo una representación en el cuartel de la Motorizada de Hierro en Madrid, solicitada por el fundador de la citada unidad, Gustavo Durán, maravilloso pianista íntimo amigo de Federico.

— En el verano del 37 en los viveros de Valencia se dieron unas representaciones de los Entremeses. En estas representaciones hubo que buscar elementos nuevos entre gentes de bachillerato, ya que muchos de mis compañeros estaban movilizados. La U.F.E.H. me encarga este menester, e hice lo que pude por reproducir lo mejor posible lo que aprendí junto a Federico. Mi última actuación fue representando *Los Dos Habladores* de Agustín Leyva.

Aquí yo terminé totalmente con «La Barraca»; no he conseguido saber cuál fue el final y destino de todos los enseres.

—Creo que durante los últimos meses del 36, (yo estaba destinada a una colonia de niños en Cullera, Valencia), algunos componentes de «La Barraca» montaron obras apropiadas al momento y hasta llegaron a los frentes, pero en absoluto con repertorio de «La Barraca».

No me importa asumir plenamente la responsabilidad de este libro, pero, como ya he dicho anteriormente, María del Carmen García Lasgoity vivió más tiempo que yo la hermosísima e irrepetible aventura de la Barraca, y por ello, consigno además aquí algunos de los recuerdos que ella mantiene todavía vivos no solamente en su cerebro, sino también, y hondamente grabados, en su corazón.

RECUERDOS DE LA BARRACA
TRANSMITIDOS POR MARIA DEL CARMEN GARCIA LASGOITY

Ante todo mi más fiel y cariñoso recuerdo por Federico que hizo posible para nosotros una juventud feliz, pues aprendimos mucho a su lado, tanto de sus dilatados conocimientos, como de su inmensa imaginación. Nunca será por todos nosotros suficientemente llorado tan noble amigo como exquisito poeta.

«¿Cómo era Federico?», me han preguntado infinidad de veces; me han dicho: ¿era un aglutinante? No es ésa la palabra apropiada, pues no es bonita, no va a su gran calidad de poeta, prefiero decir que era un imán, tenía eso que atrae, Federico prendía. Prendía por su voz, aquella voz que no se nos ha borrado del oído, voz cálida, misteriosa, profunda en contraste con sus sonoras y alegres carcajadas. Prendía por su gracia, su inteligencia y ese su ser como de niño grande juguetón.

Su apariencia, frecuentemente seria, meditativa, cambiaba súbitamente cuando alguien le rompía de su abstracción, y se transformaba en el ser más alegre, con sus historias fantásticas, gracias, palabras y expresiones por él inventadas.

Aquel peinarse con los dedos el mechón que se le venía a la frente, con un gesto desgarrado e importante, daba a su cabeza grande, pero no deforme, especial importancia.

Le veo sentado en el pescante del autocar, junto al chófer, contemplar asombrado la inmensidad de las tierras castellanas o las montañas de Galicia, Asturias, etc; se volvía y por señas, a través del cristal de separación, nos señalaba las grandiosidades que iban desfilando.

Federico tenía miedo al mar; en una playa muy brava, creo fue cerca de Coruña, fuimos a bañarnos. La resaca era grande y los pies se hundían; trató de convencerme para que no me bañara, hablándome de las furias del mar y no sé cuántas cosas más. La verdad que muy valiente no soy y, tomando mis precauciones, me bañé. Lo gracioso fue cuando Julia R. Mata y yo descubrimos una espalda totalmente desnuda asida a unas rocas, agachándose cuando venía la ola, al igual que los niños pequeños: era Federico; lo que nos reímos con el inesperado número y, naturalmente, la consiguiente tomadura de pelo.

Ir con Federico y encontrar un piano ya era el no va más. Podían pasar las horas y él sin parar de tocar lo que sabía y lo que no sabía. Cantaba, nos hacía cantar; con Federico uno se olvidaba del tiempo. Vuelvo a repetir, Federico prendía.

Quería mucho a Eduardo Ugarte y se llevaban maravillosamente los dos; a veces Ugartequé, como él le llamaba, hacía de contrapeso de Federico.

Ugarte era también persona muy singular, muy querida de todos nosotros y fue un gran colaborador de Federico; durante la guerra trabajó en la Agencia España en París y al final se exilió a México, donde murió en 1958.

Federico era caritativo, más de una vez, en las horas libres que teníamos, al darme uno de esos paseos artísticos a que éramos aficionados y curioseando las calles pude ver cómo Federico charlaba animadamente con los humildes de los pueblos o arrabales, al tiempo que les hacía un obsequio en metálico.

Anécdotas y recuerdos

Muy simpático fue aquel pregón hecho por el vejete pregonero de San Leonardo (Soria), anunciando nuestra nocturna actuación: cada quisque debe llevar su silla; pero lo gracioso fue cuando después de bien tamborilear, dijo: —Esta noche a las diez, los estudiantes UNIVERSALES de Madrid, etc, etc. Federico casi besa al vejete de la gracia que le hizo.

No así de gracioso, pero más dramático, fue lo acontecido una noche en la ciudad de Soria, pudo ser la noche del 15 de julio de 1932. Quiso Federico estrenar *La Vida es Sueño* (Aut. Sacr., 1er acto), en el ábside de la Iglesia románica de San Juan de Duero (Soria). Comenzada la representación, se observó que algo extraño pasaba, comenzaron los apagones, vocerío que cada vez iba en crescendo, y sólo se apaciguaba cuando el personaje de «La Sombra», encarnado por Federico, actuaba. La cosa fue subiendo de tono, llegó un momento que ya no teníamos luz, pues nos provocaron una avería y tuvimos que interrumpir la representación. Hubo que abandonar San Juan de Duero antes de que se produjese alguna catástrofe y se cargaran aquella reliquia artística tan maravillosa. Custodiados por guardias que envió el gobernador, y por la carretera de circunvalación volvimos a la ciudad, ya que nos advirtieron que en el camino por el que debíamos haber vuelto, nos esperaban para volcar los coches.

Posteriormente se supo que habían llegado de Madrid unos señoritos seudoestudiantes, paseantes del Paseo de la Castellana, para destruir la nueva obra cultural creada por D. Fernando de los Ríos.

En Vinuesa nos recibieron cerrando las puertas de las casas. Este pueblo, principalmente de indianos, se aterrorizó al ver llegar un grupo de jóvenes vistiendo el mono azul; claro que esta actitud tan hostil debió haber sido previamente insidiada por alguien que quería boicotear una vez más nuestra labor cultural. Yo llegué con un tremendo resfriado y Eulalia

Lapresta, que era nuestra acompañante invitada, se las vio mal para conseguir que me dieran un caldo caliente. Pero en la noche tuvimos público, pues enterados los trabajadores de un embalse próximo al pueblo, acudieron en camiones; también algunos «valientes» del pueblo se atrevieron a ver la representación de los entremeses cervantinos.

En Almazán recuerdo aquella noche que tanto emocionó a Federico y nos asombró a todos. Ante una lluvia nada despreciable, el público no se movió ante la representación del primer acto del *Auto Sacramental,* que les tenía fascinados.

Fue en Almazán donde por primera vez vio D. Fernando de los Ríos actuar a la Barraca; junto con él estaba, que yo recuerde, el Dr. D. Teófilo Hernando con su hermana y cuñado Dr. José Sánchez Covisa. También estuvo Dámaso Alonso que en una de sus páginas describe muy bien nuestra actuación bajo la lluvia; dice: —«En la plaza de un pueblo, a poco de comenzar la representación a cielo abierto, se pone a llover implacablemente, bien cernido y menudo. Los actores se calan sobre las tablas, las mujeres del pueblo se echan las sayas sobre la cabeza, los hombres se encogen y hacen compactos: el agua resbala, la representación sigue; nadie se ha movido.»

En esta excursión hubo otro suceso pintoresco, creo casi seguro fue en San Leonardo, cuando en el entremés *La Guarda Cuidadosa,* Cristinica elige al sacristán, se armó una protesta al dudar si debería elegir entre el soldado o el sacristán; el público intervenía a favor de uno u otro, pero los más tiraban por el soldado y hubo casi que aceptar que así fuera. Es de imaginar lo que Federico disfrutó y se rió.

El final de la excursión de la Barraca por tierras de Soria fue con un accidente de automóvil en uno de los coches en que iban los actores; en éste que volcó iban sólo chicos, no por pacatería, tan sólo porque éramos cinco las actrices y con nosotras iba ya otro grupo de compañeros. Fue el único accidente que tuvo la Barraca en su corta existencia. En las Proximidades de Medinaceli volcó el coche que iba delante, rápidamente salimos los del coche de las actrices en el que viajaban también Eulalia Lapresta, Federico, Ugarte y, como ya he dicho, algún actor. Transportados a Medinaceli, se les hizo una cura de urgencia a los heridos, siguiendo a Madrid, donde fueron atendidos en el antiguo Equipo Quirúrgico que estaba próximo a la calle de la Ternera.

Percances con el coche sí tuvimos alguno, como en Pajares, en que se nos fundieron las cuatro bielas y tuvimos que bajar andando una buena parte del puerto, permaneciendo en Mieres tres o cuatro días hasta conseguir la reparación.

Nuestro paso por Espinosa de los Monteros (Burgos), fue para no olvidarlo, ya que prácticamente quedamos sin dinero, pues el Ministerio o el secretario nuestro no coordinaron para cobrar el presupuesto que teníamos asignado y como los románticos actores de la legua, así quedamos nosotros. Veraneaba allí el Dr. César Juarros y por su iniciativa se organizó una suscripción en el pueblo para ayudarnos; la cantidad recaudada fue irrisoria y se la legamos a una Casa de Beneficencia que en el pueblo funcionaba, después que uno de nosotros, desde el tablado, al terminar la representación, agradeció la suscripción y comunicó el destino que le dábamos.

Levantamos el tablado y aceptando la hospitalidad que uno de los actores, Luis Hernández Manresa Figueroa (muerto en la guerra), nos brindaba, fuimos a dormir a la casa de su abuelo, Dr. Manresa, conocido catedrático que fue de Derecho Civil. La casa estaba en Torme, junto a una era, y fue allí donde a la mañana siguiente, algunos de los actores nos hicimos una foto con unas horcas que nos prestaron los segadores.

En la excursión a Asturias en 1932, en nuestra estancia en Oviedo acompañados de universitarios, colocamos unos laureles al pie del busto de Clarín; su hijo —fusilado en 1936—, nos acompañaba. Con él y otros profesores fuimos a visitar el Naranco, mejor dicho Santa María y San Miguel Lillo y allí mismo, en el Naranco nos dieron una fabada amenizada por los conocidos cantores asturianos: Cuchichi, Botón, Miranda y Claverol. Federico estaba entusiasmado y no menos los demás.

Mucho nos epató la solemnidad que D. Claudio Sánchez Albornoz, entonces Rector de la Universidad Central (así se llamaba), dio a la presentación de la Barraca en la Universidad. En el viejo edificio de la calle de San Bernardo, y en su Paraninfo, dimos unas representaciones. Desde la puerta central, por el claustro que lleva a la cabecera del Paraninfo, se habían colgado tapices del Patrimonio y se adornó con plantas que llevó

D. Cecilio, Jardinero Mayor del Ayuntamiento de Madrid. Se invirtió la situación de las butacas ya que el tablado se colocó a los pies del Paraninfo y así quedó el estrado como un gran palco.

Otra anécdota: la del poeta de Almansa (Albacete) que nos dedicó una poesía tan simpática que Federico pronto le puso música y se convirtió en nuestro himno, el que tantas veces cantamos desde el escenario.

En 1936 en Barcelona, una de nuestras representaciones fue en un teatro del Barrio V, o sea del Chino. El Centro Republicano de dicho distrito nos dio un banquete en el que me pillaron de sorpresa y me vi obligada por mis compañeros a dar las gracias (fue así como debuté en la oratoria). Por la noche nos llevaron al famosísimo local nocturno Wu-Li-Chang y fue donde los «estrellas» del local nos pidieron interpretáramos algún trozo de *Fuenteovejuna*. No nos pareció muy santo representar en tal lugar, pero quién sabe si a Lope no le habría disgustado.

Al volver triunfal de Buenos Aires, Federico —como era de imaginar— los barracos le dimos una comida en el merendero Biarritz, pero cuando fuimos a pagar nos encontramos que ya la había pagado el homenajeado. Era generoso y recuerdo cuántas veces nos invitó a mariscar en la terraza de la cervecería Santa Bárbara, en la calle de Fernando VI.

No olvidemos la imposible representación en Jaca, donde no nos permitieron actuar, a igual que en Huesca. En nuestro paso por Huesca visitamos las tumbas de Fermín Galán y Angel García Hernández y depositamos en ellas unos ramos de flores.

Hay que recordar con sonrisa aquella indignación de un periódico de Logroño al referirse a la representación que dimos de *Fuenteovejuna;* venía a decir que era increíble que unas llamadas señoritas dijeran tales palabrotas... ¡es que este Lope nos educaba muy mal!

Los alojamientos en alguna ocasión fueron de pura farándula; así en San Leonardo, donde nos repartieron entre los vecinos del pueblo. Fue también en San Leonardo donde llegamos a comer cada dos con un tenedor, ya que en la taberna donde comíamos no había mayor surtido. Tal vez mi memoria falle, pero yo no recuerdo que los danzantes famosos, vecinos de este pueblo, nos hicieran una exhibición como ya he leído en algún libro que habla sobre la Barraca.

No puedo dejar de recordar la emoción que sentí en un momento de mi actuación, en un solo de *La Cueva de Salamanca;* en ese momento comenzaron a sonar con toda solemnidad las once campanadas en la majestuosa torre del reloj, a cuyo pie estaba instalado el tablado en la Quintana dos Mortos o de los Literatos. Quedé callada y esperé que terminara de sonar, el silencio del público era total y el ambiente tenía algo de misterio. Nunca he olvidado tal emoción, y en mis muy repetidas visitas a esa joya que es Santiago, trato de oír las campanadas en el mismo lugar y cómo no, recordar aquellos momentos en que todas las emociones eran .bellas y no sospechábamos la tragedia...

Visitantes a los ensayos recuerdo, entre otros, a Vicente Aleixandre, Margarita Xirgu, Ignacio Sánchez Mejías, Manuel Azaña, La Argentinita y Pilar López, Pablo Neruda, Luis Cernuda, Rivas Cherif, Miguel Hernández, Delia del Carril (la Hormiguita), Acario Cotapos, etc.

Y cuando Federico se equivoca en Estella y dice: —Noble pueblo de Segovia...

Hasta aquí las memorias de María del Carmen García Lasgoity; han llenado tantos huecos que la carcoma del paso del tiempo, con su pequeña aguda lengüecita labró en la triste madera de mi recuerdo, que no he podido resistir la tentación de hacerlas figurar tal como llegaron a los metacircuitos de la memoria de M.ª del Carmen; están escritas de manera espontánea y todo ello les confiere la gracia de la estación florida que siempre tuvo esta extraordinaria actriz.

Debo añadir, no obstante, que lo que voy a decir a continuación se debe también a ella, ya que se trata de retazos de recuerdos que han aflorado a mis viejas imágenes mnémicas por obra y gracia suya.

Por ejemplo, estas dos canciones que inventaron los componentes de la Barraca; una de ellas se cantaba siempre que alguna avería nos detenía en los solitarios caminos, pardos caminos de nuestro seco territorio:

Al coche de la Barraca
nunca le falta una pena
ya se le rompe un cristal
ya se le funde una biela.

El grupo que, dentro de la agrupación se formó con el nombre de los Piribarzis —o Peribarcis, que no estoy muy seguro—, cantaba:

Somos ocho Piribarcis
cada cual con su pedrito
y unos chicos seriecitos.
Puga con Manresa
Leyva con Pepito
Jacinto y Modesto
Juanito y Ramón.

Pero esto era ya al final, cuando, aún invisible, la pequeña aleta de pescado que la muerte lleva cuando olvida la guadaña, empezaba a agitarse sobre el equipo, a abanicar los rostros de los Piribarcis y de los que no lo eran: ya no estaba Federico.

Al hablar de los ensayos he dejado de decir bastantes cosas que, si bien no afectan a la substancia de lo relatado, le añaden el matiz preciso para que el cuadro quede concluso; también en esto me ha ayudado María del Carmen.

Por ejemplo: apatía de los estudiantes universitarios ante la solicitud de Federico para que probaran sus condiciones de actores y formaran parte del elenco de la Barraca. El Comité directivo dirigió su mirada —que resultó aguda, inteligente—, a los que habían pasado por el Instituto-Escuela, en la seguridad de que entre ellos había cantera suficiente para lograr un cuadro de actores digno. Así fue. María del Carmen había representado *Estragos de amor y celos* de Valera y, seguramente por ello, fue requerida por Pedro Miguel González Quijano y por Emilio Garrigues para que se prestara a una prueba que Federico le haría sobre sus posibilidades escénicas.

Los ensayos empezaron a llevarse a cabo en el Salón de Grados de la Facultad de Filosofía y Letras, en el viejo casón de San Bernardo. De todos modos, y como consecuencia del anuncio fijado en el tablero de la Universidad, acudieron algunos otros —chicas y chicos—, cuya prueba resultó positiva; casi todos ellos, de un modo u otro, procedían del Instituto-Escuela. En cambio, Misiones Pedagógicas se nutrió más bien de elementos procedentes de la Institución Libre, de Enseñanza: pero ésa es otra historia.

CAPITULO **6**

Los componentes de la Barraca

Polvo *estaréis,* mas polvo enamorado.

Los muertos de la Barraca

FEDERICO

No todo cambio de nivel de materia equivale a la muerte, no todo cambio, por supuesto, pero, en todo caso, la muerte es siempre un cambio de nivel de materia: la entropía negativa, ordenadora, se pierde en el proceso general del Universo; la retroinformación —negativa y positiva—, se destruye a ese nivel; los equilibrios se rompen y no queda nada si no es el puro acontecer —raicillas del acontecer—, del cambio, del devenir.

Hace ya mucho tiempo que el nivel de materia «Federico García Lorca» —peculiar, único, irrepetible—, se transformó en un nivel de materia menos complejo, pero infinitamente más triste (aunque la infinitud de la tristeza no sirva para empapar lo terrible del cambio; aquí pudo más la «terribilidad» —que tal vez venga de «tierra»— que la infinitud —que quizás sea lo mismo que indefinible, lo que no tiene límites, lo que «no es eso» (porque la tierra sí es, y está limitada, es nuestra al fin, calor, afecto, diminuta emoción, y lo indefinible se queda para la mística y lo inmutable).

Federico: ocho letras derramadas y paz en el hombre (¿no sabías, Federico, que *Frieden* quiere decir paz?). Nadie, que yo sepa, te llamaba Fede, ni García Lorca. Algunos, los más lejanos, tal vez los más enemigos, Lorca a secas. Era Federico simplemente —jamás D. Federico, señor Federico o archipámpano Federico— con sus cuatro sílabas que, entre las que forman los nombres propios, más veces se han escrito en estos cuarenta años. Tu nombre empezaba con Fe; terminaste sin Esperanza y sin Caridad.

Una gran F mayúscula, inmensa como una horca, pero de la que, en

173

vez de ahorcados, brotaban limones y agujeros llenos de miel; una G estremecedora cuyo rabo, garabato inferior, parecía un estoque —para matar o para morir—. Y después la L, como una flecha disparada al cielo, para tocar el cielo —la estrella Sirio donde, según tú, hay niños—, con su punta afilada. Tres gigantescas letras mayúsculas y unas niñas recién nacidas que las siguen.

Pero no fue en su nombre —en su firma de niño— donde mataron a Federico, porque su nombre, como todo él, era ya pura esencia, era «ser Federico», con su canto visceral, y eso no se puede matar aunque se empleen todos los venenos, tanques, metralletas y cuchillos, aunque, como así ha sucedido, se intente muchas veces.

Treinta y ocho años; no sé quién, pero alguien dijo que por ahí, por los treinta o cuarenta está el área de la edad marcada por los dioses para sus elegidos. No sé los años que tenían Rafael, ni Schiller, ni Massaccio, ni Piero, ni Mozart, ni Pico, ni Larra, ni otros tantos que también cambiaron —o les hicieron cambiar—, de nivel de materia. Pero siempre hay despertadores de agua membranosa que suenan a deshora.

> *Hablaba Federico requebrando a la muerte*
> *(a su muerte, su propia muerte).*
> *Ella escuchaba.*

Esto pasó en las vacías calles de Granada, llenas de silencio de espiga, que lo dijo D. Antonio Machado. Yo sólo quisiera saber dónde quedó secándose y resecándose la última sangre de Federico.

Seguramente la muerte emite información que recibe el que va a morir. No me refiero al hecho de que Federico sabía ya que su horizonte se hallaba cerrado por las balas, sino a ese pequeño «antes de morir», la bala ya dentro del cuerpo. ¿No retrocederá uno a la ameba, pasando por el anfibio y el lirio de mar? El cambio de nivel de materia se hace hacia atrás, hacia la molécula → átomo → partícula elemental, atravesando campos de seres que nos precedieron. Tal vez Federico, tras requebrar a su muerte, paseó por un larguísimo áspero mundo ya desaparecido, pero que le precedió en millones de años. Ameba de tu muerte, Federico, gacela de tu muerte, Federico, pez dorado y de plata, Federico, has recorrido ya todo camino. Has despaseado hacia la Nada, hacia el insondable abismo de la Nada.

Y yo quiero despasear para volver a pasear contigo la última tarde de primavera que lo hice (la Barraca estaba ya alicortada, Federico, plomo en el ala y plomo en las plumillas del corazón).

—¿Vas... a visitar monumentos? —me preguntaste sonriendo; lloviznaba; era una tarde como de Abril o de Mayo. Tú llevabas una gabardina de color de arena tostada, larga, que te llegaba casi hasta los tobillos (casi un sudario); ibas vestido de azul marino y llevabas una corbata de lazo con lunares.

—Sí —asentí yo sonriente. Voy a visitar monumentos.

Te dejé en el Teatro Español y yo me dirigí luego al Conservatorio; mi novia estudiaba octavo de violín y salía de clase.

Así de sencillo, Federico, así nos despedimos para siempre, aunque o tal vez porque la Barraca ya estaba muerta. La Barraca eras tú, Federico pero, y eso tú lo ignoraste siempre, tú eras también la Barraca. Como en el *Retrato Oval* de Poe, en el que las últimas pinceladas representaban la muerte, se llevaban la vida de la blanquísima modelo, así la agonía de la Barraca, con su Caballero de Olmedo sobre los hombros

> *Que de noche le mataron*
> *al caballero.*

fue tu amarga agonía

> Que de noche te mataron
> que de día te mataron
> que de amanecer te mataron
> que de al caer la tarde te mataron.

Un querido amigo me ha pedido que dé testimonio de lo que la Barraca fue; y así, he cogido mi memoria, mi memoria sin importancia, y me he puesto a recordar cosas pasadas, cosas que ya han desembocado en el gran mar de las lágrimas, mar amarga, a tratar de recordar cosas y ponerlas en pie para ser fiel contigo y con los demás, aunque ni a ti ni a los demás pueda importaros ya mi fidelidad; un cadáver, Federico, de hace dos horas, está, salvo el olor, tan muerto como uno fallecido en la Era Primaria; muerto como un anmonites, muerto como el casi frondoseo Lepidodendron; y ¿a qué muerto le puede importar la fidelidad o la memoria?; sólo a los vivos, que también se morirán —se morirán, como quería Unamuno—, porque el hombre, aún estando por ahora en el ápice de la evolución, no es más que un puro proceso en el devenir de la materia.

Ha pasado mucho tiempo, siglos como gotas de pájaro, desde que yo, con el corazón conturbado leí, porque tú me pediste que lo hiciera, una pequeña escena de *Fuenteovejuna;* ha pasado mucho tiempo, Federico, desde que, por el enorme éxito de *Bodas de Sangre* te fuiste a la Argentina y volviste todo vestido de blanco, con el «capitalillo» en el bolso y unas tremendas ganas de gastarlo: —¡Duro con el capitalillo! —y te reían los ojos cuando, siempre generoso, nos invitabas a todos. Ha pasado mucho tiempo, Federico —son millones y millones, incontables millones de millones los pájaros y las hierbas y los granos de trigo que han muerto desde entonces—, tiempo en el que charlábamos sobre poesía en la Universidad Internacional de la Magdalena, mientras la luz roja de un semáforo se hacía coral en el agua. —Eso es poesía —decías tú—; todo el mundo ve el reflejo rojo de la luz en el mar, pero ¿cuántos la asocian a un coral gigantesco?

—Una herida —propuse yo—, una enorme herida; sangre.

—También —conviniste tú—, sangre.

Podía ser sangre de la noche o sangre de cada uno de nosotros, pero no era un coral ni era sangre, sino el reflejo de la luz roja de un semáforo, sobre las olas niñas. Nos llegaba de lejos y la mirábamos fijamente.

Vinieron algunos compañeros más y, con su venida, el rojo nocturno se olvidó y me quedé sin saber exactamente qué era poesía, aunque estuve a punto de saberlo. Pero teníamos que marchar, porque al día siguiente trabajaríamos en Ampuero.

Hemos hecho muchos kilómetros, Federico, por los caminos de España; carreteras de mala muerte —y aún de buena muerte—, caminos polvorientos, cuando aún el turismo no había parado mientes en que la España nuestra «el trozo de planeta por donde cruza errante la sombra de Caín» —y la sombra de Abel—, podía ser un buen negocio para las cadenas hoteleras que la cruzan de un lado a otro manchando su prístino paisaje, pero permitiendo que España entera, que Europa entera, enmorenezca la piel de sus habitantes en virtud del especial ángulo con el que el sol incide en nuestras costas. Para ponernos morenos entonces, ¿te acuerdas, Federico?, subíamos a las terrazas de los pabellones de la Residencia y luego nos dábamos por el cuerpo aceite de coco.

En la dulce primavera de Madrid, nos reuníamos en Chiki Kutz. Tú llegabas a veces andando; otras, en aquellos taxis Citröen, pintados de verde, que parecían trozos de prado escapándose por las calles. En alguno de ellos hemos oído por radio algún partido de fútbol, aunque no nos interesaba el fútbol; tampoco los toros.

En los archivos de mi memoria tengo la constancia de que tú, Federico, que sabías y hablabas como nadie de los mayorales de pálida niebla o del mugido secular de los toros de Guisando, cansados toros, ignorabas todo lo referente a la lidia de una res; no distinguías un molinete de un natural, a pesar de ser amigo, entrañable amigo, de D. José M.ª Cossío, Académico de la Lengua.

Lo que nos hemos divertido contigo Rapún y yo cuando íbamos los tres a los toros y tú te enardecías si los toreros no mataban bien, porque un toro, animal bello si los hay, que finge, cuando adulto, media luna en el cielo, sólo debe morir como la luna muere, entre la pálida luz de la mañana.

En Chiki Kutz nos reuníamos todos; eran horas dulces como la miel del Himeto; allí Alberti, allí Cernuda, allí Aleixandre, allí Martínez Nadal, allí Pablo Neruda, allí Rapún, allí Ugarte, allí Cotapos, allí Pepe Caballero, allí Salinas, allí Edgard Neville, allí Conchita Carro, allí Carlos Arniches, pero, sobre todo, allí tú, Federico, con toda tu risa huracanada: —¡Enrique, baja, coño!—, y dándote palmadas en los muslos, enseñando tus dientes inferiores al reír y levantando tus cejas hasta el cielo. Con tu cara de fauno, con tu cara de gran visir, con tu cara de granito y obsidiana, con tu cara de boabab, de luna llena balalín, con tu cara de Federico. Y cuando tu cara reía, allí en Recoletos, se llenaba de cataratas el horizonte, y hasta la Cibeles reía con sus cansados leones de agua.

—Conque había un niño, compañero de instituto, un niño gordo, fofo, empollón y acusica, a quien, durante una excursión con el profesor Domínguez Berrueta, decidimos que, sin que se diese cuenta, todos haríamos pis en su orinal. Este quedó lleno y, al día siguiente, cuando el niño lo vio y creyó que toda la orina la había excretado él, exclamó: ¡¡madre mía!!, y anduvo mustio el resto de la excursión.

Y también nos hablabas de la muerte de Enriquito «el follaor» y te reías y nos reíamos todos, porque nadie contaba, nadie ha contado, nadie contará mentiras con más gracia que tú, Federico. Y, de repente, sin que nadie pudiera presagiarlo, el «dramón» terrible, el gran drama minúsculo que te hacía enmudecer, amargo el rictus:

—Tengo un dramón...

Sin embargo no hubo más que una tragedia en tu vida y ésa fue fatal, irreversible: ungido por la gracia, pasaste por el mundo sin sentir más que los aguijonazos de algunos miserables, pero siempre entre amigos, muy buenos amigos (Federico es como un pulpo; te chupa hasta dejarte sin substancia, y luego te deja a un lado del camino —eso decía alguien que te quería de verdad, Federico, pero no te diré quién lo decía).

¿Que de qué se discutía y se hablaba en Chiki Kutz?; de lo que pasaba por el aire, por la tierra, por el agua, por la sombra y por la luz. Recuerdo a todos: a Rafael Martínez Nadal quien, un buen día, llegó con el pelo cortado al cero y manchado de aceite de ricino, cosa muy buena, según él, para el cabello; recuerdo a Ponce de León, que nos hizo los figurines de *El Burlador* —un Don Juan con un simple taparrabos en el había dibujado un plátano, figurín que no fue aprobado—; recuerdo a Pepe Caballero cuando llegó de Huelva, moreno, de agudos ojos, y pelo rizado sobre frente de concha. Yo no sabía que le habías encargado los figurines de *Las Almenas de Toro;* una buena tarde llegó por allí, por Chiki, con enormes cartulinas en las que había dibujado los figurines del Rey Don Sancho, del Conde Ansúrez, del Cid y de un soldado arquero que no llegó jamás a disparar su flecha.

En invierno, en cambio, era el café Lyon el lugar de la cita; a veces, pocas, la cervecería Correos pero, sobre todo, la Ballena Alegre, «*Zum lustigem Walfish*» (*reich bin ich nicht, aber glücklich*). La misma gente: recuerdo a Alberti y a M.ª Teresa, a Manolo Altolaguirre y a Concha, a Salinas, a Guillén y a nosotros, muchachuelos, engreídos por estar en la Barraca y conocer a tanta gente importante. Se hablaba de todo, hasta de política. Remedando a Alberti yo diría:

Mas cuando ya, a los años que se tienen
nos corren por la sangre ya más muertos que años,
lo mejor es ser mármol
mármol de blanca-vieja mesa del Lyon
que va contando días con nombres de muchachos.

Muchachos todos, Federico, hasta Miguel Hernández, oliendo a huerta de Orihuela. Nosotros, actores de la Barraca, éramos meros espectadores de vuestras conversaciones sobre poesía. Era Góngora, no era Góngora; Dámaso Alonso había traducido, parece ser, las *Soledades;* decía que Góngora era claro, pero que había que estar en el secreto (quién era el mentido robador de Europa, quién Ganimedes, qué el pino opuesto al Noto, qué los raudos torbellinos de Noruega, etc). Pero estaba bien volver a Góngora ¿No escuchaban con la boca abierta nuestros espectadores campesinos los conceptos calderonianos también oscuros, clarísimamente oscuros?

el agua...
haga lo mismo
templando sus humedades
y ella, en undoso recinto
componga una agregación
de cristales, cuyos vidrios
siempre inquietos nunca rompan
de sus márgenes los grillos...

Los campesinos se quedaban espatarrados, aunque no entendían nada; sólo sabían que aquel compás, métrico y rítmico, estaba lleno de misterio y ese misterio les llegaba hondo.

Con motivo del «duro con el capitalillo», íbamos a cenar muchas veces por ahí; solíamos ir Ugarte, Rapún, Federico —el capitalillista—, casi siempre Romeo y muchas veces yo; en algunas ocasiones a la Rumbambaya o Arrumbambaya, «que tienes unos pechos que j'echan metralla», donde, no siempre, Federico proponía que todo el menú estuviera bien embadurnado con tomate: los huevos fritos, la chuleta y la ensalada.

Una tarde, no recuerdo con qué motivo, nos dirigíamos a Chiki Federico, Rapún y yo, más o menos eran las seis de la tarde; es muy posible que viniéramos de la Residencia o de cualquier otro sitio, que no lo acierto a precisar. Yo soy el único que puede dar testimonio de aquel apacible atardecer, que sé que tuvo lugar en otoño. Tarde caliente, ni un rumor de brisa.

Es curioso que a Federico le recuerdo siempre en primavera; como si tuviera algo de la esencia de la primavera y estuviera vinculado a Coré-Perséfone; como si tuviera siempre un poco de primavera en las manos. Sin embargo aquello, lo que voy a contar, ocurrió en otoño.

—Se me ocurre una idea —apuntó de repente Federico. Tomábamos café bajo las acacias— ¿Qué idea? —preguntó Rapún— Ir a Toledo a pasar una noche toledana —concretó Federico—. Bien, está bien, es una buena idea. Yo —informé— no tengo más que cinco pesetas (un duro de los de antes, hechos para botarlos contra el mármol de las mesas de los viejos cafés) —¡Duro con el capitalillo!— dijiste tú Federico, que debías nadar en billetes. Rafael tenía cinco duros. Nos fuimos a la estación del Mediodía —M.Z.A.— y cogimos el tren. No recuerdo nada del viaje ni de lo que hablamos por el camino; tal vez Federico nos dijo que se había perdido muchas veces por el mar, como también se había perdido en el corazón de algunos niños (alguna vez nos dijo eso, nos recitó magistralmente eso, ¿por qué no entonces?). Ni siquiera recuerdo el paisaje que, seguramente empezaría a llenarse de ocres y sienas. Pero llegamos y nos pusimos a pasear por las viejas calles de Toledo. Tú, Federico, nos explicabas cosas, ya que lo que no sabías lo inventabas y siempre resultaba mejor tu invención que lo que la realidad fuera.

A eso de las tres de la mañana, estábamos un si no es cansados de pasear. Toledo, entonces, era una ciudad un tanto recoleta y, por lo mismo, grata de andar, de pasearla, de hacerla servir de escenario para las discusiones. A ti, Federico te gustaba el Greco; a mí no; me gustó un poco más tarde cuando leí un apasionado libro de una griega —Alejandra Everts, creo— sobre el cretense y su pintura, pero después volvió a no gustarme; cuando leí un libro de Marañón, muchos años después de aquella hermosísima noche, me gustó mucho menos todavía; ni el estupendo libro de Cossío me ha reconciliado con ese pintor al que, no sé por qué, consideramos español.

—De pintura sé algo —recuerdo que dijiste durante la discusión; en realidad sabías muchísimo, porque tu sensibilidad, a flor de piel, como acostumbrabas a decir, te hacía percibir cualquier matiz de la creación, de no importa qué creación. Por otra parte, dibujabas y coloreabas tus dibujos; eras un tanto *naif*, pero con el encanto que tiene el limón cuando deja de ser azahar.

A las tres de la mañana, pues, nos dirigimos al Hotel; Hotel Castilla, creo que se llamaba; resulta que estaba cerrado, pero cerrado a cal y canto, tanto que no nos querían abrir; Rapún llamó vigorosamente con la aldaba, dio patadas a la puerta, apretó el timbre, pero como si no. Menos mal que al ruido acudieron los que entonces se llamaban guardias de asalto, con su uniforme gris, uno de los cuales, Federico, te reconoció inmediatamente.

—¿No es Vd. Federico García Lorca? —te preguntó sin anteponer el don del tratamiento. Eras, fuiste, seguirás siendo Federico.

Nos abrieron las puertas del hotel y nos hicieron firmar en el registro de viajeros, tras designarnos la habitación que habríamos de ocupar; el conserje estaba malhumorado porque la guardia de asalto le había obligado a abrir la puerta.

—Basta con que firme uno de Vds. —nos dijo, y desapareció.

Entonces tú, Federico, sonriendo ligeramente, pusiste en el libro registro (y allí estará consignado si los avatares de la vida no lo han destruido; de ser así, tendrá que bastar mi palabra):

FEDERICO POMPORELIDO
ESPAÑA

Y firmaste sólo con tu F gigantesca y las pequeñas letras que componían tu nombre. No pusiste apellido ni nada; reías como el niño que acaba de hacer una pillería y nosotros reíamos también; yo creo que estabas contento, muy contento, porque te había reconocido un desconocido, una guardia de asalto que, a lo mejor, no te había visto en su vida sino en fotografía de los periódicos; pienso que ese reconocimiento fue para ti lo mejor de la excursión.

Nos dieron una habitación de tres camas; tú Federico, dormías como un ceporro; qué tío, qué manera de dormir; nosotros tampoco lo hacíamos mal, pero estábamos despiertos y charlando bastante antes que tú lo hicieras; nuestra conversación, por otra parte, tampoco parecía molestarte demasiado; siempre estabas con «el pez de sombra» que abre el camino del alba, pero el alba se demoraba para ti, Federico Pomporélido.

Al día siguiente nos llevaste a comer a la vega, al restaurante de la Venta de Aires; más allá se alzaban, indecisos, algunos cigarrales; había algo de irreal en el aire de la vega toledana, tal vez debido a la neblina que el Tajo, a su lento paso, va dejando en sus orillas. Comimos perdices escabechadas, lo que quiere decir que estábamos en otoño, ya que en primavera no se puede cazar la *Alectoris rufa,* que es como se llama la perdiz roja, aunque ella no lo sepa; de todos modos, el otoño era dulce como la uva madura.

Durante el invierno es seguro que hacíamos los ensayos, pero, la verdad, Federico, no puedo recordarte con abrigo; si exprimo mi memoria, tal vez te vea con uno azul, con cuello de terciopelo, pero no estoy seguro; y ahora que estás muerto, ¿qué importa que yo te recuerde con abrigo?

Algunas tardes calientes de Madrid, casi noche por el oriente, solíamos sentarnos en la terraza de algún aguaducho del Paseo de la Castellana; justamente en uno que hay —todavía creo que existe— en la desembocadura de la calle del Pinar. Tú, Ugarte, Rapún y los actores que habíamos estado ensayando en el Auditorium. Tomábamos un refresco, horchata o cualquier cosa, pero, sobre todo, te oíamos, porque eras tú el que hablaba, el que contaba cosas que, a veces, resultaba que eran verdad. Jacinto Higueras que también tenía gracia para contar, nos hablaba de aquel cojo al que, en su pueblo, le llamaban «engañalosas» y Ugarte, más taciturno, nos hacía saber que el que con niños se acuesta cagado etcétera. Un día y otro, Federico, ¿no notabas que el tiempo se nos escapaba como el agua por un cesto de mimbre?

Cuando pasaba esto que te cuento, aunque tú ya no cuentes —tu silencio claro solamente nos dice cosas—, cuando pasaba esto, estabas situado escasamente a tres años de tu muerte, tal vez a tres kilómetros de los que la llevaron a cabo; casi se podía ver tu muerte si por acaso te ponías de puntillas y mirabas hacia el sur, hacia donde corren las aguas del Darro y del Genil, hacia la vega de Zujaira, hacia la fuente de Aidanámar.

Presentir tu camino dolorido, recorrerlo mordiéndome los dedos, buscar tu gracia en la flor, en la corteza del árbol, en el maleficio de la mariposa. Sangrándome la garganta llegar hasta donde estás y «desamordazarte y regresarte» para que nos contaras cómo fue todo, porque si tú nos lo cuentas «nos parecerá mentira».

ADENDA PARA FEDERICO

A veces caen las babas, Federico, sin que nadie sea capaz de evitarlo; caen sobre la tierra, sobre la madera seca, sobre la flor que apenas ha abierto sus pétalos, sobre el fruto que inició su vida; sobre todos los sitios del mundo pueden caer las babas de los hombres, pero es abyecto que caigan sobre los muertos, sobre los huesos de los muertos que van, poco a poco, cediendo su esencia; quietos bajo la tierra, confundidos con ella, ¿por qué las babas sobre lo que han sido?

Tal vez tenga que subsistir la abyección, que haber abyección y no sólo en las paredes oscuras de los urinarios, no sólo en las grietas grises de las alcantarillas o en el rumor sucio de las cloacas, sino en el propio corazón del hombre; la abyección como norma de vida; las posibilidades de variación de la conducta humana son infinitas y lo seguirán siendo incluso cuando los años aventen todo tipo de ceniza.

Hay babas espesas, mucilaginosas que tapan, tratan de tapar, hasta el recuerdo de la sangre; hay babas negras, inconsistentes, pero duramente oscuras que golpean contra las maderas de las puertas de las gentes de bien y hay babas de salivilla sin importancia que caen por las comisuras de las bocas de los babosos, como rastros de caracol dejados en la noche; pero, por muy pegajosa que la baba sea, por muy pestilente que la baba sea, por muy venenosa que la baba sea, siempre hay vientos que acaban por secarla, convirtiéndola en puro polvo y arrastrándola.

Escupir sobre los muertos es mala cosa, Federico, pero hay mucha gente que lo hace; lo han hecho antes sobre ti, cuando vivo podías defenderte y ahora que, muerto, no puedes hacerlo; sí lo hace —defenderte— en cambio, tu obra viva representada en el mundo entero, las ediciones repetidas de tus libros, tu recuerdo claro entre la juventud, Federico.

La baba cae, tal vez, porque la misión de la baba sea caer y caer y caer. Esto que escribo ahora, muy resumido, es sólo un botón de muestra de babas y babillas. Hay quien ha dicho, con toda la impunidad posible, amparándose en toda la impunidad posible, que Ramiro de Maeztu no murió como «el grácil Lorca, víctima de un oscuro crimen pasional»; este mismo ser se ha permitido criticar tu obra, hablando de los trabajos del «mítico» Lorca; alguno, argentino que, por su posición de escritor, debería guardarte más reverencia, ya que, además, vinculaste a la obra de la Barraca a su hermana —dibujante y pintora—, se permitió decir que eras un andaluz profesional, siempre con el ánimo de «deslumbrar» al auditorio, etc, etc. Ni muerto, Federico, han dejado de volcar sobre ti, sobre tu memoria, en un intento macabro e inútil de alancear un noble cadáver, todo el indol y escatol que pudre sus mentalidades. Allá ellos con ellos y con sus digestiones, que les deseo perfectas.

Pero yo te digo que como el mar, que también se muere, hasta la abyección se disolverá en el infinito ir y devenir de los siglos.

SEGUNDA ADENDA PARA FEDERICO

Federico García Lorca era puro Granada; nació en Granada y en Granada murió. Y, a lo largo de su breve vida, fue poeta, músico, dramaturgo, dibujante y señor. Y si digo señor, es porque el señorío es una categoría del pensamiento, tal vez lo que hace que el hombre sea más que hombre. En cualquiera de sus manifestaciones, alcanzó la región de las formas puras, allí donde la línea se hace abierta y el volúmen es luz. En poesía dijo su palabra y los árboles florecieron lentamente, recitó su verso y se conmovió la estructura del sueño; a la poesía, como pocos harían, llevó la más pura esencia de los pueblos y de los hombres.

Como músico tuvo duende; el duende es lo que da sonidos negros; cuando se sentaba al piano y tocaba sus canciones recogidas, enmudecían hasta las viejas parlanchinas provincianas; conocía el secreto y la raíz última del cante y con su voz, como traspasada de alfileres, era capaz de traducir la solear a asturianada y el tanguillo de Cádiz a muñeira. Tenía a Andalucía en la punta de sus dedos; y en su sonrisa huracanada; y en el leve gesto de inclinar un poco la cabeza como para mejor sentir el viejo sonido de la tierra.

Como dramaturgo alcanzó últimos caminos; barrió todo un modo de hacer teatro sensiblero y vacío —cerrado en sí—, y le prestó su propia sangre para que, desde una perspectiva apasionada, deshiciera los viejos moldes inoperantes y se tocara de alada gracia.

Y Federico, como poeta, sobrepasó lunas. Díganlo, si no, las continuas y reiteradas publicaciones de su obra total o fragmentaria tanto en libros como en discos; díganlo los estudios que casi permanentemente, en uno o en otro país, se llevan a cabo sobre su obra poética o sobre su teatro. La bibliografía sobre Federico y su obra es tan profusa, que serían necesarios muchos folios para dar cuenta aproximada de ella.

Sabía mucho de pintura; sabía mucho de música; no sólo de la música elaborada por el gran creador, de la música que hemos dado en llamar clásica, sino de la elemental, de la que, con toda seguridad, cantaron los homínidos que nos precedieron hace cientos de miles de años, porque el hombre, así lo creo, ha cantado desde que talló la primera piedra, el primer instrumento lítico. El canto nació con el trabajo y fue un ritmo más que añadir al mismo, como el martinete.

Como político, Federico no lo fue nunca, en realidad, si, como político, imaginamos al que hace el juego de los partidos y busca puestos claves para alcanzar determinado tipo de influencias o de presión sobre otros grupos: «Yo estoy con los pobres» —acostumbraba a decir. Sus manifestaciones en la prensa aclaraban tal postura: «Mientras haya desequilibrio económico, el mundo no piensa. Yo lo tengo visto. Van dos hombres por la orilla de un río; uno es rico, otro es pobre. Uno lleva la tripa llena y el otro pone sucio al aire con sus bostezos. El rico dice: —¡Oh, qué barca más linda se vé por el agua! ¡Mire Vd. el lirio que florece en la orilla—. Y el pobre reza: —Tengo hambre y no veo nada. Tengo hambre, mucha hambre—. Es natural... en el mundo no luchan ya fuerzas humanas, sino telúricas.»

Sobre cualquier tipo de arte, incluida la poesía, también era absolutamente explícito:

—«El concepto del arte por el arte —decía— es una cosa que sería cruel si no fuera, afortunadamente, cursi. Ningún hombre verdadero cree ya en esa zarandaja del arte puro, arte por el arte mismo. En este momento dramático del mundo, el artista debe reír o llorar con su pueblo. Hay que dejar el ramo de azucenas y meterse en el fango hasta la cintura, para ayudar a los que buscan las azucenas».

«No hay quien pueda definir a Federico, decía Vicente Aleixandre. Su presencia, comparable quizá solo justamente con el tifón que asume y que arrebata, trae siempre asociaciones de la sencillez elemental. Es tierno como una concha de la playa. Inocente, en su tremenda risa morena, como un árbol furioso.»

Bajad desde Víznar, el lugar de su muerte, hacia el sur —olivares y olivares, olivares de lágrimas verdes— y alcanzaréis, por fin un amplio barranco abierto entre la Alhambra y el Generalife, barranco estratificado en planos y en el que, tallada en la ladera, una ancha plataforma triangular extiende su plano al sol. Más abajo está la ciudad, piedra y sueño hechos contornos y volúmenes, cubos y formas abiertas. Y, más abajo aún, la vega, la ubérrima vega de Granada que juega a Darro y que a Genil juega. Y allí, en los aledaños ciudadanos, la huerta de San Vicente, desde la que salió Federico para buscar refugio, para no volver jamás.

Todo creador, en tanto que lo es, innova. Y toda innovación, cuando se presenta a los ojos de los hombres —sea artística, filosófica, científica produce cuatro tipos distintos de reacciones, sea dicho esto en sentido lato: la de los que torsionan la mente, procurando adaptarse a ella, a la innovación, porque presienten que con la misma ascienden a más altos niveles del pensamiento; los que desearían poder realizar esa adaptación a lo nuevo, pero que, falta de medios, deficiente formación, tal vez poca inteligencia, no lo consiguen pero guardan, en cambio, gran admiración y respeto al creador; la de los absolutamente indiferentes, en los cuales la innovación no halla eco porque pertenecen a otro ámbito distinto de información, y los que, finalmente, dotados de una mentalidad inmóvil, fija, impermeable, no piensan; sólo se mueven dentro de un sistema de creencias que les fuera impuesto desde niños —sistema o círculo, por lo demás, estrecho—, que reaccionan violentamente, sangrientamente ante la innovación, ante la obra del creador. Para ellos sólo tiene valor lo que pensaron nuestros más viejos y lejanos antepasados y están ciegos y sordos ante la circunstancia que cambia como las generaciones de las hojas de los árboles; todo lo que se aparta de lo que para ellos es dogma, debe ser barrido, destruido, reducido a cenizas, aventado por siempre jamás. En los primeros, en los que son capaces de poner en juego sus circuitos neuronales para comprender la innovación, la obra creadora es un modo de amor; en los últimos, una manera de odio. Fue el odio el que mató a Federico. Dice Luis Cernuda:

> *Por eso te mataron, porque eras*
> *verdor en nuestra tierra árida*
> *y azul en nuestro oscuro aire.*

Por eso también dijo Benavente: —«Para dar la muerte a un poeta, muerte verdadera, hay que matarle dos veces: una con la muerte y otra con el olvido, que es la muerte verdadera. A García Lorca es fácil enterrarle muerto, no es fácil enterrarle en el olvido. Su inmortalidad será el oprobio eterno de los que brutalmente, estúpidamente, en él saciaron su venganza.»

Porque en Granada también hay mentalidades amorfas y estólidos corazones de granito, y, ¿cómo puede cansarse un tonto de ser un tonto?

Federico no murió en Víznar; seguid la acequia de Aidanámar hacia arriba y llegaréis a Fuente Grande de la que parte la acequia. La fuente fue otrora un manantial de agua mineral que salía a borbotones. Hoy, apenas riega algunos claveles y unos geranios. Ainadámar quiere decir «fuente de las lágrimas». Un viejo olivo, milenario olivo, crece cercano a ella; al lado de ella estaba, en efecto, en la madrugada del 19 de agosto de 1936, cuando y donde cayó Federico junto a tres compañeros de infortunio. En la partida de defunción de Federico García Lorca, redactada en 1940, se lee:

...falleció en el mes de agosto de 1936, a consecuencia de heridas producidas por hecho de guerra, siendo encontrado su cadáver el día 20 del mismo mes, en la carretera de Víznar a Alfacar[1].

---

[1] Para ampliar detalles, consúltese el libro de Gibson.

UGARTE

—¿Qué?
Urgarte.
—¿Qué?
—Qué, quée, quéee quéeee.

Ugartequé, ¿de qué oscuro aire sin sombra brota su perenne qué, de qué oscuridad sin aire, de qué profundidad ignorada, de qué tierra, Eduardo Ugarte, buen amigo, perdido para siempre en la hondura inmensa del tiempo ido? ¿En qué revuelta del Universo se sentó a descansar, con su maleta de aire y de luz llena de qué, de pequeños quées que la vida no le dio tiempo a agotar y que todavía, en su garganta de muerto, hacen una larga cola prestos a desfilar ante quien diga Ugarte?

Que me perdone Eduardo Ugarte; no sé nada de él desde hace tantos años, que me parece como si el visillo no dejara pasar el aire; muerto en México, la tierra de México le cubre los dientes y los ojos y las manos, y ya las flores que han podido brotar de su cuerpo se han secado durante muchos años. ¿Cuándo fue nuestra despedida? Porque me temo que no nos despedimos nunca.

Hombre corpulento, no muy alto, gruesas gafas de miope, una catarata en un ojo, traje de mono, mangas remangadas, peludo el cuerpo, no así, no así tanto la cabeza, dientes fuertes amarillentos, un hoyo, creo recordar en la barbilla y tal vez ¿tal vez?, alguna indiscreta cana en los aladares. Y un gran corazón.

Es curioso lo poco que sé de él; tal vez no le fueron demasiado bien las cosas en la vida; quizás tuvo fugaces primaveras y el resto fue un invierno de los que se enredan entre los dedos.

Estaba casado con la hija de Arniches y creo que tenía dos hijos; de su vida privada hizo algo que metió en un arca de siete cerraduras y nadie, o casi nadie, la abrió.

Tengo ante mí el Diccionario de Literatura Española que editara la Revista de Occidente; en vano se buscará el nombre de Eduardo Ugarte encabezando su biografía; no hay biografía destinada a su persona; pero si se busca en López Rubio (José), del que dicen que nació en Motril (Granada), se verá, si se tiene la paciencia de leer unas líneas más, que fue premio ABC de autores noveles por su comedia «De la noche a la mañana», escrita en colaboración con Eduardo Ugarte. Ya se ha dicho una vez su nombre, Eduardo Ugarte, y una vez es bastante para ese Diccionario; luego añadirá que López Rubio, *con el mismo colaborador,* escribió «La Casa de Naipes». La pequeña biografía de López Rubio está firmada por G.B., iniciales que yo imagino que pertenecen a Germán Bleiberg, uno de los directores, con Julián Marías, del Diccionario. Eduardo

Ugarte siempre ocupó, por decisión propia, un lugar secundario, un poco a la sombra. Tenía un abuelo carlista con una estatua en el parque de Fuenterrabía, así que ya había bastante luz en la familia; un abuelo carlista que, a lo mejor, le enseñó vascuence; por lo menos él decía que sabía hablar vasco y que su segundo apellido, Gorostiza, quería decir montón de trigo (entre paréntesis, quiere decir monte de acebos); sí, Eduardo era hombre de segunda fila en los Diccionarios, pero no y mil veces no, en los afectos, no y mil veces no en el talento teatral, en la bondad, en su comportamiento profundamente humano —tal vez demasiado humano.

La obra premiada en colaboración con López Rubio le sirvió de trampolín para ir a Hollywood, me parece que con Edgar Neville, para ver de hacer cine. No estoy seguro de todo esto que escribo, pero me parece recordar que Eduardo nos contaba que le presentaron a Charlie Chaplin en unos baños turcos, cuando ambos estaban completamente desnudos; que estuvo varias veces en casa de Charlot y que le veía a menudo bajar de un piso a otro montado en la barandilla de la escalera.

De otras cosas de Eduardo Ugarte sí me acuerdo: de que nos ayudaba como el primero a montar el tablado, a maquillarnos, de que, con humildad incluso, nos hacía correcciones de dicción: —No es nos «provean» de un virrey, alcalde, juez o ministro, como hay que decir —se refería a mí, en este caso concreto—, sino nos «provengan» de un virrey, etcétera.

Hacía de traspunte; al pie del escenario estaba en todo; cuidaba entradas y salidas para que nada pudiera torcerse, y nada se torcía cuando él estaba allí para evitar las torceduras. Pero jamás, que yo sepa, salió a escena; jamás según mis recuerdos y noticias, pronunció ni una sola palabra en público congregado para vernos y oírnos; siempre ¿por qué, Eduardo?, estaba en segundo término, en una semipenumbra perenne.

—La fantasía de Federico es desbordante y se «pasa» muy a menudo —me dijeron cuando entré en la Barraca algunos actores—. Entonces Ugarte, con su objetividad bien demostrada, pone las cosas en su sitio.

No lo sé; es posible que frenara la pasión del juego escénico de Federico, pero yo me inclino a pensar que estaba siempre de acuerdo con todo lo que él hacía; es seguro que tuvo ideas que Federico aceptó, que hizo sugerencias escénicas para equilibrar momentos, que juntamente con Federico y Rapún planeaba las excursiones y no es menos cierto que acudía a todos los ensayos; cuando Federico estuvo en América, fue él quien dictó la norma; él, finalmente, quien vino con nosotros a Tetuán, Ceuta y Tánger, ausente Federico.

No, no fue de segundo término su labor en la Barraca; como una columna de hierro y granito, impidió, mientras perteneció a nuestro teatro universitario, que se cuarteasen los cimientos; dio siempre especial solidez, mental y material a aquello en lo que puso la mano.

Sé que tuvo disgustos familiares, pero ignoro en qué consistieron;

desconozco si los causó él o las circunstancias que siempre están al acecho para clavarnos sus pequeños dientes como puñalitos en las piernas. Pero tuviera o no tuviera disgustos, lo cierto es que yo, que conviví bastante con él, jamás le ví quejarse, nunca amargó una reunión con sus propias preocupaciones.

La guerra civil española nos separó definitivamente y no volví a saber de él más que a través de noticias harto indirectas; me contaron que había ido a México a degustar hasta el borde la hiel del exilio, y que allí murió; pero entre su llegada al destierro y su salida a la pura materia, en ese pequeño espacio que Cloto, Laquesis y Atropos rigen, hay, para mí, como una cortina negra, como una cuartilla en blanco sin palabra alguna.

A Eduardo Ugarte, nieto de militar carlista, hombre de penumbras, le recuerdo a la puerta de mi casa de Diego de León; iba acompañando a Federico y ambos a buscarme para que saliera con ellos a cenar por ahí, por no sé dónde; enmarcados en la puerta de entrada como dos estatuas les veo ahora, sintiendo un poco de vergüenza y remordimiento por no haberles hecho pasar a mi habitación; mi timidez de entonces me lo impidió; no quería que nadie viera mis pequeños dibujos, tal vez alguna poesía sobre la mesa, mi humildad, en una palabra; recortados en el marco de la puerta estaban los dos: Federico vestido de claro, siempre en primavera y Eduardo de gris oscuro, y yo diciéndoles ahora voy y saliendo apresuradamente para que no pudieran contemplar mis pequeñas cosas. Desde aquí pido perdón a ambos por no haberles dicho: —Pasad, estáis en vuestra casa.

Se empeñó en que la *Egloga de Plácida y Victoriano* estaba escrita en sayagués; el sayagués es un dialecto que parece haber tenido su origen en León, aunque no puedo hacer muchas afirmaciones en ese sentido. En León decimos mí casa, por ejemplo, acentuando el posesivo —reminiscencia del sayagués, mientras que en Madrid y en otros muchos sitios donde se habla castellano se dice «micasa» haciendo una palabra de lo que en realidad son dos. Tuvimos discusiones sobre esto en más de una ocasión. Por ejemplo, en *Fuenteovejuna* hay un momento en el que el Comendador —yo— dice a los amotinados: —¡Yo soy vuestro señor!—. Pues él me corregía siempre, había que decir «vuestroseñor» para que el acento tónico no incidiera en la e de vuestro, cosa que, según él, ocurría cuando se hablaba en bable o en sayagués; bueno, que el bable fuera asturiano o leonés también dio lugar a discusiones. El caso es que mi personaje en la *Egloga,* Suplicio, acentuaba los posesivos, pero no se lo dejaron hacer ni Federico ni Ugarte.

Eduardo tenía frases agudas, ingeniosas, que nos hacían reír; sabía, además, contar con gracia las cosas; con la gracia del que es capaz de reírse de sí mismo. Un buen día, no sé por qué razones, le dio por estudiar la carrera de Filosofía; se fue a Salamanca y se examinó por libre de no sé qué asignaturas, una de ellas con D. Miguel —D. Miguel de Unamuno—. D. Miguel le preguntó si sabía quiénes eran los sofistas;

Eduardo Ugarte, plas, plas, le soltó una especie de rollo; no, no, dijo D. Miguel, yo pregunto por los sofistas actuales. Eduardo se quedó cortado, buscando entre los entresijos de su memoria quiénes podrían ser tales personajes. Como no contestara, le ayudó D. Miguel: —Son los abogados, hombre; vaya Vd. con Dios.

No sé si terminó la carrera o si el hecho de empezarla no constituyera para él una evasión de sus problemas cotidianos —aunque es muy posible que no tuviera problemas.

También hemos corrido juntos por muchas carreteras españolas; incluso nos hemos embarcado en Algeciras para ir a Africa; en la misma nave, Eduardo, aunque luego las rutas, las singladuras hayan tomado rumbos diferentes. Y ahora que sé que estás muerto te deseo la más profunda paz en el entorno y en la entraña que a nadie le desearía. Porque, vivo o muerto, esa paz te la has merecido siempre.

RAFAEL RODRIGUEZ RAPUN

Rafael Rodríguez Rapún, Rafael Rodríguez Rapún, Rafael Rodríguez Rapún, Rafael Rapún, Rafael Rapún, Rafael Rapún, Rafael Rapún, Rafael Rapún, Rapún, Rapún, Rapún, Ra...

Ni cien millones de folios bastarían para contener el nombre de Rafael Rodríguez Rapún, ni aun escritos a un espacio y por las dos caras, el nombre de Rafael, buen amigo, ido para siempre, violentamente con su sangre hecha un mínimo charco en algún pequeño campo del frente de guerra de Santander; charco y charco en el que estaba la vida, ya sin vida de Rafael Rodríguez Rapún.

No sé si cayó boca abajo o mirando hacia un cielo nuboso, ya sempiternamente sin estrellas; es igual; en ningún caso saldrá en los anales de los que empeñaron su vida en una acción de guerra.

Y ahora nadie puede ya enseñarle los caminos: ni Federico, que le precedió en el largo sendero de la muerte, ni Ugarte que le siguió por el valle de hielo donde uno se despide de sí mismo.

No puedo precisar el día en que le conocí; seguramente fue cuando Alberti pronunció su conferencia en el Teatro Español; también seguramente fue Modesto Higueras el que me lo presentó, pero han pasado ya tantas toneladas métricas de tiempo, incontables, una a una, inexorables como la arena de los relojes o como el agua de las clepsidras, que no tiene importancia ninguna saber cuándo y por qué nos conocimos.

Pero nos hicimos buenos amigos; sin reservas; sabiendo pedir uno al otro lo que el otro pudiera dar al uno, y dando siempre, aunque ninguno se lo pidiera. Primordio de ingeniero de Minas, era capaz de llevar con todo el orden, con toda la limpieza exigible, no importa qué asunto concerniente a la Barraca y a la administración estricta del dinero de la Barraca. Hoy, que quisiera tener a mano el archivo donde llevaba las cuentas para hacer más fiel, que no más apasionado, mi relato, más preciso, pero no menos cordial, me comunica su hermano Tomás que todo se ha perdido, que las bombas destruyeron lo que pudo ser precioso para mí y para unos cuantos que tuvimos la suerte de vivir una primavera de excepción, de altísimo contenido vital e intelectual.

Pero lo vivido vivido está, como muerto está lo muerto. La historia es absolutamente irreversible y ni siquiera con el mayor optimismo puede pensarse en el retorno eterno de las cosas. Nunca más volveremos a estar paseando por Recoletos con Federico, jamás volveremos a cenar en alguna tasca a mano ni, sobre todo, correremos en la furgoneta número dos de la Barraca —Eduardo, el policía, como chófer—, rodando detrás de la Bella Aurelia, la camioneta que conducía Aurelio Romeo. No, no es el tiempo el que huye, sino nuestras pisadas que, para bien o para mal, van siempre hacia adelante. Y cada vez más deprisa.

Se encontraba Rafael en una encrucijada; por una parte el rigor de los problemas matemáticos que diariamente tenía que resolver para preparar su ingreso en Minas; por otra, la presión constante de la generación del 27 ante los ojos, perennemente, sin descanso; rigor contra poesía, poesía contra rigor; yo creo que Rafael prefería más hondamente una letrilla que los ángulos de un dodecaedro, pero ambas cosas se encontraban en él y no sin lucha, no sin antagonismos a veces manifiestos; por eso se encolerizaba tantas veces; por eso tenía esas sus tragedias que no podía eludir y que le quitaban el sueño.

Cabeza más bien grande, braquicéfala, cabello ensortijado, frente no muy amplia surcada por una profunda arruga transversal; nariz correcta emergiendo casi de la frente, lo que le daba, en cierta medida, perfil de estatua griega; boca generosa de blanquísimos dientes con mordida ligeramente cruzada; ello hacía que, al reírse, alzara una comisura mientras descendía la otra. Barbilla enérgica, cuerpo fuerte con músculos descansados, poco hechos al deporte; me parece que no sabía nadar; solía ir vestido de oscuro, color que hacía más luminosa su sonrisa. Pisar seguro y andar decidido.

Pero por dentro, ¿cómo era por dentro? Eso es más difícil de encuadrar en unas líneas, aunque tanto al cuerpo como al intracuerpo se los lleve la muerte; cada hombre que muere se lleva su propio secreto, su propia agua pequeña que forma un río o un diminuto arroyo; agua quieta o agua rabiosa, como la suya, que se disparaba por barrancos y abismos.

He dicho que tenía sus tragedias; por lo menos así llamaba él a determinadas cosas que le acontecían y que yo no supe jamás; las que llegué a conocer no me parecieron tragedias, pero era violento y elemental, elemental por lo menos en ciertas cosas: por ejemplo, el orgasmo sexual que le sorprendía cuando nuestra furgoneta adelantaba a otro coche en la carretera; eso no era normal, pero él no podía evitar que la velocidad que nuestro buen Eduardo, el policía, imprimía a la furgoneta cuando iba a efectuar un adelantamiento, era, en cierto modo, algo así como la posesión de una mujer. ¡Menos mal que había poca circulación en nuestras viejas carreteras!

Solíamos ir con Federico durante las *tournées* de la Barraca; no me refiero al autobús que nos trasportaba, cuanto a los paseos por los pueblos o ciudades donde recalábamos. Ugarte prefería, tal vez, la compañía femenina, pero a Rafael y a mí nos gustaba la poesía, las cosas que Federico nos iba descubriendo y que, a lo mejor, estaban sólo en su imaginación.

Fue en Cuéllar, en el verano de 1934, donde presenciamos una capea, una de esas capeas sangrientas, terribles, en las que a la pobre res se la somete sistemáticamente, y a ello colaboran todos los mozos del pueblo, a una de las torturas más repugnantes —a mi juicio— que puede inventar el hombre cuando se decide a embarcarse en las aguas abyectas que forman parte de su ser.

—¡Cuánto «epentismo»! —dijo de pronto Federico. Estábamos instalados en el mejor sitio, en el balcón del Ayuntamiento, juntamente con algunas y algunos de la Barraca; la plaza era la del pueblo, hecha con carros a los que los improvisados toreros se subían rápidamente cuando las cosas se ponían feas; no puedo recordar si había también una farola o una fuente en el centro de la plaza; de todos modos, pese a su brutalidad, el espectáculo tenía tal vez un aire de tragedia mezclada con locura, algo primario, algo de vuelta al Paleolítico: el hombre y el toro o el uro o el bisonte o el minotauro.

—¡Cuánto «epentismo»! —repitió Federico.

—¿Qué es eso de «epentismo»? —pregunté yo, o tal vez Rafael, quizás ambos.

Y entonces Federico esbozó una de las teorías absolutamente originales sobre una de las facetas del ser del hombre.

—Hay tres categorías de personas —afirmó—; el ente, el subente y el epente. El primero es el ser normal, nosotros, por ejemplo, el funcionario, el catedrático, etc; el subente es el marica, el sarasa, el pájaro, el canco, el miserable ser que el hombre puede producir cuando cohabita con una mujer, y que «se embosca en yertos paisajes de cicuta»; finalmente, se encuentran los epentes que, a diferencia de los primeros, crean, pero no procrean.

—Eso está bien, aunque ciertos aspectos requieren explicación —dije yo— pero, ¿por qué dices que hay epentismo en este espectáculo y en esta plaza de pueblo? ¿Qué tiene que ver una cosa con otra?

Federico quedó en que nos lo explicaría cuando estuviéramos solos, ya que allí, dijo, había demasiada gente y él, Federico, no quería perderse el espectáculo. Hemos hablado después de ese tema; tal vez, en lugar de epente, Federico decía emelente, pero yo creo que se refería con este nombre al que, además de crear procreaba; ignoro, de todos modos, y creo que también Rafael lo ignoró siempre, cómo designaba Federico al que procreaba y, además, creaba.

Un mal día me enteré de la muerte de Rafael; la noticia me la dio Emilio García Ruiz; me habló de que había caído en el frente del Norte, tal vez en Bilbao (ahora sé que fue en Matamorosa, en Santander, pero ello es lo mismo). Sólo sé que, cuando recibí la noticia se me borró el mundo, las casas, las cosas y las gentes. —Rapún ha muerto—, y, además, que no podía haber error, de que estaba muerto para siempre sin posibilidad de una pequeña despedida de un «adiós Rafael, ya nos veremos, vete a tus cosas, trabaja y descansa». No; supe entonces que mi colección de muertos había aumentado con un ejemplar único, irrepetible, impresionante, pero, sobre todo, irrecuperable; que mi pequeño cementerio particular había ampliado dolorosamente, sangrientamente, su espacio, y que ya empezaba a faltarme sitio para otros nuevos muertos, si es que, por acaso, llegaban, que llegaron.

Hay muertos y muertos. No es lo mismo, no puede ser lo mismo, un Federico muerto, o un Neruda muerto o un Machado muerto, o un Ortega muerto, que un cualquiera muerto o un imbécil muerto o un miserable muerto. Forzosamente serán otras flores, otras hierbas, acaso diferentes moscas, distintas malvas, olvidados pinos los que, en su transformación irremediable, dejen unos u otros. Que la miel tiene que ser más dulce y más sabroso el vino y hasta el vuelo de la mosca más alegre y el calor de la tierra más amable. Abono, puro abono, de humus, de mantillo, hay cadáveres y cadáveres que lo entristecen o lo llenan de olores y materia, de simetría de huesos o de pestilentes acideces. Que no madura la uva con el cuerpo de un miserable y puede, en cambio, llenarse de pámpanos, de gloriosos racimos, con un noble cuerpo, con un cerebro noble. Esté donde esté mi buen amigo Rafael, se halle donde se halle, sé que su cicuta, si cicuta es, será puramente blanca y, si es ortiga, puro verde, alto y crecido verde.

Morir es reunir todas las pequeñas muertes que tuvieron lugar durante nuestra vida en la mínima punta de una aguja: la muerte de un amigo, de un padre, de la niña que veíamos correr bajo la ventana, del pájaro que despertó nuestro dormir, de la rosa que marchitó sus pétalos; la vieja amistad perdida, el gusto por el campo, el amor por la obra de arte: todo eso puede morir en nuestra vida. Pues bien, cuando todas esas muertes, las grandes y las pequeñas, las que gritan y las silenciosas, las que se insinúan sin decirte nada o las que te van contando sus historias —¡ay, muerte de la Barraca!—, cuando puedes reunirlas en la punta invisible de la pequeña aguja, entonces te has muerto tú, porque detrás de los detrases de las pequeñas muertes, está la propia muerte.

Rafael, esto te digo: hay una suave primavera por estos aires de León y una pequeña brisa, grata a los ojos cansados, emprende una excursión que no sé a dónde la llevará; desearía que llegara hasta ti y que agitara tus resecos huesos, que limpiara tus órbitas de tierra y que hiciera brillar de nuevo tu sonrisa. Pero no puedo desearte nada, Rafael, porque estás muerto con tu diminuta aguja de finísima punta al lado.

Un día —nunca se sabe cómo empiezan esos días— Rafael Rodríguez Rapún comprendió que en España ocurrían cosas lo bastante graves como para que los ensayos de la Barraca, el llevar nuestros clásicos a los pueblos del territorio hispano, carecieran de interés inmediato y que otras actividades más perentorias tenían que ser tomadas en preferente consideración; además, el lapso y el colapso de la Barraca se anunciaban ineluctables en el aire —aire con su pequeño olor a sangre.

El último recuerdo que tengo de Rafael, es el que me brinda la imagen —brumosa ya—, de la Cervecería Correos. Sería el mes de junio de 1936. No sé por qué o a qué entré en la Cervecería; tal vez estaba citado con alguien o a alguien tenía que dar un recado; mi engrama mnémico no es de ningún modo preciso. Pero entré y allí estaba mi buen amigo Rafael, sentado en compañía de otros para mí desconocidos. Hacía tiempo que no nos veíamos, porque solicitaciones diferentes habían interferido en nuestras vidas. Y allí estaba él, con un común amigo y con otros a los que yo no conocía ni de vista, participando en algo que yo sí conocía. Por eso le sonreí cariñosamente —tal vez sonrisa de complicidad—, sonrisa a la que él y el común amigo respondieron; después me marché, pero sin haber cambiado con ellos ni una sóla palabra; un gesto de despedida y eso fue todo. Entre eso y el «Rapún ha muerto» de Emilio García Ruíz, se había, mientras tanto, introducido todo un mundo oscuro, sangriento que todavía, en este momento, ya perteneciente al otoño de mi vida, no acierto a comprender.

El proceso del Universo, el puro proceso que el Universo es, continúa procediendo o procesando; la irreversibilidad de los aconteceres, a pesar de ese ridículo *nihil novum sub sole,* es lo que hace que la melancolía se derrame por mí, por todo mi cuerpo, cuando pienso a Rafael, cuando le recuerdo y cuando le sé. Porque muchos millones de personas le han ignorado, porque muchos millones de personas le ignorarán siempre y para siempre, yo quiero dejar constancia aquí de su hombría, de Rafael Rodríguez Rapún, estudiante de Ingeniero de Minas, secretario del teatro universitario la Barraca y bueno, buen amigo mío, corazón grande y sonrisa cariñosa, perennemente abierta a todos los puntos de la rosa.

CONCHITA POLO

> *Mais elle était du monde*
> *où les plus belles choses*
> *ont le pire destin,*
> *et rose, elle a vécu ce que vivent les roses,*
> *l'espace d'un matin.*

(Ronsard)

Fuiste la primera en irte, ¿qué muerte estrenaste, Conchita Polo, qué muerte te cogió sorprendida, cuando aún tu reloj no había apenas empezado a andar? El viejo Cronos devora a sus hijos, aunque estén hechos de pluma de arcángel; yo estoy seguro de que te fuiste volando, sin hacer ruido, sin que tu carne se convirtiera en cera y sin que tu piel dejara de ser nácar.

Conchita Polo, que las nubes escriban tu risa en el cielo durante los amaneceres, mientras el rocío se hace lágrima en tu flor. Así sea, Conchita Polo por los siglos de los siglos, por las millaradas de siglos que se van derramando por el Universo durante los siglos y los siglos que ninguno verá, ni el que escribe ni el que pasa hambre, ni el que tiene mansedumbre ni el que llena de sangre las calles del silencio.

No me acuerdo cuándo te conocí; tal vez en mi primer ensayo, pero, de todos modos ya te conocía de verte pasar por la Residencia de Estudiantes con tus cuadernos bajo el brazo, camino del Instituto-Escuela de Pinar. Y todos los residentes que te veíamos, sentíamos que el día no se había perdido para nosotros, simplemente porque te habíamos visto, Conchita Polo de la piel transparente, de la melena rubia bajo cualquier sol, que te movías como Afrodita emergiendo de la espuma y que cantabas con voz clara, con la voz del primer manantial de la tierra. El caso es que te conocí y que nos hicimos buenos amigos enseguida; te recuerdo, sobre todo, en mi primera excursión a Valencia; recuerdo que en Utiel, pueblo lleno de moscas, ya te vestiste para trabajar en *El Retablo de las Maravillas,* guapísima con tus blondas de encaje y viendo ratones por todos los rincones del escenario.

—¡Y monta que son pocos, si pasan de milenta!
Como no estaba Julita Rodríguez Mata, también trabajaste en *La Guarda Cuidadosa;* y puede que en *La Cueva de Salamanca;* no sé si la Cristinica de este último Entremés la encarnaste tú o Carmen Galán, pero es pequeño olvido, Conchita Polo. Porque te has muerto.

Y resucitarás, vendrá la aurora para esenciar tu sangre y tu sonido, acudirá la luz en el latido de tu materia cándida y sonora, que canora ilumine nuevo nido. Tu dimensión de luz, tiempo tras hora se deshará en la espiga mecedora del viento que nos traiga el tiempo ido. Arbol y brisa, corazón alzado, cristal azul y verde en la corriente, el río de tu vida ha despertado. Diariamente, si has muerto, luz silente, remontarás el aire desatado del anhelar resucitadamente.

Esto, Conchita, lo pensé, los ojos húmedos, cuando sentí caer la tierra sobre ti una mañana, que imagino lluviosa —en todo caso tristísima— en el cementerio de Madrid. Porque continuamente te tengo en mi recuerdo; como si fuera hoy te tengo, como si fuera mañana, dentro de un siglo, te tengo en mi recuerdo —a veces aleteas, cuando alegre—. Porque nadie puso más ternura en su amistad hacia mí ni más amistad en su ternura que tú, Conchita Polo, desde el mismo día que te conocí, que nos conocimos ensayando *Fuenteovejuna.*

Después ha caído la lluvia incontables veces, incontables veces los cielos de España se han puesto de color gris plomo, pero el recuerdo de ti, de tu persona, Afrodita emergente, de tu reír y aun de tu llorar, diariamente se desata como una brisa entre mis entrañas.

Mal te trataba yo, el Comendador en *Fuenteovejuna,* cuando te hacía seguirme para gratificar mi concupiscencia. Y tú

> *No tiene el mundo poder*
> *para hacerme viva, ultraje*

Pero sí lo tuvo, y no sólo en la obra, sino en la vida; yo no sé, Conchita, qué mal te atacó con mordedura de serpiente, qué extraño veneno te llenó la sangre de angustias infinitas; lo que sí sé es que contigo, con tu marcha definitiva de nuestro lado, empezó a cuartearse nuestro edificio teatral; una pequeña grieta en su estructura que apenas si parecía el hilillo que las arañas tejen en primavera, pero que constituyó el primer aviso de que la fábrica acabaría viniéndose abajo sin solución posible. Conchita Polo, concha oriental con aljófar en la piel, pluma de arcángel sobre la que cayó la tierra de Madrid, mis recuerdos sobre ti no sé escribirlos porque ignoro el idioma de la aurora muerta.

Cristinica, Juana Castrado, Jacinta, Duquesa Isabela, todo lo hiciste bien, como la hermosa luz de la Gracia, primera cosa que el Hombre vio. Como compañera fuiste una hermana y no te vi ni oí quejarte nunca, aunque las cosas se torcieran, aunque la sangre se llenara de cardos y los ojos de pequeñas piedras arrancadas.

Te deseo, sí, Conchita Polo, que el perfil de la tierra rodee amorosamente tus blancos huesos y que tu recuerdo me vuelva todos los días, todas las horas, como el mes de mayo con el vegetal y el ave. Y así sea también por los siglos de los siglos.

JOSE GARCIA GARCIA

Ya he dicho antes que era hijo de primos carnales, los cuales primos carnales eran, a su vez, hijos de otros primos carnales, los cuales otros primos carnales eran, asimismo, hijos de más primos carnales, etc, etc, hasta retroceder a la primera glaciación de Günz, en la que, seguramente, unos primos carnales decidieron unir sus vidas con el propósito de hacerlas carnales; porque lo que se carnaliza es bueno, no lo que se mortaliza.

Yo conocí a José García García en la Residencia de Estudiantes, calle del Pinar, 21, colina de los chopos, bordeada por el manso canalillo, en cuya débil corriente moraban los hidrómetras, o escribanos de agua, o mideaguas o Gerris, que es el género que reúne a todos y que no se hunden jamás en el líquido elemento canalilloso, como se hundió Alba, el residente gracioso que hacía retruécanos con todo. Y, como castigo, le metieron la cabeza en el canalillo, obligándole a que imaginara un chiste antes de ahogarse. Alba, que me parece que era extremeño, alzó el brazo, casi ya sin respiración.

—¿Cuál es el chiste? —le preguntaron sus casi asesinos.

—¿Por qué no se pone la sal debajo de la mesa? —cuestionó Alba con la cara chorreándole agua—. Pues porque es una sal-bajada.

Le perdonaron la vida y Alba, que no sé lo que estudiaba ni lo que ha sido de él, continuó con sus retruécanos.

García y yo entramos en la Residencia en el mismo año; García compartió la habitación número 7 del primer pabellón con un muchacho leonés, actualmente médico; en tal habitación, contigua a la del gran poeta actual, Gabriel Celaya, nos reuníamos unos cuantos amigos de la hornada a tomar té y a leer a Dostoyevski, a Marx, a Bujarin y a Lenin, entre otros. García estudiaba Filosofía y Letras, además de la carrera de Derecho; su padre era registrador de la propiedad en Colmenar de Oreja. Era hijo único.

José García García, con su pelo de palmera de colegio, como decía Federico, pelo que le temblaba al andar, como si tuviera miedo o le soplase la brisa, pelo liso como el de un japonés, pelo castaño como el de cualquier español, pelo de José García. Su cara era redonda, con poca barba —casi barbilampiña— y llevaba gafas; un poco ancho de caderas, gustaba, pero torpemente, jugar al jockey; puedo decir, sin ofender su memoria, que no tenía disposición para el deporte, pero sí para la política.

Se hizo socialista; militó en las Juventudes Socialistas de Madrid y, luchando contra el compañero Castro, que se sabía todos los artículos de todos los reglamentos, consiguió acceder a la Presidencia de dichas Juventudes y en ella, supongo, ocupando el puesto, defendiéndolo y luchando por la idea insidente en tal puesto, murió José García García, víctima de las heridas sufridas en el frente, en un Hospital de sangre de Madrid.

Le fue a ver Moreno Villa; García García comía en nuestra mesa de la Residencia y, naturalmente, ambos se conocían y trataban, a pesar de la diferencia de edad. Le fue a ver, y las palabras que sobre García escribe en su libro *Vida en claro,* no pueden ser más cariñosas ni de mayor admiración por el hombre García que murió por su idea, sin una sola queja, cuando contaba 26 años escasos.

García García fue el que me metió a mí en el lío de la Barraca; no fue mi hermano, que fue fundador de la misma e incluso actor, sino mi querido, muy querido amigo José García y García.

—Necesitamos un conductor para la segunda furgoneta que hemos adquirido —me dijo, y yo asentí sin demasiado convencimiento.

García tenía máquina de escribir que yo utilizaba, ya que él la tenía más bien como artículo de lujo; en ella aprendía a escribir con tres o cuatro dedos, y algunas cosas le escribí a García cuando era Presidente de las Juventudes Socialistas.

García estuvo enamoriscado de Laura de los Ríos, aunque comprendiendo, tal vez, que no podía esperar nada de tal amor; tal vez eso fue lo que le empujó a la política y a estudiar más intensamente tanto el Derecho como la Filosofía. En su momento su ídolo fue Kant que había sido traducido por García Morente.

—La realidad sintética del pensamiento humano... —solía decir García, cuando estaba contento. Por lo demás era un muchacho nada afectado, sencillo y servicial; como es natural, su puesto en la Barraca no estaba en función de sus posibilidades de actor, que eran escasas, aunque sí hizo y nada mal, el papel de Entendimiento en el auto de Calderón.

Como dedicado a la política, también José García García pertenecía a la U.F.E.H. Fue así, como delegado de tal organización, que englobaba a todas las F.U.E. de España, que José García entró en la Barraca; fue así como me pescó a mí para el teatro, aunque no fue así como murió en el frente. La muerte no le llegó rápida; seguramente no le escatimó ningún dolor, pero la aceptó con todas sus consecuencias —si es que la muerte tiene consecuencias para el que fallece—, sin proferir una queja. En él y con él, se rompió la cadena de primos carnales que se casaban para producir, purísima, la estirpe extraordinaria de los García; último vástago de tal homocigosis secular, García dejó constancia de las espléndidas virtudes que pueden adornar los matrimonios consanguíneos en muchos de los horizontes que la vida nos depara.

No hay triste brisa que corra por los olivos, porque aquí, en León, no hay olivos, y esa brisa no sería, no constituiría recuerdo frente a su recuerdo para mí, pero sí lo hacen todas las risas, todas las generosidades, todas las bondades que, estoy seguro, también se convierten en brisas para acariciar no importa qué árbol, arbusto o hierbecilla que pisotea el hombre en su camino.

José García García, de nuestra pequeña sociedad de té, miembro también de nuestra profunda amistad, te envío desde aquí un abrazo muy fuerte que nunca llegará a su destino.

AMBROSIO FERNANDEZ-LLAMAZARES

Ambrosio era de León y estudió la carrera de Derecho; no sé si preparaba o no oposiciones; en todo caso está muerto y, como la piedra o el desigual leño podrido, no podrá responder ya nunca a lo que le preguntemos; no era actor de la Barraca, aunque pisó el escenario actuando como comparsa; había trabajado en el *Don Juan Tenorio* que, por dos veces consecutivas, montaron los residentes de Pinar, haciendo, y muy bien por cierto, el papel de doña Brígida, pero no era actor de la Barraca; su misión, como la de algunos otros, buenos amigos, me es desconocida en sus detalles, pero supongo que se refería al hecho de controlar lo que la Barraca hacía; no se olvide que el presupuesto para nuestro teatro le había sido concedido a la U.F.E.H., y ésta tenía, como es natural, ver cómo se administraba ese dinero; cuando yo no figuraba en el elenco, y con misión de control o algo parecido, estuvieron en la Barraca, Díez Canedo, Garrigues, González Quijano y tal vez alguno más. Ambrosio, por lo tanto, y como García, procedía de la U.F.E.H. porque, en definitiva, tal organismo fue el creador de la Barraca a la que luego, como un mago, diera vida, corta vida como la suya, Federico García Lorca.

Corta vida también la de Ambrosio, la del buen amigo Ambrosio. Me contaron que, cuando niño, le gustaba jugar a los soldados, que su juego favorito era jugar a los soldados. ¿Qué fue lo que cambió su gusto de las armas por las letras? ¿Tal vez el discurso de Alonso Quijano el Bueno? Sí, recuerdo que su tema favorito de conversación, tema que le relajaba de cualquier otra preocupación, era hablarnos una y otra vez de su época de «mili». Había conseguido, como soldado de cuota, el grado de alférez; se había esforzado en cumplir la disciplina a rajatabla y yo, desde este promontorio del tiempo, desde la lejanía inmensa de su muerte, adivino que su vocación, la verdadera, era, ciertamente, las más pura castrense; se hizo abogado, pero soterrada, hecha pura semilla, quedaba algo dentro de él que daba gritos: su amor al ejército y a la disciplina militar.

Y así Ambrosio, sin que nadie se lo mandara, sin ley alguna que le obligara a hacerlo, tal vez por recordar, por soñar y ensoñar sus sueños militares, cuando la revolución de Asturias de 1934 —¡qué lejos todo ya!—, vistió su uniforme militar y ayudó a sofocar y a yugular dicha revolución. Y eso, en ciertas circunstancias no se hace gratis, no puede hacerse gratis. Ambrosio era republicano más bien de derechas, amaba el orden, pero también le gustaba pensar por su cuenta; como todos, había nacido inscrito en un círculo o repertorio de ideas y creencias que respetó cuando le pareció oportuno.

Vino la espantosa guerra que, según dicen, costó a España un millón de muertos. Ambrosio acudió prestamente a la disciplina; y entonces el enemigo le hizo prisionero. El invocó su amistad, incluso sólida amistad con algunos republicanos representativos, pero el expediente de 1934, se alzó contra él. No se pudo hacer nada y tuvo que morir fusilado a la edad en la que el corzo da su más bello salto en la espesura.

Ambrosio, abogado, hombre de Letras, pero por dentro, y en verdad, hombre de armas, murió tal vez porque las dos cosas, armas y letras no pueden sin peligro, ser contenidas simultáneamente en el corazón de un hombre. Y hoy, que no sé dónde están sus huesos, que ignoro el lugar del mundo donde reposa lo que fue, deseo que la buena lluvia haga brotar de lo que fue su llama un inmenso hayedo donde jueguen los niños, los niños de todo el mundo.

EDUARDO RODENAS

Como un viejo profeta, alto y desgarbado, los ojos muy juntos, alucinados, tallada su larga cara como con escoplo, anguloso, nariz prominente, ligero prognatismo inferior, pelo rizado, así ví a Ródenas por primera vez; así lo ví la última. Pero entre la primera y la última hubo distintos mecanismos mentales que hicieron soplar otros aires en el cerebro de Eduardo Ródenas. Aires buenos o malos, no lo sé —¿quién puede, en un momento dado saber si no hay malos vientos o buenos que son buenos o malos para alguien?— pero que le costaron la vida.

Eduardo Ródenas procedía del Instituto-Escuela; creo que estudiaba Derecho, tal vez Filosofía, no estoy seguro; quizás las dos cosas; como es natural, para formar parte del elenco de la Barraca había que pertenecer a la F.U.E., Federación Universitaria Escolar, que, a la sazón, estaba extendida por toda España. Eduardo Ródenas era buen amigo de sus amigos y, creo, que aun de sus enemigos. No era buen actor; carecía de flexibilidad de registros, pero tenía buena figura y sabía pisar en escena; su máximo papel que, a mi gusto, hacía muy bien, era el del Soldado de *La Guarda Cuidadosa*.

No, sino dormíos, guarda cuidadosa y vereis...

Lo decía paseando a grandes trancos sobre el escenario; había estado en Gaeta, Barleta y Rijoves luchando como un león, pero no tenía ni un maravedí en el bolsillo. Cristinica no le miró con buenos ojos y prefirió al sacristancico que la cortejaba, a pesar de los cuidados que, para evitarlo, se tomaba la Guarda Cuidadosa; pero sabía perder:

—Que donde hay fuerza de hecho
se pierde cualquier derecho.

Y eso ha valido siempre, desde que el hombre es hombre; porque el hombre no es lobo para el hombre, sino algo que ha resultado bastante peor: hombre; y aunque uno no se duerma como la Guarda Cuidadosa, como tal vez tampoco lo hiciera Eduardo Ródenas, siempre puede ocurrir que las moscas se introduzcan hasta los repliegues más hondos de las entrañas.

Hará unos quince años que fui a pasar unos días a un pueblecito próximo a La Coruña: Mera. Allí conocí a un Ródenas mayor de lo que Eduardo sería de no haber muerto; como existía un parecido evidente entre ambos, le pregunté si, por acaso, había tenido un hermano llamado Eduardo que había trabajado en la Barraca. El asintió, y de su cartera sacó una fotografía en la que estaba Eduardo, pero no ya como actor, sino como político, arengando a unas masas indeterminadas y desconocidas para mí; a su lado, y como asintiendo a lo que él decía, con los brazos cruzados y con la camisa azul —gris en la fotografía— se encontraba José Antonio Primo de Rivera. Eduardo Ródenas había echado su suerte a espadas.

También recuerdo a su padre; un día, y no puedo precisar el motivo, fui a su casa; vivía detrás de las escuelas Aguirre, entre Alcalá y O'Donell, próximo al Retiro; él no estaba en casa y su padre, muy amablemente, me invito a entrar; tenía el pelo canoso y un notable parecido con sus hijos.

Creo no olvidar, por último, que Eduardo Ródenas hizo el papel de Príncipe de las Tinieblas en la época en la que yo representaba el Fuego; en *Fuenteovejuna* encarnaba un papel muy de segundo orden, Cimbranos, y, en *El Retablo de las Maravillas,* el soldado que nada ve de lo que Chirinos y Chanfalla aseguran que aparece en el escenario.

Un buen día se despidió de nosotros; su vida, dijo, se movería sobre otros rumbos en los que el teatro no tenía nada que hacer; iba, al parecer, a vivir peligrosamente; más o menos eso fue lo que dijo; en todo caso, escogió no la calle del medio ni ninguna lateral, sino la, para él, calle sin retorno posible. La última vez que le ví, paseaba yo con un amigo por la calle de Alcalá; él iba con otro. Mi amigo, que le conocía, le hizo, sonriente, el saludo comunista, puño en alto. Ródenas contestó con un saludo hitleriano; hubo sonrisas por ambas partes, pero no palabras. Más adelante, no mucho más adelante, las sonrisas fueron sangre, horrible sangre inacabada.

Su último papel fue el que representó en la obra de Lope; se llamaba Cimbranos; tenía que salir a anunciar malos aires al Comendador, malos aires que corrían por Castilla la Nueva.

> *¡oh gallardo Fernán Gómez*
> *trueca la verde montera*
> *por el blanco morrión*
> *y el gabán en armas nuevas...!*

Malos aires han corrido siempre por España; las armas nuevas han entrado muchas veces en acción entre hermanos.

> *¡Ponte a caballo, señor,*
> *que sólo con que te vean*
> *se volverán a Castilla!*

Como si hubiera pedido por su vida; Eduardo Ródenas, y lo mismo que si hubiera pedido por su vida, su llamada a las armas en escena fue del todo inútil. Porque él fue de los que sembró; otros, más aprovechados, con más fortuna quizás, recogieron el fruto de su sudor y de su sangre; él, en efecto, de los que vivieron en permanente vigilia, en perenne peligro, pero otros los que tal vez se alzaron con un resultado que él no llegó jamás a entrever, tal vez ni a soñar quizás.

Cimbranos, viejo criado y soldado del Comendador, que cantaba a dos voces el cantar de «En el campo nacen flores...», que su flor, si flor está, se deje acariciar por el viento de los amaneceres.

JOAQUIN SANCHEZ COVISA

Pregunto: ¿qué es el cáncer?
Respondo: virus, constitución, causa que desdibuja, evento que atenaza.
Pregunto: ¿qué es el cáncer, Joaquín, tú que lo sabes?

Uno lee el ABC por las mañanas mientras toma el té, pero no importa lo que se desayune; lo que sí, a veces, puede importar, es lo que se lea en el ABC. No me refiero, por supuesto a las firmas que colaboran con dicho diario —en dicho diario— no, me refiero a una esquela. ¿Qué hay detrás de una esquela?

Uno lee ABC porque tiene un formato cómodo y porque tiene un amigo que trabaja en el ABC, pero no sabe, cuando lo abre, leyendo las letras gordas, que las esquelas también tienen letras gordas. No me refiero a la esquela de tal o cual, ni a la que ocupa toda una página, ni a la que viene cinco o seis veces repetida, como si el difunto, el interfecto, el cadáver, el traspasado, se hubiera muerto unas cuantas veces, mientras los demás —y a veces con dificultad— no pueden morirse más que una. Pienso que a esos muertos tan importantes que se están muriendo, a veces, cuatro o cinco días, con esquelas y esquelas, y conducción de restos y hermosísimos funerales repetidos ¿cómo pueden morirse tantas veces sin que le dé un colapso a su muerte y resuciten?

«Yo he visto lluvias grises caer sobre la piedra...» y pienso, Joaquín sobre tu estrecha piedra mojada con tu muerte de esquela leída casualmente en el ABC, casualmente, mientras tomaba mi desayuno. Un desayuno que no terminé nunca, porque sentí una mordaza en la garganta (en la mía, en la de mi recuerdo, en todas las gargantas que la vida me ha ido haciendo con los minutos y segundos de mi vida). ¿Qué ha pasado Joaquín? Me dijeron que un cáncer apareció en tu camino de exilado, que te fuiste a operar y que después, lo de siempre, allá en Venezuela, como pudo haber sido en otro sitio cualquiera.

¿Qué hay detrás de una esquela? Para mí hubo una nube de recuerdos: el de tu serenidad continua, el de tu sonrisa, y aun risa siempre alegre, el destello de malicia en tus ojos claros, tras las gafas, que te quitabas para aparecer en escena; el de tu seriedad y el gusto por saber de todo, tu *homo sum et nihil humani a me alienum puto;* siempre mirabas en derredor, absorbiendo el campo, la ciudad, el río o la montaña.

Cuando estuvimos en Ceuta, ¿qué palabra consonante con Ceuta hay,

además de terapeuta?, me preguntaste, hermeneuta y propedeuta, te
contesté y te asombró la rapidez de mi respuesta, pero es porque yo
pensaba preguntarte la misma historia. ¿Te acuerdas de Ceuta? Allí
estaba Simarro que quiso romperle la cara a un marica, a un sarasa, que
pasó provocándonos con un «vamo a veelo», contoneando su pompis; y
allí estábamos todos riendo y disfrutando de una juventud que no duraría
mucho, desgraciadamente no duraría mucho; generación destruida, como
dijo Díaz Plaja, maldita historia irreversible, ¿cómo hubieran sido las
cosas, de no haberse producido las cosas? La danza del vientre, esco-
tando cada uno lo suyo, cinco pesetas a lo mejor, ¿qué te parece por ver
algo que parecía obligado ver en Africa y que no parecía tener demasiado
encanto?

Detrás de una esquela estás, Joaquín, detrás de una esquela que uno
lee distraídamente mientras toma el té del desayuno; y detrás de una
familia contristada, irremisiblemente contristada, aunque el vacío le traga
a uno y le deja dentro del estupor algodonoso y sucio de la resignación,
detrás, detrás de todo eso Joaquín —decíamos Juaquín, deshaciendo el
hiato— detrás hay unos recuerdos luminosos que yo en parte, sólo en
parte, me complazco en traer a estos recuerdos de recuerdos, mientras
una renebrosa melancolía, mezcla de araña y bilis, de oscuro agujero y de
animal oscuro, se adueña de mí en estos momentos. Decías:

> *Y ya que el Sumo Poder*
> *a los cuatro ha dividido*
> *mantenidos en igual*
> *balanza igual equilibrio,*
> *entre la Sabiduría*
> *a dar los puestos y oficios*
> *que habéis de tener; vea el Orbe*
> *que si la creación ha sido*
> *atribución del Poder*
> *lo es de la Ciencia el arbitrio.*

La creación obra del poder, ¿y la muerte? Algo, pienso, puede
contribuir a una muerte; hay muertes contribuidas y cánceres contribu-
yentes. Pero, ¿a qué atribuir el cáncer de tu muerte? Muerte atribuida,
atribulada, Joaquín, sobre el que tantas veces rompí —anchas espaldas—,
su propia vara de Alcalde, cuando yo hacía de Comendador:

> *Pues señor, os sufro, dadme.*
> *como a caballo brioso*

Y tú:

> *Pues señor, os sufro, dadme.*

Y yo te daba, creo que con rabia, porque nadie mejor que tú ha
hecho hamás el Alcalde de *Fuenteovejuna*, con tu hablar sereno, pausado,
matizando cada consonante

y a fos *y a* fuera *casa*, puen profecho

o

de quesos y otras cosas no ecsxcusadas...

¿Te acuerdas en León, cuando a Federico se le olvidó el papelico que
llevaba de presentación, en la que explicaba lo que representaba *Fuenteovejuna* en la jorobada historia de los pobres diablos?

«Pedro Crespo mata con un cordel, Peribáñez con una hoz de plata
purísima, pero en *Fuenteovejuna* es el pueblo entero el que mata, es el
pueblo quien mata porque tiene que matar, porque no hay cintas en las
ventanas del amanecer que puedan arrancarse impunemente...»

Conque se le olvidó el papel, y cuando echó mano al bolsillo para
sacarlo y leerlo, pues resulta que no estaba allí, en el bolsillo, ni en el de
la derecha, ni en el de la izquierda, ni en ningún bolsillo. Y se armó un
lío, porque le dio una vergüenza horrible al verse en plenas candilejas,
con dos mil ojos fijos en él como alambres de pinchos, como pata de
cárdenas arañas.

«Pedro Crespo mata con un cordel, Pedro Crespo mata con un
cordel, Pedro Crespo, Pedro... *Fuenteovejuna*, señores, es la obra del
pueblo que mata...»

Salió colorado, víctima de su primer fracaso, de la primera vez en su
vida que le habían fallado los resortes de la poesía, del contar mentiras,
del saber hacer equilibrios en el alambre de la literatura. Nosotros nos
reíamos, porque nosotros, mucho más modestos, sí nos sabíamos nuestro
papel.

Si recuerdas, si un muerto puede recordar algo que no sea tierra, tal
vez no hayas olvidado que después representamos *La Tierra de Alvargonzález*, en la que Federico se desquitó y bien, del olvido de su papel. Tú:

Hermano, qué mal hicimos

Y yo

Hermano, démos lo viejo al olvido.

Pero no hay nada importante que se pueda dar al olvido, a pesar de
las sangrientas fauces del olvido. Olvidaremos cuando muramos, Joaquín,
y aun así, no sé si lo que fue nuestra materia, nuestros átomos que tal vez
formen parte de un insecto dañino para el trigo, de algún trigo indife-
rente para el insecto, podrán olvidar aquello que realmente contó en
nuestras vidas.

Pero yo te recuerdo; sí te recuerdo.

—¡Malas lenguas hubo que me quisieron ahijar esas coplas, que así fueron mías como del Gran Turco! Las que yo compuse, y no lo quiero negar, fueron aquellas que trataron del diluvio de Sevilla...

Joaquín Sánchez Covisa, hoy estaría contento si te pudiera ver reír a carcajadas, si consiguiera volver a oírte cantar, entre todos —una voz más— una vez más:

> *Al val de Fuenteovejuna*
> *la niña en cabellos baja*
> *el caballero la sigue*
> *de la Cruz de Calatrava.*

«Señor mío, yo soy un pobre hidalgo, aunque me he visto en honra; tengo necesidad, y he sabido que Vd. ha pagado doscientos ducados por una cuchillada, y por si Vd. tiene deleite en darlas...»

—¿Piensa que las cuchilladas se dan, sino a quien las merece?

La vida, Joaquín Sánchez Covisa, termina siempre con una cuchillada. Que no hayas sentido la tuya es lo que te deseo desde el fondo de mi víscera cordial.

LUIS MARTINEZ SANCHO SIMARRO

Luis Martínez Sancho Simarro, compañero, muchas cosas, seguramente, si nos viéramos, tendríamos que contarnos, pero ninguna nos contaremos ya. Formas en la interminable fila de los que han llevado sus senderos más allá de cualquier límite humano, más allá de todo evento, acontecer, hierba, roca, anochecer, umbría, libro, Academia, plumas muertas, ideas.

Porque te has muerto te pregunto: ¿cómo fue ello, compañero, buen amigo de sonrisa ancha que llenaba la tierra? ¿En qué montón de luces apagadas, en qué paja sin trigo ni centeno, decidiste parar tu marcha, tu camino, tu sólida y segura singladura? ¿Por qué, Simarro? El aire es gris, azul, verdoso, con niebla u hojas secas, pero siempre es el aire, ¿qué ocurrió, Luis Simarro para que tú deshicieras tu yurta de Genghis Khan en la antiplanicie tibetana de los sueños y te retiraras al sitio donde no existen jamás ruidos? Para que Luis Simarro, dejara de ser Luis, dejara de ser Martínez Sancho Simarro, ¿qué ocurrió? Tal vez no lo sepa nunca; lo que acontece, acontece, sin poder hacer otra cosa el acontecedor que volver los ojos hacia arriba y dejarlos quietos, sin mirar ni ver, grado a grado enfriándose, hasta hacerse madera, insecto o rosa. O fósil —piedra fría.

Luis Simarro era el hombre a quien uno desea tener siempre por amigo; amigo sin reservas, pero con generosidad. No le busquéis ya como amigo. Ha muerto. En la Barraca fue ayudante de Aurelio Romeo, sabía de electricidad y de esas cosas, sabía de mecánica de conducir un coche o una furgoneta; ante él se abrían los caminos de toda España y ante él, inesperadamente, se cerraron todos. Nave de rota arboladura, salió al mar y encalló en la última playa de lo amargo. Luis Simarro se casó con Gloria Morales; pero esta vez, ni Mercurio ni Venus hicieron nada para impedir su muerte. La Egloga de Gloria, de la diáfana Plácida, se hizo así tragedia.

No sé dónde está la tumba de mi amigo Luis, pero si yo fuera capaz de inventar una flor, sería para la tumba ignorada de Luis Martínez Simarro, el buen amigo que todos, todos, hemos perdido. Y para siempre.

BOLUDA

Boluda, viejo amigo, no encuentro tu imagen, me froto los ojos violentamente, respiro el aire de la primavera mas allá de lo que un hombre pueda hacerlo, me estrello contra las rocas de la memoria y no encuentro tu imagen.

Es como un nombre perdido entre las estrellas, es como el recuerdo de lo que uno se olvida, es igual que el agua que va arrastrando limo, es niebla, es oscuro, no encuentro tu imagen. Revuelvo armarios, desenvuelvo alfombras, traspaso cristales, pero, viejo amigo, Boluda, no encuentro tu imagen.

¿Moreno, alto, corpulento? ¿En qué línea de la variabilidad humana, en qué preciso punto podría reconstruirte, Boluda, cuya imagen se me ha escapado de la mente y ha huido rasgo a rasgo? ¿Qué papeles representabas? ¿Por qué entraste en la Barraca? ¿Qué carrera estudiaste? No encuentro tu imagen. No, no encuentro tu imagen ni tu nombre, ni tu reír ni tu sufrir tampoco; sólo tu apellido de tres sencillas sílabas.

Y sin embargo, a pesar del reflejo desaparecido, de la figura envuelta en niebla, sé que has muerto como los demás muertos, cerrando tras de ti una puerta sin retorno. Sé que has muerto en un campo de concentración nazi (Auschwitz, Treblinka, Buchenwald, Mauthausen, Ponary, Pustkow...) ¿en cuál de ellos, Boluda?

Lejos de España, del escenario de seis metros por ocho de la Barraca, si grueso delgado, si lozano mustio, si fuerte sin fuerzas, si tieso encorvado, sufriendo hora a hora, has muerto, Boluda, viejo amigo. Como todos los muertos sin imagen y con la imagen ya de todos los muertos.

Y yo aquí solo, con la sangre agolpada en mi memoria, te digo una vez más: —Boluda, viejo amigo, no encuentro tu imagen. Y te pido perdón por ello, viejo amigo Boluda, sin imagen.

Esta última página se refiere a los compañeros que, por una u otra razón nos abandonaron, se disolvieron en la nada infinita de las cosas; si es que las cosas tienen nada y si es que el adjetivo infinito puede aplicarse a la nada; el caso es que nos dejaron y que no volveremos a estar con ellos en carne y hueso, con sus sangres corriendo por oscuros rojísimos caminos; forman la colección de muertos de la Barraca, apilados unos sobre otros, formando un montón de luces apagadas.

Hay muchos compañeros de los que no sé nada; unos se llamaban Carbonero, otros Pardo, otros Domingo, que era de Villafranca del Bierzo, otros Diamante... Deseo que todos vivan y que la felicidad haya surgido de ellos como de la rama seca brotan las hojas.

Pero hay otros compañeros que sé que están vivos; de ellos hablaré a medida que este pequeño relato sobre la Barraca vaya ardiendo con su diminuta llama; a todos me une un infinito afecto, a ellas y a ellos, porque me dieron un mundo altísimo que yo, seguramente, no me merecía; pero me lo dieron y lo tuve. Y, así lo creo, jamás es tarde para la gratitud, nunca es demasiado temprano para el agradecimiento, para que florezca la acción de gracias, que es lo más hombre que el hombre puede dar. Y sobre todo a los muertos, que siempre ignorarán el infinitamente infinito agradecimiento que les tengo; pero, porque lo ignorarán, no es menos profunda mi gratitud por ellos, que un día vinieron al mundo como venimos todos, manchando de sangre las sábanas y otro día nos dejaron por diferentes causas, por diversos motivos, pero con el aire ya quieto para siempre.

Por eso escribo este libro para ellos, por ellos, que me van cabiendo ya en la palma de la mano, cuando antes no había montes capaces de cubrirlos, no había ríos para llenar sus bocas, ni piedras suficientes para tapar sus piés.

Los componentes de la Barraca que aún viven

Aire alentáis, mas aire de agonía

Querría hablar de mis compañeros; de los que viven en la actualidad, de los que creo que están vivos, de los que estoy seguro que están vivos y de aquellos otros que, seguramente, no han estrenado esquela todavía. De todos ellos.

Hubo, tal vez, tres épocas en la Barraca, durante las cuales se efectuó en mayor o menor medida, un trasiego de actores; quiero decir que, por motivos personalísimos a los que no tengo nada que objetar en ningún caso, pues la mayoría de ellos me son desconocidos, alguno, o algunos miembros de la Barraca, dejaban el grupo para vacar a otras cosas más importantes, sin duda, para ellos. Sin embargo, y aun dentro de esas tres épocas a las que me he referido, fundacional, media y final, siempre existió un núcleo que había sido también *nisus formativo* que mantenía las esencias y que era insensible a la fatiga y al desaliento; bien es verdad que pocas ocasiones hubo para el desaliento, pero también las hubo.

He explicado ya como se produjo mi entrada en la Barraca; me considero de la segunda serie de actores y es evidente, por obvio, que mi primer contacto con gentes del grupo fue el que tuve con mi propio hermano Arturo y, seguramente, con mi cuñada Enriqueta Aguado; son de la familia y, naturalmente, no voy a hablar de ellos; viven en el exilio mexicano y han acomodado, mal que bien, sus vidas, al ambiente en el que nacieron y se criaron sus hijos.

De Navaz también he dicho algo; en realidad, Navaz es el eterno joven —salvo el reúma que parece atacarle de vez en cuando—. De todos modos, cuando yo le conocí en la Residencia de Estudiantes, y aun cuando había terminado su carrera de Ciencias Naturales, seguía estudiando y haciendo deporte como cuando inició sus estudios; era un gran actor; su aspecto corpulento, no demasiado alto, pero muy musculado, hacía que los residentes le gritaran cuando jugaba al fútbol de portero: —¡Señor Navaz, enséñenos la musculatura!— Y cuando el aludido, complaciente, doblaba los brazos, haciendo ostensibles los abultamientos de sus biceps, los espectadores gritaban a una: —¡Ahí va, qué tío!— lo que, en cierta medida complacía a José M.ª Navaz; bondadoso a más no poder, he mantenido, a través de los años, una no demasiado nutrida correspondencia con él; de vez en cuando, sintiéndose biólogo, escribe en un periódico de San Sebastián sobre angulas, cangrejos y otros animales de poca monta —muy ricos, en cambio, culinariamente hablando— y me manda sus trabajos; divulgador siempre, era natural que se acogiese a la Barraca para llevar con su buen decir, el teatro de nuestros clásicos por los pueblos de España; buen compañero y amigo, era, a la vez, pintor y escritor de poesía; escribía también apologías sobre diversos temas: la cerveza, el fútbol, etc. Decía una y otra vez: A mí dadme los viejos, los viejos caballos del tío vivo.

Navaz perteneció al núcleo aglutinante de la Barraca; su personalidad era, sigue siendo, acusada y su bondad para todos jamás dejó de manifestarse en ningún momento. Como actor decía muy bien, con la voz precisa y los matices necesarios. En *Fuenteovejuna* era uno de los regidores y su voz temblaba ligeramente cuando declamaba:

> *Ya todo el árbol de paciencia roto*
> *corre la nave de temor perdida...*

Hacía de Benito Repollo, el Alcalde, en *El Retablo de las Maravillas;* Manuel Angeles Ortiz le había dibujado una casaca color amarillo limón, muy bonita en el dibujo, pero demasiado chillona en escena; hubo que teñirla de ocre para que no sufriera la dignidad de Navaz. En el Paso de Lope de Rueda encarnaba a Panarizo, uno de los sinvergüenzas que comen la cazuela que Mendrugo lleva a su mujer, mientras le hablan de la tierra de Jauja; tal vez en *El Burlador de Sevilla* hacía el Comendador, pero no estoy seguro del todo, así como tampoco puedo afirmar los papeles que hacía en otras obras; interpretaba, eso sí, el Alvargonzález del romance de Machado y también recuerdo que cantaba muy bien y muy afinadamente; conoció a Federico en la Residencia, pues coincidió con él en ella, así como con Luis Buñuel y con Salvador Dalí[1].

En el orden de aparición en escena en mi Barraca, en la vieja Barraca de mi juventud, Navaz, después de mi hermano, apareció como primero en el reparto; luego lo haría José García García, ya muerto, y Ambrosio Fernández-Llamazares, que tampoco vive; todos ellos eran residentes de Pinar, 21.

Pero, como he dicho, hubo cronológicamente tres etapas en el elenco de la Barraca. La primera, período de formación, de tanteo, de elección de autores, de búsqueda y rebúsqueda de obras a montar y de directrices a seguir, correspondió a estudiantes que yo no conocía, o sólo en escasa medida. He hablado de mi hermano y de mi cuñada; he hablado de Pili Aguado y también de Isabelita García Lorca y de Laura de los Ríos; menciono ahora a Marcedes Ontañón; si bien es cierto que conocí a muchos del primer período, otros me son totalmente desconocidos, aunque los haya conocido posteriormente; así Alvaro Custodio, así Congosto, que sé que hacía muy bien el papel de Hombre en el auto sacramental de Calderón; así Francisco García Lorca, hermano de Federico a quien conocí y conozco y al que verdaderamente estimo[2]; así a Ormaechea, que sé que hacía el soldado de *La Guarda Cuidadosa* antes de que Ródenas se encargara de dicho papel, así Cacho, que ignoro qué hizo en el equipo; y tal vez otros a quienes no conocí o, si lo hice, no fue en tanto que actores de la Barraca; por ejemplo, Díez Canedo, Ruiz Castillo, Pedro Miguel González Quijano, Emilio Garrigues, todos ellos —casi todos ellos— egresados, como diría un sudamericano, del Instituto-Escuela.

Pero, dentro de esa primera etapa, hubo actrices y actores que se mantuvieron fieles al quehacer y al afán, sin duda porque la labor de la Barraca les interesaba profundamente y, dentro de ella, pensaban que podían hacer algo que valiera la pena; me refiero a María del Carmen G.ª Las-

---

[1] Me entero, con profundo dolor, que Navaz ha muerto; se salió por el foro del teatro de la vida sin un pequeño saludo, sin el despedirse que todos esperábamos de él. Sin duda se montó, y ya por última vez en uno de esos viejos, de esos viejos caballos del tío vivo, que él una y otra vez pedía. Y ahora está girando eternamente, con los astros, por las orillas del Arga.

[2] *Fallecido cuando se imprimía este libro.*

Componentes del elenco de la primera época.
Debida a la amabilidad de Galería multitud.

Componentes de la Barraca en la primera época. Obsérvese un problema que recogería un antropólogo físico: unos llevan el escudo de la Barraca a la derecha y otros a la izquierda. Tal vez se trate de sistemas preferenciales distintos.
Debida a la amabilidad de Galería multitud.

goity, muchacha dotada de aguda inteligencia y de una gran sensibilidad para la interpretación de no importa qué papel. Dígalo la Tierra de Calderón, Pascuala de Lope, esa extraordinaria Fabia de *El Caballero de Olmedo,* sus estupendos personajes en los *Entremeses* su manera de hacer la *Egloga;* hoy, casada, madre, con una memoria mejor que la mía para traer al presente ese maldito tiempo transcurrido, pienso que ella y no yo, debió escribir este libro; además de sus vivencias, más completas, sus recuerdos abarcan mayores áreas de tiempo que los míos; estudió la carrera de Filosofía y Letras y se casó con el Profesor Prados Arrarte; el tiempo no ha disminuido ni un solo ápice de su enorme vitalidad y buidez mental; conversar con ella es un regalo y lo único que lamento es la enorme dificultad que hoy tienen dos personas que viven en capitales diferentes para comunicarse, para estar juntas; sin embargo, debo a M.ª del Carmen ingente información precisa, tanto de hechos por mí olvidados, cuanto de otros que yo no viví. Gran parte de la iconografía de este libro vio la luz gracias a ella y a ella hay que agradecer profundamente su hondo amor por la Barraca, amor que le ha permitido registrar fielmente en su memoria eventos ya irreversibles.

María del Carmen, creo haberlo dicho ya, era la encargada de los trajes, del vestuario en general y de los atrezzos; a cargo de ella corría el que no nos faltara nunca nada; nada, pues, nos faltó nunca; siempre la vi reírse, estar alegre en los momentos felices, pero jamás la vi quejarse si la adversidad se abatía sobre ella.

—¡Válgame Dios! ¿Y que vuesa merced es el Licenciado Gomecillos, el que compuso aquellas famosas coplas de «lucifer estaba malo...»?

Eso en *El Retablo de las Maravillas;* en *La Cueva de Salamanca* era más terrible cuando, después de hacerle carantoñas a su marido, éste se marcha de viaje:

—¡Allá darás, rayo, en casa de Ana Díaz! ¡Vayas y no vuelvas! La ida del humo. ¡Por Dios que esta vez no os han de valer vuestras valentías ni vuestros recatos!

María del Carmen formaba parte del núcleo de la Barraca, merced al cual ésta resistió vaivenes y borrascas. Sin ese núcleo de actores, en principio inamovibles, absolutamente imprescindibles, la Barraca hubiera durado lo que una gota de rocío.

Julita Rodríguez Mata era muy bella; la gracia le salía por cada poro de la piel; era, y es, ya que vive todavía y que lares y penates la ayuden a alcanzar los ciento cincuenta años, extraordinariamente inteligente; el paso del tiempo no ha dejado en su físico, en su anatomía, ni un pequeño arañazo, a pesar de las duras pruebas que pasó tras nuestra guerra. También se casó y es madre de dos hijos. Cuando yo entré en la Barraca, ella preparaba una excursión por el Mediterráneo, excursión a la que sólo podían ir los alumnos de Filosofía y de Arquitectura; parece que lo pasó muy bien descendiendo al fondo del mar en compañía de Anfítrite y cogiendo corales entre las algas del Ponto, abundoso en peces. Pero aquella excursión le impidió venir a Valencia con la Barraca, de manera que sus Cristinicas tuvieron que aparecer en escena encarnadas por Conchita Polo y por Carmen Galán.

Julita Rodríguez Mata representaba extraordinariamente bien, pero tenía ausencias en nuestras excursiones, ora venía con nosotros, ya no podía hacerlo. Cantaba muy bien y derramaba simpatía en cada movimiento; a pesar de todo, no llegué a conocerla bien. Encarnó la Duquesa Isabela en *El Burlador* —papel, sin embargo que nunca representó—, las Cristinicas en los *Entremeses* y el Agua en el Auto Sacramental; su recuerdo, en la lejanía del tiempo, está teñido por la gracia y me alegra profundamente haberla conocido entonces. En la actualidad vive en México.

Por orden de aparición en escena, aunque la conocí en otro sitio, se encuentra Carmen Galán, una muchachita que a la sazón parecía tener quince años; es curioso lo poco que sabemos de las personas con las que vivimos, con las que compartimos el pan y la sal; todo lo que yo sé acerca de Carmen Galán creo que me cabe en la palma de una mano y, sin embargo, para ella mi más profundo afecto, así como para su marido, José Obradors, el traspunte y apuntador; creo que fue, además del de M.ª Gloria Morales con Simarro y el de Enriqueta Aguado con mi hermano, el tercer matrimonio que engendró la Barraca; tres matrimonios en cuatro años no son, en realidad, muchos matrimonios, de manera que no se puede adscribir a nuestro teatro universitario el papel de casamentero. Bien, Carmen Galán era, por así decirlo, la estrella; aunque varias veces, a lo largo de esta historia, he dicho que entre nosotros no había divos ni divas, resulta que alguno o alguna, bien por sus particularidades físicas, ya por su manera de decir o recitar, quizás por el donaire que ponía en escena, se llevaba los papeles de protagonista. Carmen Galán recitaba muy bien y daba aires de tragedia a lo que decía, aunque alguna vez confundió el Agua con el Aire en el auto sacramental y me parece que dijo: —Al Agua habiten las aves, o al Aire habiten los peces... Era la Laurencia de *Fuenteovejuna,* máximo papel femenino que se encarnó en la Barraca, la dulce y barroca Tisbea de Tirso de Molina en *El Burlador,* la Inés de *El Caballero de Olmedo.* También la Inés de *Los Habladores.*

Se hizo novia de su actual marido, José Obradors, porque parece ser que éste le pegó un mordisco en el brazo y Carmen Galán lo interpretó —el mordisco, quiero decir—, como un modo de declaración de amor. Dijo que sí y resulta que se casaron; hoy deben ser felicísimos y que su felicidad sea más profunda que la más honda sima de los mares, es lo que a ambos les deseo.

En realidad, por orden de aparición en escena, al primero que conocí fue a Obradors, en la Residencia de niños, también situada o sita en la calle del Pinar, a continuación del cuarto pabellón de la Residencia de Estudiantes. Yo no sé por qué la calle del Pinar se llama así, porque no recuerdo haber visto un solo pino —aunque a lo mejor los tiene, o los

tuvo—. Recuerdo, sí, los chopos del canalillo que ponían dorada a la
colina en el otoño y que cuando el viento era fuerte en primavera,
Federico, por el ruido que hacían las hojas decía: —Parece que están
friendo ballenas—. Y era verdad. También recuerdo las adelfas y los lirios morados, lirios de las orillas del pequeño cauce donde nadaban los
hidrómetras y, sobre todo, una morera, un árbol de moras, cuyas hojas
cogíamos de niños para alimentar a nuestros gusanos de seda. Allí conocí
a Pepe Obradors y a su hermano Miguel. Ibamos todos al Instituto-
Escuela, pero yo era mayor que ellos, de manera que no coincidí en las
clases. Cuando pasado el tiempo, ese terrible tiempo que vuela con sus
tijeras de agua, me encontré con Pepe Obradors en la Barraca, dando las
entradas en el escenario a los actores, me dije a mí mismo que este
mundo era un pañuelo y esas cosas que se dicen; bueno, el mundo es
algo más que un pañuelo. Niño Obradors, joven Obradors y ahora
adulto, tal vez abuelo Obradors: el tiempo, como un tablado, se ha
montado y desmontado, numerosos personajes han entrado en la escena
sin tu permiso, sin que tú les hicieras ni una pequeña señal, Pepe
Obradors, pero ¿es que acaso el tiempo tiene importancia? ¿Acaso las
horas, los días, y los años cuentan cuando deja de ser, se desvanece, lo
que fue una esperanza perseguida? Tiempo de personajes de comedia
(Lope, Calderón, Juan de la Encina, Tirso), ¿qué importa el tiempo, si
hasta el mar se muere?

Pepe Obradors es poeta, además de abogado; Pepe convivió con
Federico muchas experiencias, de manera que a nadie le pueda extrañar
que sea poeta. Transcribo íntegra, la estupenda poesía que Obradors
dedica a la Barraca y que representa un resumen acertadísimo en forma y
en fondo a la historia que voy relatando. He de advertir, sin embargo,
que Pepe Obradors tiene una malísima buena memoria o una buenísima
mala memoria, como se quiera: habla de la *Egloga de Calixto y Melibea*,
cuando debería acordarse que los protagonistas de tal Egloga eran Plácida
y Victoriano; no obstante, yo soy respetuoso con las cosas buenas malas
que uno tiene, porque, entre otras cosas, yo soy un montón de buenas
malas virtudes y de malas virtudes nada más. Dice así la poesía:

A LA BARRACA DE FEDERICO

Decirle a la Barraca es decírtelo a ti.
Porque ella es tu teatro, Federico.
El tuyo personal que allí alumbraras
y el universitario que en dos camionetas
y un autocar de guardias
rodando clásicos
por inéditos caminos llevabas.
Con su careta y rueda por insignia

el autocar con los artistas;
ellos con mono azul de obrero y cielo;
ellas con falda y blusa.
Y su aventura
que a algunos resultó definitiva.

Y de espalda a la marcha,
temor de carreteras que vencías
el rito de tu asiento, siempre el mismo,
manantial de tu genio y de tu ingenio.
Y de tu risa. Y tus canciones. Y tu gracia.

Y al lado Ugarte —Ugartequé—
eficaz hacedor junto a tu Sumo
poniendo siempre en trasforo su importancia.

En las camionetas
universitariamente conducidas,
una La Bella Aurelia, otra sin nombre,
el tablado montable y las cortinas.
Los focos, los atrezzos, los baúles de mimbre
—tu palabra— con trajes y abalorios.
Y el decorado en primera vanguardia,
museo precursor de sus pinceles con garra,
de Ortiz, de Alberto, de Palencia
de José Caballero, de Gaya.
Desde tan lejos en el camino, tan al final,
mi amor a tu Barraca, a mi Barraca.
Mi recuerdo lejano a tu primera pesca
en el campo propicio del Instituto-Escuela.
Estando junto a ti, desconocidos,
en su Biblioteca.
Para leerte en voz alta de prueba
temblorosa quizá, a tu Lope, tu Calderón;
a tu Juan de la Encina.
Tuyos, porque tu voz los aprehendía
cuando enseñabas a recitar a los demás
lo que nadie enseñó a tu maestría.

Después los primeros ensayos con quienes tu rigor
señaló aptos. En la Universidad.
Vespertinas lecciones
que a nuestra limpia juventud formaban.
Más tarde en Espalter
a donde luego se trasladó tu cátedra.

Se desdibuja con el tiempo todo.
Más borrada la primera excursión por más lejana.
A Soria. A Burgo de Osma. Luego Galicia.
Levante. La Mancha. Huesca, difícil.
Navarra hostil. Tánger y más Castillas.
Asturias, Cataluña. Y tu Granada
más hoy tuya que nunca.
Y El Español, el María Guerrero,
El Coliseum, solemnidades al alimón
de frac y mono.
Se desdibuja tu incesante charla.
Se desdibujan tus supercherías
y tus carcajadas.
Tu levantar la cara y agacharla,
el arrancar al alma tu sonrisa
y al piano que pillabas tus tocatas.
Tus hondos recitados solemnes
y el giro inesperado de tus burlas,
con las fabulosas palabras que inventabas.
Y cómo recogías con un dedo
la lacia rebeldía del mechón
que siempre te resbalaba.
Y el balanceo enhiesto de tu andar
con los noventa grados de tus pies abiertos.

Se desdibuja nuestro ortodoxo
empezar por Entremeses
el primer estreno.
Después Fuenteovejuna. La Vida es Sueño.
La Egloga de Calixto y Melibea
y el Caballero de Olmedo. El Burlador.
Y Machado. Donde tu off precursor
de recitado ausente, con tu voz
levantaba La tierra de Alvargonzález
y a las gentes
Y se desdibuja también el auditorio,
de asidua boina y pana, mantón y paño negro,
alrededor del tablado,
pasmado, ojiabierto, boquiabierto...

Hoy queda solamente un rezumar de todo,
un rezumar tan sólo de goteo.
Que pudo ser torrente trocado en calmas aguas
si los Hados, malos Hados,
no hubieran frustrado tu labor
para dejarla sólo en el recuerdo.

Pero mientras se recuerde, Federico,
porque el recuerdo es inexpugnable
la llama está. Y la semilla.
Y entonces tu Barraca existe.
Y otras manos vendrán a relanzarla,
en turno de Hados propicios;
a tu Barraca, que a ella me refiero.

Porque tu obra otra, contra todo,
ganó mármol al tiempo.
Y ella y tú sí que no sois mero recuerdo.

Pero los que me acogieron como a un hermano, recién entrado yo en la Barraca como chófer, cuando aún no era nadie, sino un muchachito estudiante de Medicina, fueron los hermanos Higueras; para más señas, en la conferencia que pronunció Alberti, ayudado por Federico y por la Argentinita. García y García me llevó con él; la Barraca tenía un palco —la conferencia tuvo lugar en el Teatro Español—, y García me presentó a los ocupantes del mismo; los hermanos Higueras, tanto Jacinto como Modesto, me trataron desde el primer momento como si fuera uno más —y yo no estoy seguro de que entonces fuera uno más—, hablándome de cosas, de proyectos, de lo que para ellos era la Barraca y de lo que podía ser para mí. Yo ya les había visto trabajar, puesto que presencié las representaciones que dio la Barraca en el Paraninfo de la Universidad y, naturalmente, sentía admiración por ellos. Eran diferentes, pero eran hermanos.

Jacinto era la gracia en la escena y, naturalmente, aunque se suponía que todo actor de la Barraca podía hacer no importa qué papel, todos los de gracioso —lo que en argot teatral se llama primer actor cómico—, se le adjudicaban a Jacinto Higueras. Como todo el mundo sabe, nuestro teatro clásico, sobre todo el del siglo XVII, siglo al que los eruditos llaman de oro de nuestras letras, se caracteriza porque sus autores acostumbraban, aun dentro de las mayores tragedias, incluso aquellas que estaban determinadas por el curso, decurso y transcurso de los astros, por las terribles concurrencias de los astros, y que, en forma de hados decidían un destino adverso, acostumbraban, digo, a colocar un personaje gracioso que, sirviendo de contrapunto, paliara un poco los sangrientos efectos del sino y de todas esas cosas; bien, Jacinto Higueras era el encargado de quitar todo el efecto trágico que, previamente, había puesto el autor en la trama —en el drama— de la comedia. Así pues, Jacinto, que era un magnífico actor, con o sin «vis cómica», interpretaba siempre los papeles de gracioso. El caso es que él, naturalmente, era gracioso en la vida real (ahora que se ha casado y, a lo mejor, tiene un montón de hijos, puede que la gracia se le haya terminado ya), pero, en fin, era gracioso y, por lo tanto, hacía Mengo en *Fuenteovejuna,* Catalinón en *El Burlador*:

> Don Juan: —Corrido está.
> Catalinón: —No lo ignoro
> 　　mas si tiene que ser toro
> 　　qué mucho que esté corrido.

y Tello en *El Caballero de Olmedo;* entre otros personajes de menos monta, interpretó a Mendrugo, por ejemplo, y a algún sacristancico o a un zapatero remendón en los *Entremeses.* Pero, además de gracioso, recitaba estupendamente. Todavía recuerdo la glosa en *El Caballero:* «En el valle a Inés=la dejé riendo=Si la ves Andrés=dila cual me ves=por ella muriendo.»

Los Higueras eran hijos de un escultor imaginero que tallaba los Cristos como las propias rosas; recuerdo haberle visto trabajar en un estudio-taller, allá por Cuatro Caminos, manejando la gubia con enorme sabiduría, mientras acariciaba la madera —la materia, la madre—, con amor. Los Higueras eran —son— tres o cuatro hermanos, puede que cinco. Uno de ellos se hizo farmacéutico; Modesto estudiaba Derecho, pero, aunque haya terminado la carrera, no creo que del foro sepa algo más que salirse por él; dedicó y dedica todavía, su vida al teatro; era un gran actor que ponía tremendo énfasis en lo que recitaba y se movía con gran soltura por el escenario; tenía una maldita tendencia a engordar y otra, tan dañina como la primera, a perder pelo, pero, en los años a que me estoy refiriendo en esta historia, poseía abundante pelambrera ondulada; he pasado muy buenos ratos con él, ya que salíamos juntos a menudo; solíamos ir él, Rapún y yo, y recuerdo que ambos me hacían frecuentes visitas a la Residencia de Estudiantes.

Todo género de sacristanes tramposos han pasado por sus manos de actor, lo mismo en *La Cueva de Salamanca* que en *La Guarda Cuidadosa;* su papel de superestrella lo constituía el Hablador:

...¿Pues dónde estará mejor una cuchillada que en la cara de un hereje?

En el *Auto sacramental* hacía de Aire, en *Fuenteovejuna* su papel era el de Flores y el Marqués de la Mota en *El Burlador.* Un pastorcico un tanto desvergonzado era lo que encarnaba en la *Egloga,* así como uno de los hermanos malvados en *La Tierra de Alvargonzález;* el sinvergüenza de Chanfalla en *El Retablo,* y, finalmente, el Conde Ansúrez en *Las Almenas de Toro;* su repertorio era variado y todos los papeles, como suele decirse, los bordaba; en algunas tiradas de versos, daba la impresión de que iba a recitar un aria:

> —Salió el muchacho bizarro
> con una casaca verde
> bordada de cifras de oro...

Modesto, en lo que se refiere al teatro, ha continuado derramándose, pero como director, como *metteur en scène*. Ha sido gran Director del Teatro Español e incluso ha sido contratado por no recuerdo qué República sudamericana para que pusiera en orden el teatro oficial. Pero esto corresponde al hoy, no al ayer.

También pertenecía al núcleo aglutinante Manolo Puga, deportivo muchacho de grueso labio inferior. Recitaba mejor que un ángel, mejor que un arcángel, mejor que los nueve coros juntos. Tenía mucha gracia hablando y gran seguridad en sí mismo; espero que la siga teniendo. Recitaba:

> *¿Por qué si es bruto el que a bellas*
> *manchas salpica la piel*
> *(gracias al docto pincel*
> *que aún puso primor en ellas)*
> *apenas nace y las huellas*
> *estampa cuando a piedad*
> *de bruta capacidad*
> *uno y otro laberinto*
> *corre, yo, con más instinto*
> *tengo menos libertad?*

que hasta Calderón se hubiera llevado un pasmo oyéndole, si es que Calderón tenía capacidad para quedarse pasmado; Manolo Puga estaba constituido como lo que los biotipólogos clasificarían de atlético, aunque no sé si practicaba el atletismo en alguna de sus formas.

Debió substituir a Congosto, ya que Morla Lynch habla de Congosto como intérprete del Hombre —por otra parte la iconografía del auto sacramental que ilustra esta narración es suficientemente elocuente—; desde luego, Manolo Puga era actor principal, principalísimo; hizo Frondoso en *Fuenteovejuna,* el Hombre en *La Vida es Sueño,* Victoriano en la *Egloga,* el Duque Octavio y el infeliz Patricio en *El Burlador* y Don Alonso en *El Caballero de Olmedo.* Agudo de pensamiento, nada se le escapaba de lo que pasaba a su alrededor, incluso aunque fingiera no haberlo visto; creo que estudiaba Derecho; curiosamente, casi todos los actores provenían del campo de las Letras y me parece que el único que estudiaba Medicina era yo.

Manolo Puga no abandonó a la Barraca, que yo sepa, ni aun en sus momentos más difíciles (me refiero, naturalmente, a los momentos que precedieron a nuestra guerra; después ignoro casi todo lo que se refiere a mis compañeros); en mi última representación, seguramente en Barcelona, también estaba Manolo Puga, casi abogado o abogado del todo.

Carmen Risoto fue novia mía en la primavera blanca. Terminó su carrera de violín en el Conservatorio; cantaba con voz de agua delgada y tocaba todos los instrumentos que había que tocar en no importa qué obra; encarnó los papeles de Aminta en *El Burlador* y el de doña Leonor en *El Caballero de Olmedo;* era Rapsoda en *El Conde Alarcos,* y cantaba y cantaba y cantaba. Toda clase de venturas para ella.

Su hermano, Julián Risoto, estudiaba en la Escuela Superior del Magisterio y tenía fuerte afición por el boxeo, tanta, que hoy es árbitro internacional de tal deporte. Como su hermana, procedía del Instituto-Escuela; más o menos, entró en la Barraca en la misma época en la que yo lo hice; lo sé, porque el papel de Barrildo que yo empecé a ensayar en *Fuenteovejuna,* terminó por hacerlo él; también era actor músico, quiero decir, los papeles que encarnaba no eran de primera fila, pero cantaba y sabía tocar no recuerdo si el laúd o la bandurria; era un campesino en *Fuenteovejuna* y de Dos Hermanas en *El Burlador,* y Mendo, el asesino, en *El Caballero de Olmedo.* Aceptaba lo bueno y lo malo que la vida le aportaba y naturalmente, terminó por casarse, tuvo hijas y su pelo se volvió blanco. Alguna vez que le he visto hemos recordado esos tiempos que tanta melancolía derraman por mi corazón.

Perteneciente a la tercera hornada, y pasando por el elenco como una brevísima, pálida llama, quiero consignar aquí a Tere Risoto, la que no creo que tuviera papel especial en ninguna obra, fuera de cantar y bailar. Tenía los ojos gris-verde-azul y era rubia. Hermana de Carmen y de Julián, linda muchacha, abandonó este mundo un día como otro cualquiera, tal vez sin darse cuenta de que lo hacía, quizás por coger una puerta equivocada o acaso porque se le olvidó el mirar —el mirar hacia el futuro—, en alguna grieta de la tarde.

Diego Marín también formaba parte del núcleo; no sé las razones que le hicieron abandonar la Barraca, pero, dado su carácter serio y consecuente, imagino que serían poderosas; en todo caso, era un actor dotado de una gran sensibilidad, fino, capaz de interpretar cualquier papel. Le recuerdo en un viaje —en el autobús— leyendo *La voz a ti debida,* de Salinas, recién aparecida y exclamando de vez en cuando: —Esto es sublime—. Ignoro si seguirá pensando así hoy, después de que los días se han amontonado en los embalses de nuestras vidas; porque da la casualidad de que es Profesor de Lengua y Literatura española en la Universidad de Toronto (Canadá) y, precisamente por ese motivo, estuve con él hace unos años aquí, en León, un día en que la lluvia decidió que tenía que caer con toda su fuerza sobre nuestra pequeña capital. Diego Marín venía a inquirir o cuestionar sobre tres poetas leoneses y, supongo, lo que aquí aprendió, pasaría a aumentar el acervo cultural de los canadienses.

Diego Marín, por no sé qué extrañas razones, estaba etiquetado, lo mismo que Joaquín Sánchez Covisa, en aquellos papeles que, en lenguaje teatral, se llaman de característico; yo tengo la seguridad de que hubiera hecho no importa qué papel a la perfección, desde el Hombre hasta el Burlador, pero tal vez determinadas características físicas difícilmente definibles —tal vez su seriedad, su solidez mental, el hecho de llevar gafas, etc, tal vez otras razones que Federico captara y que a los demás nos pasaban desapercibidas—, le situaron en los papeles antedichos y de ahí, seguramente, no le sacó su marcha de la Barraca ya que, supongo, se habrá casado y *voilà*, característico para todo lo que le reste de vida que deseo que pueda ser tanto como pueda desear él, pero potenciado. Desde el frío del Canadá es posible que eche de menos los otoños y las primaveras de Madrid, del viejo Madrid; lo que sí es seguro que notará en falta son aquellas excursiones que con la Barraca hicimos cuando se publicó —tapas verdes, por más señas—, y por primera vez, *La voz a ti debida*.

Me parece que no trabajaba en *La Cueva de Salamanca*; en *La Guarda Cuidadosa* hacía el Amo de Cristinica, permitiendo a ésta escoger entre el soldado y el sacristán; en *Los Habladores* era el pobre marido de doña Beatriz que acababa por fin encontrando a la persona que le cura de su manía de hablar. En el *Auto sacramental* hacía de Sumo Poder, con grandes barbas —a Dios le hemos imaginado siempre con barbas ondulantes—. Recuerdo que cuando Marín aparecía en escena, la luz se hacía más blanca:

> *Ya alentado el bronce suena*
> *ya responde el parche herido*
> *ya cruje armado el acero...*

anunciando así la derrota sempiterna de Luzbel, de Lucifer, el que porta la luz. En *Fuenteovejuna*, su papel era el de Juan Rojo:

> *Si nuestras desventuras se compasan*
> *para perder las vidas, ¿qué aguardamos?*
> *las casas y las viñas nos abrasan*
> *tiranos son, a la venganza vamos.*

No recuerdo de otros papeles que encarnara Marín; los que hizo, los que representó, nadie los hubiera mejorado; por eso sentí tanto su marcha, buen amigo Marín, a la sazón estudiante de Derecho con derecho a estudiante.

Otro de los magníficos actores que ya habían hecho tablas por los campos y por los caminos de España cuando yo entré a formar parte de la Barraca, era Alberto Quijano, Alberto González Quijano, hermano de Pedro Miguel, el primer secretario que tuvo la Barraca; era parte muy importante del núcleo aglutinante, ya que a su acusada personalidad, añadía el hecho de ser un magnífico actor; sin embargo se marchó; no recuerdo cuándo ni por qué, pero un buen día yo tuve que interpretar el Escribano de *El Retablo de las Maravillas,* papel que encarnaba, con acierto insuperable, Alberto González Quijano. Durante la guerra civil le vi en Santander y con él charlé de tiempos pasados y de pequeñitas cosas nostálgicas; creo que Quijano es andaluz, pero ignoro de qué parte —¿Jerez, quizás?—; es un hombre alto, fuerte, un tanto mefistofélico en su aspecto general; por lo menos es el recuerdo que tengo del que fue gran actor de la Barraca; su voz carecía de ceceo pero era, y sigue siendo, un poco velada y con ligero acento.

El Libre Albedrío en el *Auto sacramental,* el Estudiante en *La Cueva de Salamanca,* el mozo que pide para la lámpara del aceite de señora Santa Lucía que nos conserve la vista de los ojos en *La Guarda Cuidadosa,* el escribano Pedro Capacho en *El Retablo de las Maravillas,* Ortuño en *Fuenteovejuna* y, pienso, en Fuenteovejuna se apeó, abandonó nuestros itinerarios y nos dejó con toda la impedimenta; digo esto, porque no recuerdo que tuviera papel en la *Egloga* ni en la *Fiesta del Romance* ni en *El Burlador* —en el que no obstante, pienso que se le adjudicó el papel de Duque Octavio—, ni en *El Caballero de Olmedo.* Así, pues, nos dejó; tal vez después de la excursión a Sevilla, pero no lo puedo precisar. Su máxima creación, a mi gusto, la llevaba a cabo en *La Cueva de Salamanca:*

—¿No se contentará vuesa merced con que le saque de aquí dos demonios en figuras humanas que traían a cuestas una canasta llena de cosas fiambres y comederas?

Conque vuelve con los dos demonios y el apatusco de la canasta; lástima que después se marchara; tal vez nos hizo un gesto de despedida con la mano, quizás agitó su pañuelo en el aire y adiós, Alberto González Quijano, estudiante de Ingenieros Agrónomos y a quien, desde Santander, allá por el año 1938, no he vuelto a ver, pero sí a recordar (Con motivo de la Exposición que sobre la Barraca y su entorno ha llevado a cabo la Galería Multitud de Madrid, he vuelto a estar, no solamente con Quijano, sino con otros muchos que formaron en el elenco de la Barraca).

Dedico unas líneas a un muchacho —entonces lo era— que, aunque vino a la Barraca, asistió a los ensayos, fue probado, incluso se pensó en él para el papel de Comendador en *Fuenteovejuna,* no salió con nosotros en ninguna excursión, no pisó el tablado de la antigua farsa y, por lo mismo, se perdió una de las experiencias hermosas de la vida. Me refiero a Carlos Martínez Barbeito; Barbeito era rubio, tenía el pelo ondulado y los ojos de un celta; a su hermano, que vivía en la Residencia de Estudiantes, le decíamos que Barbeito, traducido al francés quería decir Barbusse; en realidad, aunque yo no sé gallego, Barbeito es muy posible que quiera decir barbecho; Carlos Martínez Barbeito era, a la sazón un barbecho: como actor no resultó, ni como médico, ni como arquitecto ni como físico nuclear. Pero sí resultó novelista que es un modo de ser ingeniero, médico, etc, todo en una pieza. Escribió un libro *Las pasiones artificiales* y hoy es Director del Museo de América.

Hubo otro muchacho que tampoco tuvo suerte en las tablas; he dicho

algunas palabras sobre él al hablar de Ugarte; se trata de Germán
Bleiberg. Siempre recordaré su sonrisa triste cuando, no sé por qué
motivos, Federico pensó, creyó, imaginó, que yo haría mejor que Bleiberg el papel de Príncipe de las Tinieblas; me hizo aprender el papel a
toda velocidad pero, justo es que lo diga, ni Germán ni yo hicimos el
papel del tenebroso Príncipe. Yo no sé si Federico pensó que Germán,
hijo de alemanes, un poco rechoncho, con cierta tendencia al *embonpoint,*
no contrastaba suficientemente con él —físicamente hablando. El caso es
que le quitó el papel y me lo dio a mí.

—Y ¿quién hará el Fuego?— pregunté yo.

—Ya lo veremos —me contestó Federico, pero no lo vimos nunca.
Aquel año no se representó *La Vida es Sueño.* tal vez por falta de Fuego.

Hoy, Germán es catedrático de Vassar College en Estados Unidos y
ha escrito numerosas obras poéticas.

Justamente con el montaje de la *Egloga de Plácida y Victoriano,*
apareció en nuestro horizonte artístico un nuevo personaje, una nueva
actriz, que había de mostrar su extraordinaria sensibilidad interpretatoria,
no sólo en la *Egloga,* sino también en todos los papeles en los que
intervino; se trata de Gloria Morales, una muchachita rubia, menuda:

Chica es la calandria e chico el rosiñol
pero mejor aún cantan que non ave mayor

que diría Juan Ruiz; Mary Glory cantaba —¡y de qué forma!— irradiando
simpatía por su cara clara, encuadrada por una cabellera rubia. Pero ¿qué
sé yo de ella? ¿Sé, acaso, qué carrera estudiaba? ¿Sé de dónde venía, por
qué venía? ¿Sé de dónde era, cuáles eran sus inquietudes?. Por mucho
que quiero descorrer ese ahora fláccido telón lleno de arrugas que los
años forman, no puedo contestar ni a una sola de esas preguntas. Sí
puedo, en cambio, afirmar, porque mi engrama mnémico es claro, que le
iba mejor lo trágico que lo cómico y que, en todo caso, disfrutaba
enormemente haciendo teatro.

Hizo Plácida en la *Egloga,* vestida de blanco por Norah Borges; hizo
la Condesa Alarcos, cubriéndose con el traje que para ella imaginara
Manuel Angeles Ortiz; ¿la Duquesa Isabela?; ¿Jacinta en *Fuenteovejuna?*
En todo caso era una actriz de primera línea y, de haber continuado la
Barraca su labor durante más tiempo, hubiera sido también núcleo
aglutinante entre los actores; se incorporó cuando la Barraca parecía
contener un enorme futuro.

Gloria se casó con Simarro; no le acompañó la suerte en la vida,
aunque se proyectara en el futuro con retoños nuevos; todas mis simpa-
tías para ella, para ella mi recuerdo y en mi recuerdo ahora, que no sé
dónde está ni lo que pueda hacer.

Con María Gloria y acompañándola, entraron en el elenco Leyva, un
muchacho alto, desgarbado —creo que estudiante de Derecho—, muy

simpático y con mucha gracia en el hacer y en el decir. Con Elena, que entró también por entonces, y que hacía de Venus en la *Egloga:* —Ven Mercurio, hermano mío...— solía cantar el dúo de *La Verbena de la Paloma* «Dónde vas con mantón de manila...», con verdadero salero. Leyva, y que yo recuerde, hacía de Don Pedro Tenorio en *El Burlador de Sevilla.* De Leyva no recuerdo el nombre ¿Antonio?, y de Elena he olvidado el apellido —incluso no estoy seguro de que se llamara Elena—. No era de suyo insólito que, después de comer, Federico, rogándonos silencio, y una vez callados todos, nos invitara a frotar una contra otra, las uñas de los pulgares, con lo que se oía lo que Federico llamaba el himno de los piojillos, cosa que resultaba muy graciosa; después de tal himno, Federico nos mandaba enrollar cilíndricamente las servilletas, nos decía que nos las pusiéramos a la altura de los ojos y, cuando lo habíamos hecho, él decía: —Porque hija mía, esta mancha, es mancha que limpia—, tras lo cual, y como si fueran telones pequeñitos, dejábamos que todas a la vez, se desenrollaran las servilletas y quedaran estiradas. También esto, aunque lo hicimos numerosísimas veces, nos producía gran hilaridad y, estoy seguro, ni D. José Echegaray ¡ay!, se hubiera molestado.

Pues bien, tras estas demostraciones piojiles y echegarayescas, Leyva y Elena hacían su número con toda la chulería posible, que era bastante; supongo que, después de ello, nos levantábamos de la mesa y nos dedicábamos al diario afán.

Carmelo Mota estudiaba, cómo no, Derecho; entró en la Barraca en la misma época en que lo hiciera Gloria; en la *Egloga* hacía uno de los pastorcicos

> —*Sus, levanta, Gil, levanta*
> *que aqueste caso me espanta.*

En *El Burlador* quizás representó el Duque Octavio y desde luego, Don Fernando en *El Caballero de Olmedo;* aunque en esta obra pierde la cabeza por su felonía, era una persona encantadora, no se enfadaba jamás y trabajaba en todo lo que se le mandaba sin rehuir jamás los cometidos, aunque éstos no tuvieran el suficiente lucimiento. Era un muchacho moreno, simpático y bondadoso; como el de tantos otros, he perdido su rastro a través de los eventos que alcanzaron a nuestra generación.

Castedo, hijo de un exministro de la Monarquía, no sé si tuvo papel en alguna obra; vino con nosotros a la excursión que realizamos a la zona del Protectorado, pero no sé si pisó alguna vez el escenario como actor. Era un muchacho delgado, con gafas, seguramente un buen muchacho, al que siento no haber tratado lo suficiente.

También por entonces entró Luis Ruiz Salinas, del que tampoco sé que hiciera algún papel específico como actor; de comparsa sí salió bastantes veces, y hasta puede que hiciera el papel de Juan Rojo en

Fuenteovejuna cuando nos dejó Diego Marín; era un muchacho estupendo, menudo y muy simpático.

En este grupo estaba también una linda muchacha, morena y frágil: M.ª del Carmen García Antón; llevaba melena, según me dicen los recuerdos, y era más bien menuda. No sé si llegó a interpretar algún papel especial, aunque tal vez hiciera la Jacinta de *Fuenteovejuna* —papel que pasó por varias intérpretes— o la Duquesa Isabela de *El Burlador;* en todo caso, M.ª del Carmen colaboraba y colaboraba muy bien en todo aquello que precisaba su colaboración.

Y con esto llegamos a la tercera fase; el sol había hecho gran parte de su recorrido por el ámbito celeste; en el horizonte simulaba una gran naranja que compensaba la falta de los limones que dibujaba Federico; pero ya no calentaba; las horas empezaron a contarse casi con los dedos de la mano. Y entonces fue cuando se incorporaron, casi de repente, varios elementos a la Barraca, precisamente en los momentos en los que Federico, buscando otro norte y guía para su actividad, eligió, como era natural y legítimo, su propia obra; un nuevo director administrativo, Antonio Román, ocupó en parte su sitio y en parte el de Rapún, que había dejado de ser secretario de nuestro teatro en una borrascosa sesión de la U.F.E.H. celebrada en diciembre —creo— del 35. Con Antonio Román hubo nuevas gentes que entraron en el ámbito de la Barraca y que, justo es decirlo, transformaron, aunque no en sentido peyorativo, su prístina esencia.

No recuerdo el nombre de todos, y lo siento; no me olvido, en cambio, que, a la sazón, y por no sé qué motivos, los ensayos no los hacíamos ya en el Auditorium, sino en la sala de fiestas del cine Barceló; allí yo, como *regisseur,* acometí la obra de encajar a cada nuevo actor en los papeles que Covisa, Quijano, Ródenas, Marín y algunos otros habían dejado vacantes. Recuerdo a Domingo —un muchacho de Villafranca del Bierzo— con un cantarín deje gallego, que sustituyó a Covisa en el Alcalde de *Fuenteovejuna;* era un chico moreno, de buena presencia y que, además, encajó rápidamente los papeles que, prácticamente, tuvo que repentizar. Con él entraron, asimismo, otros muchachos que eran gallegos; recuerdo a Torrente, quien nos aseguraba muy seriamente que ninguno de nosotros estaba en condiciones de juzgar a D. Ramón del Valle Inclán y su turbulenta obra; según él, Valle Inclán era fabuloso como escritor; algunos le argüíamos que no era tanto y entonces él ponía cara mustia. Otro muchacho gallego, Pardo, creo que era su apellido, no sé qué papeles llegó a interpretar, si es que interpretó alguno; Covisa fue sustituido en *El Caballero de Olmedo* por otro chico gallego del que no recuerdo sino el físico, pero ni el nombre ni el apellido. Toda esa etapa, sin Federico ya, es como un telón en blanco dentro de mi memoria, pero antes de ella nos alegró el aire con sus canciones Mario González Etcheverri, el Mercurio de la *Egloga,* el Juan Rojo cuando se marchó Marín, un muchacho alto, de ojos azules, típicamente vasco; cantaba formidablemente —lo mismo hacía la primera voz de una canción que la segunda, que la cuarta, que la que se le pidiera—; Mario tocaba el violín, la bandurria y la armónica con acompañamiento; era un muchacho discreto, como si hubiera sido filtrado por el cedazo de la hombría; procedía del Teatro de Misiones Pedagógicas que dirigía Alejandro Casona y, seguramente, vino a nosotros por afán de más amplias singladuras; estudiaba en la Escuela Superior del Magisterio y es posible que tuviera algún hermano, algún familiar, porque así, solo, no es fácil andar por el mundo; como me pasa con todos o casi todos los que fueron mis compañeros de tablado, ignoro todo o casi todo de lo que se refiere a Mario Etcheverri.

Con Mario vino también un muchacho más bien bajo, atezado, Julián Orgaz de nombre, de pelo liso y proveniente, asimismo, de Misiones Pedagógicas; no puedo recordar grandes cosas de él, sino que sabía música y cantaba como Mario y que también tocaba la armónica con acompañamiento —lo cual no es fácil—, pero no sólo canciones populares, sino a Bach o a Mozart si le daba la gana; de lo que no estoy seguro es de que, fuera de tocar alguna vihuela oculto tras las cortinas o de cantar «Al val de Fuenteovejuna...», o la «Marijuana», etc, hiciera algún papel especial. Parecía un muchacho serio y, seguramente, lo era.

Tampoco dejo de recordar, y además con muchísimo afecto, al muchachito que me sustituyó a mí en *El Retablo de las Maravillas,* el sobrino del Alcalde que tenía que bailar sevillanas con la invisible doncella Herodías; se llamaba Enrique González de Francisco y le apodábamos «Chispa»; tendría quince años de edad a la sazón, de modo que era un auténtico muchachito.

Y no se puede dejar de hablar, aunque no fueran actores, de los, en aquella época inseparables Juan Antonio Morales y José Caballero; si alguno de los que me lee va a Roma, que pregunte por Juan Antonio Morales; que le pregunte por la Barraca y, seguramente, dirá muchas cosas que yo no pongo aquí porque las he olvidado, porque no las viví o porque las miré con otros ojos —desde otro plano vital— que Juan Antonio. Juan Antonio vino de Cuba y se dedicó a pintar; se puso a trabajar con Vázquez Díaz, que era el pintor que más se parecía a mi juicio —juicio que no vale nada—, a Nuño Gonçalves, el extraordinario pintor portugués. Y allí, en el estudio del pintor onubense, se encontró con Pepe Caballero, que también era de Huelva; se hicieron grandes amigos, aunque cada uno de ellos miraba con recelo la obra del otro; fueron a vivir a una pensión de la calle de Pardiñas, la casa de la Nieves, y se alojaban en cuartitos pequeños donde uno no se explica cómo podían pintar.

La labor de ambos pintores en La Barraca fue diferente; ya he dicho cómo José Caballero hizo los figurines de *Las Almenas de Toro* y los de *El Caballero de Olmedo;* Juan Antonio no hizo ningún figurín, ningún decorado, pero nos acompañaba en nuestras excursiones; hacía de comparsa cuando le tocaba, ayudaba a montar el tablado como todos y se encargaba del problema de los atrezzos y cosas de ésas; era un chico estupendo y encantador, al que jamás ví de mal humor; hoy Juan Antonio Morales, Ilustrísimo Señor Don Juan Antonio Morales es Académico de número de la Real de Bellas Artes. En aquellos tiempos entendía mucho de carpintería y de eso que los franceses llaman *bricolage,* de manera que no se nos presentaba ninguna pega mecánica que no fuera inmediatamente resuelta por Juan Antonio Morales.

José Caballero nació ungido por la gracia, como otros nacen con los ojos azules o el cabello ensortijado; no se sabe qué combinación al azar de genes, de elementos hereditarios, determina la gracia plástica, el articular en cuadros el mundo en torno, el cortar las secuencias de cualquier ácción en un único momento plásticamente importante, en inventar y descubrir mundos propios, en robar las esencias pictóricas a la circunstancia, en idear, crear una vida eternamente quieta, sometida a unas leyes ineludibles y precisas. Pues bien, Pepe Caballero poseía y posee todas esas posibilidades que le posibilitaban para hacer posible lo imposible, lo posibilitante y lo imposibilitante, los sonidos inaudibles y las voces inefables. Han caído lustros sobre nuestros rostros, se han desmadejado las telas de araña de cientos de meses, se han abierto minas, se han talado árboles, parte del aire se ha hecho cosa fósil, pero Pepe Caballero sigue ungido por la gracia creando mundos sonoros de abejas y pintando pétalos oscuros sobre las frentes de los que sueñan.

También se casó, pero mucho más tarde, más allá de las reuniones de minutos —esos no tan pequeños minutos que, entre sí, hablan de los misterios del Universo—. Pero ya antes había cogido la ya medio humeante, con olor a podrido, llama del espíritu *(der Geist, wer ist den Bursche?),* de la Barraca para hacer arder con ella a La Tarumba, el teatro de Huelva. Pero todo eso más tarde, más allá de la muerte de Federico, más allá de toda esperanza.

Pepe era moreno de verde luna; tenía entonces más pelo que ahora; dibujaba las hojas de los eucaliptos de Punta Umbría y hacía cosas maravillosas a pluma, sólo a pluma; grandes cartulinas surrealistas a pluma. Pero también empleaba el guash para conseguir que el mundo de los sueños se aposentara en la realidad. Hoy hace círculos; el círculo, como el Universo, no tiene principio ni fin; se organiza él solo, siguiendo las leyes internas que rigen al círculo —leyes que el círculo inventó en su día, cuando inventó, a la vez, al círculo— a todos los círculos posibles; descubrir esas leyes, bautizadas con el nombre de «sensitometrías», con el infijo «it», que percibiera Amón, es la labor que se ha impuesto José Caballero a quien conocí cuando, viniendo de la misma confluencia del Tinto y del Odiel, que no confluyen nunca, apareció en la terraza del Chiki Kutz, en Recoletos con cuatro figurines para *Las Almenas de Toro.* Y allí estaban todos reunidos, que pueden atestiguarlo y que no me dejarán mentir: Rafael Martínez Nadal, Federico, Rafael Rodríguez Rapún, Vicente Aleixandre, Luis Cernuda, tal vez Luis Rosales, Ugarte, Cotapos, Isaías y otros que se me olvidan.

He dejado para el final a un muchacho estupendo del que he hablado, no obstante, varias veces a lo largo de esta historia; un muchacho estupendo nacido para el deporte, para el juego olímpico bajo la advocación de Zeus; constitución musculosa, de atleta, y armonía de proporciones físicas, tal era Aurelio Romeo, chófer de la camioneta «la bella Aurelia», la primera que la Barraca tuvo. Aurelio Romeo procedía del Instituto-Escuela; jugaba al *hockey* fenomenalmente cuando eran otros años y otras brisas.

Aurelio no sólo conducía su camioneta, sino que estaba encargado de todo el tinglado eléctrico bajo cuyos focos y baterías nos teníamos que desenvolver más tarde en escena; trabajaba con una precisión y una rapidez que a mí siempre se me antojaron impresionantes. Ningún problema mecánico escapaba a su comprensión y la solución surgía con rapidez, como dicen que brota la flor del cactus. Lo que no tenía en absoluto eran posibilidades de actor; ni el propio Federico, que hacía hablar hasta a las piedras y a las mariposas, podía hacerle subir al tablado y hacerle representar como actor; no todo el mundo sirve para todo; Federico, por ejemplo, no sabría coger un *stick* de *hockey* ni darle a la pelota aunque estuviera en juego su vida; tiene que haber toda clase de gente para que la variabilidad humana —tan hermosa, a veces—, pueda producir más variabilidad y más variabilidad y más variabilidad.

Aurelio Romeo —Aurelí de Romea, le llamaba Federico—, era de nuestro grupo (nuestro grupo éramos Federico, Ugarte, Rapún, Modesto, Aurelio, yo... Nuestro grupo, por otra parte, era suficientemente elástico como para dar cabida a más gente y como para prescindir de alguno de sus componentes). Salíamos, pues, muchas veces a Chiki, a cenar en las tascas, al Lyon...

Como quiera que yo entré en la Barraca para conducir la segunda furgoneta, la que transportaba los decorados, fue Aurelio el que me dio clases de conductor para hacer, con ellas, posible la obtención de mi carné de chófer; el carné no hizo falta, porque pasé, por las circunstancias que he narrado, a la condición de actor; sin embargo, dimos hermosos paseos con la Bella Aurelia por las viejas carreteras de los alrededores de Madrid, cuando Madrid no había alcanzado su actual grado de elefantíasis (por ejemplo, un poco más allá de la Colonia del Viso había rubios campos de trigo los que, como todos los campos de trigo del mundo, se mecían por el viento y con el viento); con él, con Aurelio, aprendí los secretos del embrague y del cambio de marchas a tiempo.

Después de la guerra fue a Chile, pero creo que ahora está en México.

Es posible, es seguro, que haya algún otro componente de la Barraca que no consta en esta pequeña historia; recuerdo a un muchacho —que estudiaba Derecho— cuyo nombre no se encuentra en el anaquel máximo de mi memoria; pero sí recuerdo que era rubio y llevaba gafas: —Para piernas secas, las mías —nos dijo un día en Espalter, en el semisótano donde guardábamos la impedimenta; era amigo de Carmelo Mota y, efectivamente, tenía las piernas en exceso delgadas; aunque no formó, que yo sepa, parte de la Barraca, le recuerdo asociado a ella, pero lo mismo que se recuerda un arbusto solitario en la colina.

De todos modos, creo haber hablado de todos los que hicieron la dura labor por los caminos, por las tierras de España —olmo viejo, hendido por el rayo, en su mitad podrido...—; nosotros fuimos un poco las verdes hojas que le salieron antes de que el hacha del carpintero o del leñador, la torrentera o el insecto, acabaran de destruirlo —las verdes hojas también—; creo, digo, haber hablado un poco de todos, de lo que sé de todos que, bien mirado es tan poquito que cabe en una de las verdes hojas que al olmo le brotaran. Pero cada persona es un secreto con su bioquímica particular, con sus conexiones nerviosas particulares y sólo cuando uno muere deja de ser secreto, sólo cuando uno se disuelve, finalmente, en ese coctel gris de oscuros átomos.

Pero de eso no quiero hablar aquí; sólo quiero pedir perdón a aquellos que formaron en el cuadro de la Barraca, que sudaron su ácido sudor por los caminos, que tal vez al montar el tablado se clavaron una espina entre la uña y la carne, que quizás recibieron una descarga eléctrica al montar las baterías o que tropezaron con una piedra y se hicieron daño, etc —ni espina, ni sacudida eléctrica, ni sudor, ni caída ni daño contarán jamás en ninguna historia—. Por eso los consigno yo, porque se trata de cosas insignificantes que a todo el mundo le pasan pero que nadie habla de ellas por eso, por ser insignificantes, sin darse cuenta, por otro lado, que cada persona es la suma, la paleosuma, la archisuma, la arquisuma, de muchas cosas insignificantes.

Pido perdón a todos: a aquellos de los que no he dicho nada, porque mi memoria no les alcanza, a aquellos que he mencionado, porque tal vez he dicho poco o demasiado; pido perdón porque, a lo mejor, he sido indiscreto o tal vez lo contrario. Para todos mis mejores deseos de fortuna y felicidad.

El *público*

No se trata de la obra de Federico, comentada magistralmente por Rafael Martínez Nadal; no es la obra de Federico, la obra literaria, aunque tal vez hubiera surrealismo, dulcísimo surrealismo, en el público que presenció las representaciones de la Barraca.

Uno quisiera ordenar los recuerdos, pensar sobre las gentes y las gentes y las gentes que nos aplaudieron y nos contemplaron, pero la luz de las baterías tenía necesariamente que interponerse como una cortina sombría entre el auditorio y nosotros, y no nos era dado contemplar las cabezas que, mirando fijamente lo que hacíamos, sin perder ni una sola de las palabras que brotaban de nuestras bocas, —en las suaves y cálidas noches—, constituían nuestro público —y dése al «nuestro» toda la posesividad potenciada del adjetivo.

Cabezas y cabezas; atezadas de sol, llenas de arrugas, sucias de grasa, o equilibradas cabezas de intelectuales, de gente de la clase media, de universitarios, recias cabezas de obreros, cabezas y cabezas, ojos y ojos, oídos y oídos, labios y labios, gargantas y gargantas, manos y manos. Allí estaban todos: el obrero que salía de su trabajo en la fábrica, el intelectual que abandonaba sobre la mesa la cuartilla a medio escribir, el pintor que había embadurnado su lienzo de turno, el arquitecto con su escuadra en la memoria, el filósofo que tal vez pensara en Esquilo, el literato que gozaba con Calderón, pero, sobre todo, sobre todas las cosas, la mano callosa de la mancera, la cabeza analfabeta, el pelo corto, grasiento, la piel atezada y llena de arrugas, el estómago vacío pero las cuerdas sensibles, tensas como el bordón de la guitarra, la mirada asombrada, quizás ensombrecida, la cabeza eterna del labrador.

Era nuestro público: el que todo lo ignoraba pero que, sorprendentemente, todo lo sabía; el que no necesitaba indicación para colocarse a la altura de la solicitación y respondía con temblor de vísceras a lo que escuchaba, a lo que veía; no importaba que en su casa se pasase hambre o que sólo se comiera una maldita sopa de ajo; no importaba que sólo la llama de la campana de la cocina caldease su cuerpo medio helado.

Allí estaba él; se tragaba nuestras palabras como si fueran sangre; miraba nuestros movimientos, nuestras luces, como si de amaneceres perennes se tratara y, seguramente, brillaba en sus ojos una imprecisa esperanza cuando cantábamos.

Gentes de Castilla, de Andalucía, de Asturias, de Galicia, de León, habitantes de Cataluña y Levante, de Vasconia, de Extremadura, gentes de la gleba, de la línea oblicua sobre el horizonte. Gentes de España.

Ese era nuestro público; el camino se hace al andar; nosotros hacíamos nuestro público caminando, porque caminando labrábamos el hondo surco y en él dejábamos caer la simiente.

Tierra roja, ceniza, ocre, siena y sombra; alcores y llanos, parameras y montañas: allí estaba nuestro público; para él trabajábamos; para él lo mejor de nuestras actuaciones; para él lo más alto y florido de nuestra dedicación. Nada tenemos que reprocharnos en ese aspecto, y ¿a quién habíamos de rendir cuentas?

Público de la Barraca, viejo y querido público, también sobre ti ha caído el polvo, el incesante polvo que todo lo cubre —todo acontecer, cada evento, es un poco de polvo amasado entre dedos de polvo— y hoy, polvo puro, puro polvo, has desaparecido como tal de nuestro territorio.

Pero porque nos aplaudiste, porque sentiste siquiera fueran lentos momentos de calor —la alegría de ver agitarse luces y bailar las sombras—, porque reíste, lloraste, te indignaste y alegraste tu corazón, yo hablo de ti, viejo público nuestro de España, hoy ya desaparecido, pero grabado a fuego oscuro en nuestros corazones de actores. Y porque la Historia es irreversible y no hay, no puede haber un «eterno retorno de las cosas», yo te consigno en este libro mío como uno de los protagonistas fundamentales en nuestro hacer y quehacer itinerante por los caminos, veredas y senderos de la vieja España.

APENDICE I

Como quiera que ha habido bastantes actores que no he citado en este relato, (en parte porque no los conocí, tal vez porque mi trato con ellos fue breve, aunque caliente —como la llama de la cerilla—), quiero consignar a todos aquellos que, de un modo u otro, vivos o muertos, pasaron por la agrupación teatral que se llamó la Barraca. Debo la información completa a María del Carmen García Lasgoity.

Los directores técnicos, secretarios, etc., fueron cambiando casi año tras año. Tal vez la U.F.E.H. quería diferentes controles.

José García García, también actuó como actor y como comparsa.
Ambrosio Fernández-Llamazares
Rafael Rodríguez Rapún
José Luis González
Francisco José Alfonso Pardo
Aniceto Fernández
Antonio Román, asumió, pero sin ejercerlas, las funciones de director artístico.
Alfonso Sánchez, hoy día es crítico de cine.
Nazario Cuartero
Emilio Loma
Fernández Montaña
Emilio García Ruiz.

Técnicos de luces, tablado, fotografía, etc.

Arturo Ruiz-Castillo
Gonzalo Menéndez-Pidal
Luis Meana
Aurelio Romeo
Luis Martínez Sancho Simarro
Fernández Montaña.

Actrices de la Barraca. Primera época:

Julia Rodríguez Mata
Pilar Aguado
Enriqueta Aguado
Lola Vegas
María del Carmen García Lasgoity.

Segunda época

Isabel García Lorca
Laura de los Ríos
Mercedes Ontañón
Conchita Polo
Carmen Galán Torres
Carmen Risoto
Carmen Diamante
Mary Gloria Morales
Esperanza? Elena?

Mary Carmen García Antón
Teresa Risoto
Carmen Torres
Esperanza Fernández.

Nombres de actores de la Barraca

Grupo inicial y siguientes

Modesto Higueras
Jacinto Higueras
Diego Marín
Alberto González Quijano
Joaquín Sánchez-Covisa
Carlos Congosto
Daniel Jiménez Cacho
Alvaro G.ª Ormaechea
José Obradors del Amo
Rafael Calvo
Alvaro Muñoz Custodio
Manuel Puga Jiménez
José M.ª Navaz y Sanz
Luis Sáenz de la Calzada
Arturo Sáenz de la Calzada
Edmundo Rodríguez
Julián Orgaz
Eduardo Ródenas
David Tarancón García
Emilio García Ruiz
Carmelo Mota Monreal
Germán Bleiberg
Luis Ruiz Salinas
Enrique González de Francisco
Leopoldo Castedo
Luis Hernández Manresa Figueroa
Agustín Leyva Andía
Ramón G.ª del Diestro
Francisco Boluda Ferrero
Torrente
Angel Graíño Díaz
Antonio Laguardia
Ramón Pontones
Julián Risoto
Juan Antonio Morales
Domingo.

Apuntador y Jefe de tramoya

José Obradors del Amo.

Modistas

Sra. de Aguado
Encarna
Peris.

Señoras acompañantes

Eulalia Lapresta
Doña Pilar Aguado
Josefina Mayor
Doña Pilar (el apellido ha sido olvidado).

Músicos

Julián Risoto Martos
Carmen Risoto Martos
Mario González Etcheverri
Julián Orgaz
Tere Risoto
Carbonero
Isaac García.

Instrumentos

Bandurria, laúd, guitarra y violín.

Coro

Carmen Risoto, Julián Risoto, Mario González, Conchita Polo, Julián Orgaz.

Chóferes

Arturo Ruiz Castillo
Aurelio Romeo
Luis Simarro
Pereira
Nazario Cuartero
José Alcalá Zamora
Emilio Loma.

Los maquillajes se compraban en la Perfumería Alvarez Gómez. No puedo recordar quién nos hacía las pelucas.

Decoradores y figurinistas de las obras representadas.

> *La Cueva de Salamanca.* Santiago Ontañón
> *La Guarda Cuidadosa.* Ponce de León
> *Los Dos Habladores.* Ramón Gaya
> *La Vida es Sueño.* Benjamín Palencia
> *Fuenteovejuna.* Alberto Sánchez
> *El Retablo de las Maravillas.* Manuel Angeles Ortiz
> *La Tierra de Alvargonzález.* Trajes de Fuenteovejuna. Decorados de Santiago Ontañón.
> *El Burlador de Sevilla.* Ponce de León. Posteriormente hizo unos decorados José Caballero que no llegaron a realizarse por falta de espacio en las furgonetas; por otra parte se nos redujo la consignación.
> *La Tierra de Jauja.* Uniforme de la Barraca deformado con cuerdas. Maquillajes absurdos, capas, grandes espadas.
> *Egloga de Plácida y Victoriano.* Norah Borges
> *Las Almenas de Toro.* José Caballero
> *El Caballero de Olmedo.* José Caballero
> *Romance del Conde Alarcos.* Manuel Angeles Ortiz.

La música, generalmente, la buscaba Federico; sin embargo, creo haberlo dicho ya, todas las canciones, loas y bendiciones del *Auto Sacramental* las había armonizado Julian Bautista. Las particellas para los instrumentos que acompañaban las canciones de las bodas de *Fuenteovejuna,* las había compuesto Ernesto Halfter; en cuanto a los bailes que bailaban los actores, tanto en *Fuenteovejuna* como en *El Burlador,* para mí tengo que habían surgido de la mente coreográfica de Federico; únicamente el poeta recurrió a Encarnación y a Pilar López, para las sevillanas de *El Retablo de las Maravillas.*

APENDICE II

Incluyo la lista de los compañeros muertos, ya que algunos han escapado a mi memoria cuando me he ocupado de los componentes de la Barraca que pasaron al otro lado de la muralla:

Conchita Polo Díez, muerta de leucemia el 4 de abril de 1934
Emilio Loma, desaparecido en los primeros días de julio en el Alto del León
Eduardo Ródenas, asesinado en Madrid en julio de 1936
Nazario Cuartero, caído en el frente republicano el 11 de noviembre de 1936
Rafael Rodríguez Rapún, caído en Matamorosa (Castro-Urdiales) el 18 de agosto de 1937
Luis H. Manresa, muerto por una granada de mano en el frente republicano
Ramón G.ª del Diestro, muerto en Barcelona a consecuencia de fiebre tifoidea contraída en el frente de Lérida
David Tarancón, caído en el frente republicano
Luis Simarro, fallecido al pasar la frontera hispano-francesa en 1939
José Alcalá Zamora, caído en el frente republicano
Ambrosio Fdez. Llamazares, caído en el frente de Somiedo (León-Asturias)
Francisco Boluda Ferrero, muerto en el campo de exterminio de Mauthausen, Alemania, el 10 de octubre de 1941.

En cuanto a los exilados o desterrados que son y que lo fueron pero que ya han regresado para ver de encontrar todavía pequeñas raíces que den razón de su existencia de vencidos, son los siguientes, algunos de ellos fallecidos:

Joaquín Sánchez Covisa, Caracas. Muerto en 1974
Leopoldo Castedo, Chile primeramente; en la actualidad en Estados Unidos
Arturo Sáenz de la Calzada, México
Enriqueta Aguado Rodríguez, México
Alvaro Muñoz Custodio, México; en la actualidad se encuentra en España
Julia Rodríguez Mata, Rusia; en la actualidad en México
Isabel García Lorca, Estados Unidos; en la actualidad reside en España
Laura de los Ríos, Estados Unidos; en la actualidad reside en España
María Gloria Morales, Bélgica; en la actualidad en Chile
María del Carmen G.ª Antón, Francia; en la actualidad en Buenos Aires
Angel Graíño, Chile; en la actualidad en Madrid
María del Carmen G.ª Lasgoity, Francia, Argentina, Chile, Perú; en la actualidad en Madrid.

Esta lista me fue dada por María del Carmen; entre los fallecidos ha olvidado a José García García, caído en el frente republicano y entre los desterrados a Emilio G.ª Ruiz que se encuentra en los Estados Unidos

Paz para todos

INDICE DE NOMBRES

(Excluyendo a los componentes de la Barraca y a los autores de las obras que la Barraca montó.)

TITULOS PUBLICADOS